COLLECTION
FOLIO CLASSIQUE

Anton Tchekhov

THÉÂTRE COMPLET
II

Le Sauvage
Oncle Vania
La Cerisaie

et neuf pièces en un acte

Préface
de Renaud Matignon
Textes français
de Génia Cannac et Georges Perros

Gallimard

Il n'arrive rien dans le théâtre de Tchekhov, on l'a dit et redit. D'où sa ressemblance : qu'arrive-t-il de plus dans nos vies ? Dans des salons désuets et vides, Vania réglant ses factures et ruminant l'injustice du sort, les trois sœurs rêvant et sachant qu'elles rêvent, Gaev désœuvré s'installant dans l'attente de rien comme on se met au lit, c'est vous, c'est moi, dans nos vies sans histoires. L'aventure est absente. Alors, on fait du bruit ; on fuit. Qu'est-ce qu'une biographie ? Un calepin entre deux dates, et beaucoup de fumée. Et la ressemblance s'arrête là : chez Tchekhov, c'est le même calepin, la fumée en moins.

D'où le tragique. C'est ce vide qui est terrifiant, lorsqu'il est clairement ressenti. Nous ne sommes pas tragiques, avec nos tristesses et nos problèmes d'hygiène alimentaire. Les personnages de Tchekhov, oui. Le néant, non ; le tragique suppose le néant plus la conscience du néant. Outre le dépouillement de l'anecdote, qu'y a-t-il de commun aux grandes pièces tchekhoviennes ? La Cerisaie raconte la fin d'un domaine qui symbolisait la vie d'une famille, son passé, toute son existence, et que la nécessité va obliger à livrer aux promoteurs et aux bûcherons ; Oncle Vania, c'est une tribu qui se désagrège devant l'amertume et l'échec ; Les Trois Sœurs, l'enlisement de trois jeunes femmes dans un monde qui s'engloutit devant leurs yeux ;

La Mouette, *un amour qui avorte. L'agonie d'une maison,
d'une famille, d'une classe sociale et d'un amour. C'est toujours
l'histoire de ce qui finit, et je ne suis pas sûr que le véritable
thème de toute cette œuvre ne soit pas l'être de la mort plutôt
que la mort des êtres.*

*Ainsi planté le décor — quelque chose qui va disparaître —,
tout est fixé, tout est joué, tout est perdu d'avance. Les personnages de Tchekhov vont mourir. Nous aussi. Mais ils le
savent, au lieu que nous avons fini par l'oublier. Une grande
présence inexorable aura raison de tous, et cette présence a
un nom : la fatalité. Sous des dehors bourgeois, le théâtre de
Tchekhov relève moins du drame que de la tragédie, du profane
que du sacré. Nul besoin ici de chercher le dénouement : devant
la mort, on connaît l'issue. Le reste, l'anecdote, l'humour,
l'amertume, c'est pour occuper les protagonistes — un trompe-
la-mort. Leurs disputes familiales, leurs repas, leur tricot
et leur hargne, ne font illusion à personne, pas même à eux :
mais au XIXe siècle, au fond de la province russe, on n'avait
pas la télévision; chacun ses calmants. Ici, leur effet ne dure
pas, et c'est sans révolte et sans illusions que ces bonnes gens
ont pris leur parti de l'échec fondamental. Ils continuent vaille
que vaille à gérer leurs champs et leurs bois, savourent le peu
qui reste, en somme font semblant : chez Tchekhov, après
quelques éclats, quelques rébellions, on est plutôt bien élevé —
on fait son testament comme on prend une tasse de thé. Rien
ne se passe parce que tout passe, rien ne se fait parce que tout
se défait.*

*On oublie trop ce qu'est la province. Rien de tel cependant
pour faire l'expérience du temps. La province, et russe, et en
1880, c'était trois fois la province : le bal chez l'inspecteur
des impôts, le défilé de la garnison, les vodka-partys avec le
médecin et le fermier voisin, ce ne devait pas être folichon,
à Koursk ou à Taganrog. Dans cette oisiveté, chaque seconde
compte. Aucun théâtre peut-être qui, autant que celui de
Tchekhov, soit scandé par un balancier. L'horloge finit par y*

donner sa musique au silence, et Dieu sait si l'on se tait, dans La Cerisaie *comme dans* Vania, *et si l'on entend se taire. Comme chez notre Flaubert, provincial lui aussi : il n'y a pas loin d'Yonville aux bourgades ukrainiennes.*

Mais pas davantage, peut-être, de Paris à Moscou : l'œuvre de Tchekhov, comme celle de Flaubert, est issue de la grande cassure qui a ébranlé, vers le milieu du XIXᵉ siècle, la conscience européenne, et à partir de quoi va se fonder la littérature contemporaine. L'homme a cessé de croire à son destin pour n'y voir qu'un anti-destin, une mascarade, un jeu truqué — « une farce de collégien », le mot est de Tchekhov lui-même. Et Eléna, dans Oncle Vania, *constate doucement, entre son livre de comptes et le samovar déjà froid : « Je ne suis qu'un morne personnage épisodique. » Quand on fait ce constat, il n'y a plus qu'un ennemi, et c'est celui qui est mortel. L'œuvre de Tchekhov a découvert le temps, et le temps est une blessure. L'image est déjà chez Baudelaire. C'est celle du malheur d'être.*

Il y a derrière cette déchirure qui envahit soudain les livres, toute la bourgeoisie des pays d'Europe, qui possède l'argent mais qui en a de moins en moins, qui reste privilégiée mais sent lui échapper la réalité de ses privilèges, qui représente les trônes et les autels mais qui ne croit plus à Dieu ni au roi, qui est née de quatre-vingt-neuf et qui est devenue conservatrice à mesure qu'elle se décompose ; nous ne sommes plus guère qu'à une vingtaine d'années de 1917 : une classe désorientée assiste sans le savoir aux premières convulsions d'où sortiront les révolutions, les prolétariats et l'ère industrielle. La mode, qui n'a longtemps retenu pour expliquer les œuvres littéraires que les dates de naissance, les revenus mensuels et le milieu social, prétend aujourd'hui les ignorer tout à fait. Mais comment oublier que le monde de Tchekhov, avec ses vieilles tapisseries et son argenterie de famille, est celui de capitaines fauchés de la garde impériale et de fonctionnaires qui ne savent plus à quoi ils servent ? Cet univers est en sursis. La vie chez

*Tchekhov, cette lenteur de vieillard frileux, ces précautions
de malade, c'est la naphtaline de l'histoire, avant le grand
courant d'air qui va balayer les santés fragiles.*

C'est aussi ce qui donne aux personnages de Tchekhov
ce quelque chose de souffreteux, eux que la moindre fraîcheur
oblige à mettre pelisse et foulard, que la plus petite contra-
riété fait geindre et vaciller, comme fait le vent d'une flamme de
bougie. C'est l'épopée des emmitouflés, par l'emmitouflé
Tchekhov : car la vie de Tchekhov est une suite de sanatoriums.
Il a manqué presque toutes les générales de ses pièces, a dû
vivre en province, loin du Moscou rêvé qui lui apparaissait
comme un vertige de lumière, a éprouvé chaque jour les limites
de sa force et la malédiction de dépendre de son corps ; quand il
doit s'aliter, il rêve de projets et d'action ; guéri, c'est la
prochaine rechute qu'aussitôt il prévoit, peut-être grave,
peut-être fatale. Il n'y a rien à attendre : tout ce qu'il connaît
lui est donné de surcroît. On s'étonne moins de son peu d'éton-
nement devant la mort. Quoi de plus naturel ? Quarante-
quatre ans, pour lui, ce furent quarante-quatre ans de miracle.

Cela va rarement ensemble : condamnée, côtoyée par l'immi-
nence, affrontée par l'inexorable, l'humanité de Tchekhov
est pourtant irradiée de tendresse. Officiers, bourgeois, petits
propriétaires terriens, fermiers ruinés, peuvent être, on le
verra, grincheux, râleurs, vaniteux, amers : ils ne sont pas
aigres. Mi-figue, mi-raisin, douce-amère, la vie n'est pas un
enfer : elle est merveilleuse. C'est là ce qui distingue radica-
lement cette œuvre fraternelle de ce qu'on appelle absurdement
la littérature de l'absurde : on n'y trouve rien de la hargne
et de la sécheresse qui ont dévasté notre siècle. Ici encore,
le métaphysique naît du physique : rien n'est précieux au
malade, au convalescent, comme ce paysage, comme ce souffle
d'air, comme cet instant de bonheur qui auraient pu lui être
ravis, qui vont lui échapper peut-être. Ainsi de la mort évi-
dente, qui donne un éclat moins improbable, plus irrempla-
çable, plus unique à la mer avant le naufrage. Nous ne saurons

*pas, parfois, quelle lumière déchirante aura donné à un instant,
à une rencontre, à un visage, le sentiment que nous allons le
perdre. C'est le miracle tchekhovien : ce monde désenchanté
a gardé la grâce. Nous sommes ici dans la tragédie heureuse,
et ce sont les derniers soubresauts, les ultimes flambées d'enfance et de poésie auxquels nous assistons en même temps
que les personnages. Ils imprègnent les merveilleuses figures
de femmes de Tchekhov, lumineuses de douceur, de tendresse
et d'humour. C'est l'Irina des* Trois Sœurs, *c'est Ania
dans* La Cerisaie, *c'est, inoubliablement, l'Eléna d'*Oncle
Vania, *femme rêvée, vie rêvée — de qui d'autre pourrions-
nous être aussi amoureux ? Il semble qu'elle ait tout, chose
si rare chez les femmes. Laides, elles nous font fuir. Belles,
c'est suspect, nous les trouvons sottes, et passons notre chemin.
Tchekhov, ou la beauté de l'imaginaire. Même chez Sérébriakov,
vieillard capricieux et raté, on trouve encore des réserves
d'attention et de pureté.*

*Ainsi les personnages de Tchekhov sont-ils de ceux qui
multiplient leur vie par le sentiment qu'ils ont de sa fuite.
« Vous êtes tous possédés par le démon de la destruction »,
dit l'un d'eux. Oui, et de la possession. Comme nous. Car
c'est ce goût de posséder qui fait toute chose nous échapper.
Dans la douceur feutrée de cette œuvre, il y a une violence
combattue. Rien de plus violent, parfois, que les doux, les
gris, les effacés : ce ton chuchoté est celui d'une passion qui ne
répond pas d'elle-même, qui ne sait où elle s'arrêterait et qui
tremble en secret devant sa propre menace. Alors, devant ce
peu qui reste, l'aumône d'une vie : quelques paroles, quelques
visages, la réserve, la timidité des personnages de Tchekhov
sont celles des grands appétits et des soifs de paroxysme,
qui regardent s'éloigner ce qu'ils auraient tant désiré. Comment
aimer à ce point la vie quand elle est rongée par l'angoisse ?
Tchekhov n'en revient pas. Comme il n'est pas revenu du
malheur, durant toute son existence, ne cessant d'aider les
émigrés, de secourir les ouvriers, de plaider pour les bagnards*

*de Sakhaline, stupéfait — et émerveillé. Il nous reste à regarder
fuir ces bonheurs que nous ne sauverons pas. Mais s'ils fuient,
c'est qu'ils étaient. La vie alors n'existe qu'au passé — ou
au futur antérieur : il y aura eu cela du moins. « Je n'aime plus
personne », soupire Astrov dans* Oncle Vania. *Tout Tchekhov
est dans ce* plus personne, *dans ce* plus jamais *qui nous
condamne à n'étreindre que notre passé, à ne saisir que ce qui
nous échappe, et tout le temps tchekhovien est dans cet écoule-
ment qui est à la fois la mesure de notre misère et le garant
de notre vie. Dans l'espérance dérisoire que l'évidence de
notre néant est aussi la preuve de quelque réalité, il faut
admettre le temps comme un miracle tragique.*

*Maladif et avide, pénétré du malheur de vivre et ébloui de
tendresse et de goût du bonheur, enfantin et sans illusions,
proche de nous et reflet de son temps, dira-t-on que Tchekhov
est contradictoire ? Point philosophe, seulement, grâce à
Dieu. Rien de « penseur » dans son théâtre. On peut lire toute
son œuvre, crayon en main, dans l'espoir d'annoter, de com-
menter, de glaner des « idées ». En vain. « Il fait doux »,
« Le thé est chaud », « Le déménagement est-il prêt ? » Tout
ici est à ras du sol ; on en sent l'odeur et la rugosité. Structu-
ralistes, linguistes, sémiologistes s'abstenir. Éreinté, exsangue,
dopé aux hormones de la nouvelle critique, notre siècle a bonne
mine avec ses cheveux en quatre ! Au diable les préfaces et les
préfaciers ! Les préfaciers parlent trop, les préfaces ne disent
rien. Les uns et les autres nous font oublier qu'on nous montre
ici notre propre visage. C'est Vania qui le dit, à propos de
Sérébriakov : « Il a occupé une place qui ne lui appartenait pas. »
Ainsi de nous : on ne saurait mieux dire que « nous ne sommes
pas au monde », que « je est un autre » et que « la vraie vie est
ailleurs ». Nous savons depuis la fin du XIXe siècle que nous
sommes dépossédés de nous-mêmes, nous ne serons plus désormais que nos ombres et l'instant le plus lumineux ne parviendra
plus à nous le faire oublier. Contradiction ou non, il nous faudra
bien nous en débrouiller, et c'est cette histoire que Tchekhov*

nous raconte. C'est une histoire sans histoire, un miroir sans reflet, une musique sans paroles, dite par une voix sourde et familière, avec ce flegme et cette politesse désespérée qui font d'Anton Tchekhov le plus grand écrivain britannique de langue russe.

Renaud Matignon.

Le Sauvage

COMÉDIE EN QUATRE ACTES

PERSONNAGES

ALEXANDRE VLADIMIROVITCH SÉRÉBRIAKOV, *professeur en retraite.*

ELÉNA ANDRÉEVNA, *sa femme, 27 ans.*

SOFIA ALEXANDROVNA (Sonia), *sa fille du premier lit, 20 ans.*

MARIA VASSILIEVNA VOÏNITZKI, *veuve d'un conseiller intime, mère de la première femme du professeur.*

EGOR PETROVITCH VOÏNITZKI (Georges), *le fils de celle-ci.*

LÉONIDE STÉPANOVITCH JELTOUKHINE, *un ingénieur qui n'a pas terminé ses études, homme très riche.*

YOULIA STÉPANOVNA (Youlia), *sa sœur, 18 ans.*

IVAN IVANOVITCH ORLOVSKI, *propriétaire.*

FÉDOR IVANOVITCH, *son fils.*

MIKHAÏL LVOVITCH KHROUCHTCHEV (LE SAUVAGE), *un propriétaire qui a fait des études de médecine.*

ILIA ILIITCH DIADINE, *propriétaire.*

VASSILI, *domestique de Jeltoukhine.*

SÉMIONE, *ouvrier travaillant au moulin.*

ACTE PREMIER

Un jardin dans la propriété de Jeltoukhine. Une maison avec une terrasse ; devant la maison, sur une pelouse, deux tables sont dressées, l'une pour le déjeuner, l'autre, plus petite, pour les hors-d'œuvre.

SCÈNE PREMIÈRE

JELTOUKHINE, YOULIA

Ils sortent de la maison.

YOULIA

Tu ferais bien de mettre ton costume gris. Il te va mieux.

JELTOUKHINE

Cela m'est égal. Quelle importance ?

YOULIA

Lénia, pourquoi es-tu si sombre ? Est-ce permis, le jour de ton anniversaire ? Quel vilain tu fais !

Elle appuie sa tête contre la poitrine de son frère.

JELTOUKHINE

Un peu moins d'amour, s'il te plaît.

YOULIA, *à travers ses larmes.*

Lénia!

JELTOUKHINE

Au lieu de ces baisers larmoyants, de ces tendres regards et du petit chausson pour ma montre que tu m'as donné — que diable veux-tu que j'en fasse? — tu devrais plutôt m'obéir! Pourquoi n'as-tu pas écrit aux Sérébriakov?

YOULIA

J'ai écrit, Lénia!

JELTOUKHINE

A qui?

YOULIA

A Sonia. Je lui ai demandé de venir sans faute aujourd'hui, à une heure. Je lui ai écrit! Parole d'honneur!

JELTOUKHINE

Il est pourtant plus de deux heures, et ils ne sont pas là. Après tout, qu'ils fassent ce qu'ils veulent! Tant pis! Il faut laisser tomber cette affaire, cela ne donnera rien... Rien que de l'humiliation, des sentiments abjects, voilà tout... Elle ne me remarque même pas. Je suis laid, je ne suis pas intéressant, il n'y a rien de romanesque en ma personne, et si jamais elle m'épousait, ce serait uniquement par calcul... pour de l'argent.

YOULIA

Tu es laid... Qu'en sais-tu?

JELTOUKHINE

Je suis aveugle, peut-être? Cette barbe qui me pousse dans le cou, pas comme chez tout le monde... Cette moustache ridicule, que le diable l'emporte... et ce nez...

YOULIA

Pourquoi te tiens-tu la joue?

JELTOUKHINE

J'ai encore mal, là, au-dessous de l'œil.

YOULIA

Oui, c'est même un peu enflé. Laisse-moi t'embrasser et cela passera.

JELTOUKHINE

Que c'est bête!

Entrent Orlovski et Voïnitzki.

SCÈNE II

LES MÊMES, ORLOVSKI, VOÏNITZKI

ORLOVSKI

Mon poulet, quand est-ce qu'on va manger? Il est déjà deux heures passées.

YOULIA

Mais les Sérébriakov ne sont pas encore arrivés, parrain!

ORLOVSKI

Combien de temps faudra-t-il encore les attendre? J'ai faim, moi, mon petit chou! Egor Petrovitch a faim, lui aussi!

JELTOUKHINE, *s'adressant à Voïnitzki.*

Les vôtres viendront-ils?

VOÏNITZKI

Lorsque j'ai quitté la maison, Hélène était en train de s'habiller.

JELTOUKHINE

Donc, ils viendront sans faute?

VOÏNITZKI

Sans faute? Rien n'est moins sûr. Si notre général a une crise de goutte ou quelque lubie, ils resteront à la maison.

JELTOUKHINE

Dans ce cas, nous allons nous mettre à table. Pourquoi attendre encore? *(Il appelle :)* Ilia Iliitch! Serge Nikodimitch!

Entrent Diadine et deux ou trois invités.

SCÈNE III

LES MÊMES, DIADINE, INVITÉS

JELTOUKHINE

Venez casser la croûte. Faites comme chez vous. *(Il s'approche de la table des hors-d'œuvre.)* Les Sérébriakov ne sont pas venus, Fédor Ivanovitch n'est pas là, le Sauvage non plus... Tout le monde nous a oubliés.

YOULIA

Prenez-vous de la vodka, mon petit parrain?

ORLOVSKI

Juste une larme... Comme ça... Suffit.

DIADINE, *attachant une serviette à son cou.*

Quelle propriété magnifique que la vôtre, Youlia Stépanovna! Que je traverse vos champs, que je me promène sous les ombrages de votre jardin, que je regarde cette table, partout j'aperçois l'immense pouvoir de votre petite main de fée. A la vôtre!

YOULIA

J'ai beaucoup d'ennuis, Ilia Iliitch. Hier, par exemple, Nazarka a oublié d'enfermer les petits dindons dans la grange, ils ont passé la nuit dehors, dans la rosée, et aujourd'hui il y en a cinq de crevés!

DIADINE

Ce ne sont pas des choses à faire. Le dindon est un oiseau délicat.

VOÏNITZKI, *à Diadine.*

Dis donc, Gaufrette, coupe-moi une tranche de jambon!

DIADINE

Avec le plus grand plaisir. C'est un jambon magnifique. Un jambon des Mille et une Nuits. *(Il coupe du jambon.)* Je te le couperai, Georges, dans toutes les règles de l'art. Beethoven et Shakespeare ne sauraient le faire mieux que moi. Seulement, ce couteau ne coupe pas.

Il aiguise un couteau contre un autre.

JELTOUKHINE, *tressaillant.*

Vvvvvv... Laisse ça, Gaufrette. Je ne peux pas supporter ce bruit.

ORLOVSKI

Racontez-nous quelque chose, Egor Petrovitch. Que se passe-t-il chez vous?

VOÏNITZKI

Rien du tout.

ORLOVSKI

Quoi de neuf?

VOÏNITZKI

Rien. Tout est comme par le passé. La même chose
que l'année dernière. Moi, selon mon habitude, je parle
beaucoup et je travaille peu. Ma vieille linotte de maman
radote toujours sur l'émancipation des femmes. D'un
œil, elle regarde dans la tombe et, de l'autre, elle cherche
dans des livres savants l'aube d'une vie nouvelle.

ORLOVSKI

Et Sacha?

VOÏNITZKI

Le professeur? Les mites ne l'ont malheureusement
pas encore dévoré. Comme toujours, il reste dans son
cabinet de travail, depuis le matin jusqu'à une heure
avancée de la nuit, et il écrit sans arrêt. « L'esprit tendu,
le front ridé, nous écrivons, nous écrivons, — mais ni
nous-mêmes, ni nos écrits nulle louange ne récoltons[1]. »
Sonetchka, elle aussi, continue à dévorer des livres
savants et à remplir son journal intime de notes extrêmement intelligentes.

ORLOVSKI

Elle est mignonne, cette petite...

VOÏNITZKI

Observateur comme je le suis, je devrais écrire un
roman. Mon sujet est prêt et ne demande qu'à être traité.
Un professeur en retraite, tout desséché, perroquet
savant... Il a la goutte, des rhumatismes, la migraine,
une maladie de foie et tout ce qui s'ensuit... Il est jaloux

1. Citation d'une satire de Dmitriev, xviiie s. *(N. d. T.)*

comme Othello. Il vit, bien malgré lui, dans la propriété
de sa première femme, parce que ses moyens ne lui permettent pas de vivre en ville. Il se plaint éternellement
de ses malheurs, bien qu'en réalité il soit on ne peut
plus heureux.

ORLOVSKI

— Oh! Oh!

VOÏNITZKI

Bien sûr que si! Pensez un peu à la chance qu'il a eue!
Fils d'un simple diacre, élève d'un séminaire, le voilà en
possession de titres universitaires, d'une chaire de
Faculté! On l'appelle Excellence, il est le gendre d'un
sénateur, et cœtera... Mais il y a mieux. Voilà un homme
qui, depuis vingt-cinq ans, parle et écrit sur les arts sans
y rien comprendre. Voilà vingt-cinq ans qu'il remâche
les idées des autres sur le réalisme, les tendances actuelles
et autres balivernes; vingt-cinq ans qu'il enseigne et
écrit des choses que les gens intelligents connaissent
depuis longtemps et qui n'intéressent pas les autres.
Bref, vingt-cinq ans qu'il oscille entre le vide et le néant.
Et cependant quel succès! Quelle célébrité! Et pourquoi,
dites-moi? De quel droit?

ORLOVSKI, *en riant.*

Mais c'est de la jalousie!

VOÏNITZKI

Oui, de la jalousie! Et quel succès auprès des femmes!
Aucun Don Juan n'a connu cela! Sa première femme,
ma sœur, une belle et douce créature, aussi pure que ce
ciel bleu, une femme noble, généreuse et qui avait plus

d'admirateurs que lui n'avait jamais eu d'élèves, l'a aimé
comme seul un ange peut aimer son semblable. Ma mère,
sa belle-mère, est encore aujourd'hui en admiration
devant lui; aujourd'hui encore, il lui inspire une terreur
sacrée. Sa deuxième femme, si belle, si intelligente —
vous l'avez vue! — l'a épousé alors qu'il était déjà vieux.
Elle lui a tout donné, sa jeunesse, sa beauté, sa liberté,
son éclat... Et pourquoi? Pour quelle raison? Elle qui est
si douée!... Ah! quelle artiste! Comme elle joue du piano!

ORLOVSKI

C'est une famille en général très douée. Une famille
exceptionnelle.

JELTOUKHINE

C'est vrai. Sophie Alexandrovna, par exemple, a une
voix magnifique. Un soprano étonnant! Je n'ai jamais
rien entendu de pareil, non, pas même à Pétersbourg!
Seulement, entre nous, elle force un peu dans les registres
supérieurs. Quel dommage!... Ah! parlez-moi des registres supérieurs! Je donne ma tête à couper que, si seulement elle avait ces registres, elle serait devenue une
cantatrice hors série... Excusez-moi, j'ai deux mots à
dire à Youlia. *(Il emmène Youlia à l'écart.)* Envoie un
homme à cheval chez les Sérébriakov. Écris-leur que,
s'ils ne peuvent pas venir maintenant, ils viennent au
moins pour le dîner. *(Baissant la voix :)* Mais ne me fais
pas honte, soigne ton orthographe... « Venir » s'écrit
avec un seul « n »... *(Haussant la voix, d'un ton aimable :)*
Fais-le, s'il te plaît, mon amie.

YOULIA

Entendu!

Elle sort.

DIADINE

On raconte qu'Eléna Andréevna, l'épouse du professeur que je n'ai pas l'honneur de connaître, se distingue non seulement par ses qualités morales, mais aussi par sa beauté.

VOÏNITZKI

Oui, c'est une très belle personne.

JELTOUKHINE

Elle est fidèle à son professeur?

VOÏNITZKI

Oui, malheureusement.

JELTOUKHINE

Pourquoi malheureusement?

VOÏNITZKI

Parce que cette fidélité est fausse d'un bout à l'autre. Beaucoup de rhétorique, mais pas trace de logique. Il est immoral de tromper un vieux mari que l'on ne peut pas sentir; mais étouffer sa pauvre jeunesse et tout sentiment vrai, ça, c'est très bien.

DIADINE, *d'une voix larmoyante.*

Mon petit Georges, je n'aime pas t'entendre parler ainsi. Voyons, tout de même... Vrai, j'en tremble... Messieurs, je n'ai aucun talent, je ne dispose pas de fleurs de rhétorique, mais permettez-moi de vous dire sans grandes phrases ce que me dicte ma conscience...

Messieurs, celui qui trompe sa femme ou celle qui trompe
son mari sont des traîtres et pourraient même trahir
leur patrie!

VOÏNITZKI

Ferme ton robinet!

DIADINE

Permets, mon petit Georges... Ivan Ivanytch, Lénia,
mes chers amis, veuillez considérer la perfidie du destin
à mon endroit. Tout le monde sait que ma femme a filé
avec l'homme de son choix au lendemain de notre
mariage, sans autre raison que mon physique ingrat.

VOÏNITZKI

Elle a eu parfaitement raison.

DIADINE

Permettez, messieurs! Depuis cet incident, je n'ai
jamais failli à mon devoir. J'aime toujours ma femme,
je lui suis fidèle, je l'aide comme je peux et j'ai fait un testament en faveur des enfants qu'elle a eus avec l'homme
de son choix. Je n'ai pas failli à mon devoir et j'en suis
fier. Je suis fier, moi! J'ai perdu le bonheur, mais ma
fierté me reste. Mais elle? Sa jeunesse a fui, sa beauté est
fanée, conformément aux lois de la nature, l'homme de
son choix est mort — Dieu ait son âme! Que lui reste-
t-il? *(Il s'assied.)* Je vous parle sérieusement, pourquoi
riez-vous?

ORLOVSKI

Tu es un brave homme, une belle âme, mais tes discours sont trop longs et tu fais trop de gestes...

> *Fédor Ivanovitch Orlovski sort de la maison; il
> porte une longue veste en beau drap, il est chaussé*

de hautes bottes; sur sa poitrine, des décorations,
des médailles et une chaîne en or massif, ornée de
breloques; à ses doigts, des bagues de valeur.

SCÈNE IV

LES MÊMES, FÉDOR IVANOVITCH

FÉDOR IVANOVITCH

Bonjour, les enfants!

ORLOVSKI, *tout joyeux.*

Tiens, te voilà, Fédia, mon cher garçon!

FÉDOR IVANOVITCH, *à Jeltoukhine.*

Toutes mes félicitations pour ta fête... Je te souhaite
de pousser encore... (*Il salue tout le monde.*) Mon paternel! Bonjour, Gaufrette! Bon appétit à tous! Pain et sel!

JELTOUKHINE

Où as-tu été traîner? Comment peux-tu venir si
tard?

FÉDOR IVANOVITCH

Quelle chaleur! Il faudrait de la vodka!

ORLOVSKI, *admirant son fils.*

Mon ami! Quelle barbe magnifique! Messieurs, n'est-
ce pas qu'il est beau? Regardez-le bien, n'est-il pas beau?

FÉDOR IVANOVITCH

A la santé du héros de la fête! *(Il vide un verre.)* Et les Sérébriakov ne sont-ils pas venus?

JELTOUKHINE

Non.

FÉDOR IVANOVITCH

Hum... Où est donc Youlia?

JELTOUKHINE

Je ne sais pas ce qu'elle fabrique. Il est temps de servir le pâté. Je vais l'appeler.

Il sort.

ORLOVSKI

Notre Lénia, le héros de la fête, est mal luné aujourd'hui. Je le trouve sombre.

VOÏNITZKI

C'est une brute, tout simplement.

ORLOVSKI

Ses nerfs sont détraqués. Rien à faire...

VOÏNITZKI

Il est trop infatué, voilà pourquoi il est nerveux. Essayez de dire devant lui que ce hareng est bon, tout de suite il sera vexé, parce que ce n'est pas lui qu'on aura loué. Un pauvre type!... Mais le voilà!

Entrent Youlia et Jeltoukhine.

SCÈNE V

LES MÊMES, JELTOUKHINE, YOULIA

YOULIA

Bonjour, Fédia! *(Ils s'embrassent.)* Mange, mon chéri.
(A Orlovski :) Mon petit parrain, regardez le cadeau
que j'ai fait aujourd'hui à Lénia.

Elle montre un petit chausson brodé pour une montre

ORLOVSKI

Ma douce, ma petite fille, quel joli chausson!

YOULIA

Rien qu'en fil d'or, j'en ai eu pour plus de huit roubles.
Regardez les bords : des perles, des perles, des perles...
Et voici son nom : « Léonide Jeltoukhine. » Ici, brodé
avec du fil de soie : « Je donne à celui que j'aime... »

DIADINE

Permettez-moi de regarder aussi. C'est délicieux!

FÉDOR IVANOVITCH

Mais laissez donc... Ça suffit! Youlia, dis qu'on apporte
du champagne!

YOULIA

On en boira ce soir, Fédia!

FÉDOR IVANOVITCH

Qu'est-ce que cela veut dire : ce soir? Tout de suite!
Sinon, je m'en vais. Parole d'honneur, je m'en vais. Où
est-il, ton champagne? J'irai le chercher moi-même.

YOULIA

Tu me fais toujours du désordre dans mon ménage,
Fédia. *(A Vassili :)* Tiens, prends la clef. Le champagne est dans le garde-manger, tu sais bien, dans le
coin, près du sac de raisins secs, dans un panier. Mais
fais attention, ne casse rien!

FÉDOR IVANOVITCH

Apporte trois bouteilles, Vassili!

YOULIA

Tu ne seras jamais un bon maître, Fédia. *(Elle sert à
tous du pâté en croûte.)* Mangez, mes amis, je vous en
prie, mangez comme il faut. On ne dînera pas de sitôt,
pas avant six heures... Tu ne seras jamais bon à rien.
Fédia... Tu es un homme fini...

FÉDOR IVANOVITCH

La voilà qui me sermonne encore!

VOÏNITZKI

Il me semble qu'une voiture vient d'arriver... Vous
entendez?

JELTOUKHINE

Oui, ce sont les Sérébriakov... Enfin!

VASSILI

M. et Mme Sérébriakov sont arrivés.

YOULIA *pousse un cri de joie.*

Sonia!

Elle sort en courant.

VOÏNITZKI *chantonne.*

Allons les recevoir, allons les recevoir!

Il sort.

FÉDOR IVANOVITCH

Voyez-les, comme ils sont contents!

JELTOUKHINE

Ces gens-là manquent vraiment de tact. Il couche avec la femme du professeur et il est incapable de le cacher!

FÉDOR IVANOVITCH

Qui ça?

JELTOUKHINE

Georges, parbleu! Tout à l'heure, avant ton arrivée, il parlait d'elle avec tant d'enthousiasme que c'en était indécent.

FÉDOR IVANOVITCH

Comment sais-tu qu'il couche avec elle?

JELTOUKHINE

Voyons, suis-je aveugle? D'ailleurs, tout le district en parle.

FÉDOR IVANOVITCH

Ce sont des balivernes. Pour l'instant, elle n'a pas
d'amant, mais bientôt elle en aura un : moi! Tu as
compris? Moi!

SCÈNE VI

LES MÊMES, SÉRÉBRIAKOV, MARIA VASSILIEVNA,
VOÏNITZKI *donnant le bras à* ELÉNA ANDRÉEVNA, SONIA
et YOULIA *entrent.*

YOULIA, *en embrassant Sonia.*

Chérie! Chérie!

ORLOVSKI *va à leur rencontre, s'adressant au professeur.*

Sacha! Bonjour, mon vieux, bonjour, mon ami! *(Il
l'embrasse.)* Ça va? Dieu merci!

SÉRÉBRIAKOV

Et toi, compère? Tu as l'air tout à fait en forme. Très
heureux de te voir. Il y a longtemps que tu es rentré?

ORLOVSKI

Vendredi dernier. *(A Maria Vassilievna :)* Maria
Vassilievna! Et comment va la santé, Votre Excellence?

Il lui baise la main.

MARIA VASSILIEVNA

Mon cher ami...

Elle l'embrasse sur le front.

SONIA

Mon petit parrain!

ORLOVSKI

Sonetchka, mon cœur! *(Il l'embrasse.)* Ma colombe, mon petit serin...

SONIA

Vous avez toujours votre bonne figure, si sentimentale, si sucrée...

ORLOVSKI

Elle a grandi, elle a embelli, elle est devenue une grande fille, ma mignonne...

SONIA

Comment ça va, en général? La santé?

ORLOVSKI

Terriblement bonne.

SONIA

C'est un as, mon parrain... *(A Fédor :)* Je n'ai pas encore remarqué le personnage principal! *(Ils s'embrassent.)* Comme il est bronzé, tout couvert de poils... une véritable araignée!

YOULIA

Chérie!

ORLOVSKI, *à Sérébriakov.*

Alors, comment vis-tu?

SÉRÉBRIAKOV

Comme ça, tout doucement... Et toi?

ORLOVSKI

Moi? De quoi me plaindrais-je? Je vis! J'ai cédé ma
propriété à mon fils, j'ai marié mes filles à de braves
garçons, et maintenant il n'y a pas homme plus libre
que moi. Je n'ai plus qu'à me promener.

DIADINE, *à Sérébriakov.*

Votre Excellence arrive un peu en retard. La température du pâté a déjà considérablement baissé. Permettez-moi de me présenter : Ilia Iliitch Diadine, ou encore
Gaufrette, comme d'aucuns m'appellent avec beaucoup
d'esprit, à cause de mon visage marqué de petite vérole.

SÉRÉBRIAKOV

Très heureux.

DIADINE

Madame! Mademoiselle! *(Il salue Eléna et Sonia.)*
Tous ceux qui sont réunis ici, Excellence, sont mes bons
amis. Jadis, j'avais de la fortune, mais, pour des raisons
de famille, ou encore pour des raisons indépendantes de
la rédaction, comme on dit dans les centres intellectuels,
j'ai été obligé de céder ma part à mon propre frère,
lequel par suite d'un hasard malheureux a perdu soixante-
dix mille roubles appartenant à l'État. Mon métier :
j'exploite des éléments tumultueux. J'oblige des vagues
bouillonnantes à faire tourner les roues d'un moulin
que mon ami le Sauvage m'a loué.

VOÏNITZKI

Ferme ton robinet, Gaufrette!

DIADINE

Je m'incline toujours avec vénération *(il s'incline)* devant les lumières de la science qui éclairent les horizons de notre patrie. Excusez mon audace : je rêve de faire une visite à Votre Excellence, afin d'exalter mon âme en parlant des derniers progrès de la science.

SÉRÉBRIAKOV

Mais je vous en prie, je serai très heureux.

SONIA

Parlons un peu de vous, parrain. Où avez-vous passé l'hiver? Où êtes-vous allé vous cacher?

ORLOVSKI

Je suis allé à Gmunden, ma douce, je suis allé à Paris, et puis à Nice, à Londres...

SONIA

Voilà qui est bien! Quel veinard!

ORLOVSKI

Tu n'as qu'à venir avec moi en automne. Tu veux?

SONIA *chante.*

« Il ne faut pas me tenter en vain... »

FÉDOR IVANOVITCH

Ne chante pas à table, sinon ton mari aura une femme stupide.

DIADINE

Il serait intéressant de contempler cette table *à vol d'oiseau*[1]. Quel bouquet délicieux! Tout est ici réuni : la grâce, la beauté, le profond savoir, la gloi...

FÉDOR IVANOVITCH

Quel langage délicieux! Dieu sait ce que c'est! Tu parles comme si quelqu'un te passait un rabot sur l'échine...

Rires.

ORLOVSKI, *à Sonia.*

Et toi, mon amie, tu n'es toujours pas mariée?

VOÏNITZKI

Voyons, qui voulez-vous qu'elle épouse? Humblodt est déjà mort, Edison est en Amérique, Lassalle est mort aussi... L'autre jour, sur sa table, j'ai trouvé son journal intime, un énorme cahier; je l'ouvre et je lis : « Non, je n'aimerai jamais personne... L'amour n'est que l'élan égoïste du Moi vers un individu de l'autre sexe... » Et je ne sais quoi encore : transcendant, le point culminant d'un principe intégral... Fichtre! Je me demande où tu as appris tout cela?

---

1. En français dans le texte. *(N. d. T.)*

SONIA

Oncle Georges, tu ne devrais pas faire de l'ironie, toi moins qu'un autre.

VOÏNITZKI

Pourquoi te fâches-tu?

SONIA

Encore un mot, et l'un de nous partira d'ici. Moi ou toi...

ORLOVSKI, *riant aux éclats.*

En voilà un caractère!

VOÏNITZKI

Oui, c'est un drôle de caractère, mes amis! *(A Sonia :)* Eh bien, ta patte! Donne ta petite patte! *(Il lui baise la main.)* Paix et amitié! Je ne recommencerai plus.

SCÈNE VII

LES MÊMES, KHROUCHTCHEV

KHROUCHTCHEV, *sortant de la maison.*

Pourquoi ne suis-je pas peintre? Quel groupe magnifique!

ORLOVSKI, *tout joyeux.*

Michel, mon filleul chéri!

KHROUCHTCHEV

Mes félicitations! Bonjour, Youletchka, que vous êtes jolie aujourd'hui! Mon petit parrain! *(Il embrasse Orlov'ski.)* Sophie Alexandrovna!

Il salue les autres.

JELTOUKHINE

Comment peut-on arriver si tard? Où étais-tu?

KHROUCHTCHEV

Chez un malade.

YOULIA

Le pâté est froid depuis longtemps.

KHROUCHTCHEV

Ça ne fait rien, Youlia, je le mangerai froid. Où dois-je m'asseoir?

SONIA

Mettez-vous là!

Elle lui indique une place à côté d'elle.

KHROUCHTCHEV

Il fait aujourd'hui un temps superbe, et j'ai un appétit infernal. Attendez, je veux d'abord boire de la vodka! *(Il boit.)* A la santé du nouveau-né! Et je mangerai un petit pâté par là-dessus... Youletchka, embrassez ce pâté, il sera encore meilleur. *(Youlia embrasse le pâté.)* Merci. Comment ça va, parrain? Je ne vous ai pas vu depuis longtemps...

ORLOVSKI

Oui, il y a un bon moment. J'étais à l'étranger...

KHROUCHTCHEV

On me l'a dit, on me l'a dit... Je vous ai bien envié...
Et toi, Fédor, ça va?

FÉDOR

Grâce à vos prières, qui nous soutiennent comme des
piliers...

KHROUCHTCHEV

Et les affaires?

FÉDOR IVANOVITCH

Je ne peux pas me plaindre, ça va. Seulement, mon
vieux frère, beaucoup trop de déplacements. Je suis
à bout. D'ici au Caucase, du Caucase à la maison, et
puis encore au Caucase, et ainsi sans arrêt. Je galope
comme un fou! C'est que j'ai deux propriétés là-bas!

KHROUCHTCHEV

Je le sais.

FÉDOR IVANOVITCH

Je me consacre à la colonisation et je chasse les taren-
tules et les scorpions. Dans l'ensemble, les affaires
marchent assez bien, mais quant aux « passions, maudites
passions », — il n'y a rien de changé.

KHROUCHTCHEV

Naturellement, tu es amoureux?

FÉDOR IVANOVITCH

Excellente occasion pour boire un coup, Sauvage!
(Il boit.) Messieurs, ne vous amourachez jamais de
femmes mariées! Parole d'honneur, mieux vaut avoir
reçu une balle dans l'épaule ou dans la jambe, comme
votre humble serviteur, que d'être amoureux d'une
femme mariée... C'est un tel malheur que...

SONIA

C'est sans espoir?

FÉDOR IVANOVITCH

En voilà une idée! Sans espoir! Il n'y a rien au monde
qui soit sans espoir. Amour désespéré, amour malheureux, des « oh! » et des « hélas! », balivernes que tout
cela! Il suffit de vouloir. Quand je veux que mon fusil
ne fasse pas de ratés, il m'obéit. Quand je veux qu'une
dame tombe amoureuse de moi, elle n'y coupe pas.
Voilà, ma vieille Sonia! Quand j'en ai choisi une, il lui
est plus facile, je crois, d'aller faire un tour dans la lune,
que de m'échapper.

SONIA

Dis donc, tu nous fais peur!

FÉDOR IVANOVITCH

On ne m'échappe pas, oh non! Trois mots seulement,
et elle est en mon pouvoir. Oui... Je lui ai dit simplement : « Madame, toutes les fois que vous regarderez
une fenêtre, vous penserez à moi, je le veux! » Et, de
cette façon-là, elle pense à moi mille fois par jour. Mais
ce n'est pas tout : tous les jours, je la bombarde de
lettres...

ELÉNA ANDRÉEVNA

Les lettres ne sont pas un moyen très sûr. Elle les reçoit, mais elle peut ne pas les lire.

FÉDOR IVANOVITCH

Vous croyez? Hum... Voilà trente-cinq ans que je vis sur cette planète, mais jamais je n'ai encore rencontré ce phénomène : une femme qui aurait le courage de ne pas décacheter une lettre!

ORLOVSKI, *admirant son fils.*

Hein! Qu'il est beau, mon garçon! Moi-même, dans le temps, j'étais exactement comme lui — exactement! Sauf que je n'ai pas été à la guerre, mais quant à boire de la vodka et à gaspiller de l'argent — vrai, j'étais terrible!

FÉDOR IVANOVITCH

Je l'aime, Michel, je l'aime comme un fou, furieuse-ment... Si seulement elle voulait de moi, je lui donnerais tout... Je l'emmènerais chez moi, au Caucase, dans les montagnes, et nous pourrions y vivre comme des bien-heureux... Je monterais la garde auprès d'elle, Eléna Andréevna, tel un chien fidèle, et elle serait pour moi, comme dit la chanson de notre président : « Et tu seras la reine du monde, O ma fidèle amie! » Hélas! elle ne connaît pas son bonheur!

KHROUCHTCHEV

Mais qui est cette bienheureuse?

FÉDOR IVANOVITCH

Si tu sais trop de choses, tu vieilliras vite. Mais assez parlé de ça! Tournons la page! Je me souviens — il y a de cela une dizaine d'années et Lénia n'était encore qu'un lycéen — nous avons fêté comme aujourd'hui l'anniversaire de sa naissance. Je suis parti d'ici à cheval, Sonia assise sur mon bras gauche, Youlia sur mon bras droit, et toutes les deux s'accrochaient à ma barbe. Messieurs-dames, buvons à la santé des amies de ma jeunesse, Sonia et Youlia!

DIADINE, *riant aux éclats.*

C'est délicieux!

FÉDOR IVANOVITCH

Un jour, c'était après la guerre, j'étais en train de me soûler en compagnie d'un pacha turc, à Trébizonde... Et voilà qu'il me demande...

DIADINE, *l'interrompant.*

Mes amis, buvons à nos bonnes relations! Vive l'amitié! Hourra!

FÉDOR IVANOVITCH

Halte, halte, halte! Sonia, je réclame ton attention! Je propose un pari, que le diable m'emporte! Voilà, je mets trois cents roubles sur la table. Nous allons jouer au croquet après le déjeuner et je parie de faire en une fois tous les arceaux aller et retour.

SONIA

J'accepte, seulement je n'ai pas trois cents roubles.

FÉDOR IVANOVITCH

Si tu perds, tu chanteras pour moi quarante fois!

SONIA

D'accord.

DIADINE

C'est délicieux! C'est délicieux!

ELÉNA ANDRÉEVNA, *regardant le ciel.*

Quel est cet oiseau qui passe là?

JELTOUKHINE

C'est un épervier.

FÉDOR IVANOVITCH

Mes amis, à la santé de l'épervier!

> *Sonia part d'un grand éclat de rire.*

ORLOVSKI

La voilà partie! Qu'est-ce que tu as?

> *Khrouchtchev rit à son tour.*

ORLOVSKI

Et toi, qu'est-ce qui te prend?

MARIA VASSILIEVNA

Sophie, ce n'est pas convenable!

KHROUCHTCHEV

Oh! excusez-moi, mes amis... Je m'arrête, je m'arrête...

ORLOVSKI

C'est ce qu'on appelle rire sans raison.

VOÏNITZKI

Ces deux-là, il suffit de leur montrer le doigt, pour qu'ils éclatent de rire. Sonia! *(Lui montrant son index :)* Vous voyez bien!

KHROUCHTCHEV

Ça suffit! *(Il regarde sa montre.)* Eh bien, père Michel, tu as mangé et bu, et il ne faut pas abuser de l'hospitalité. Il est temps de partir.

SONIA

Où allez-vous?

KHROUCHTCHEV

Chez un malade. Je suis dégoûté de la médecine comme d'une femme que j'aurais cessé d'aimer, comme d'un hiver trop long...

SÉRÉBRIAKOV

Mais permettez, la médecine est tout de même votre métier, votre affaire, pour ainsi dire...

VOÏNITZKI, *ironique.*

Il a un autre métier. Il extrait de la tourbe de ses terres.

SÉRÉBRIAKOV

Comment ?

VOÏNITZKI

De la tourbe. Un ingénieur a calculé qu'il y a dans ses terres pour sept cent vingt mille roubles de tourbe. Ne rigolez pas !

KHROUCHTCHEV

Ce n'est pas pour gagner de l'argent que je fais extraire de la tourbe.

VOÏNITZKI

Et pourquoi donc ?

KHROUCHTCHEV

Pour que vous ne détruisiez pas les forêts.

VOÏNITZKI

Et pourquoi ne pas les abattre ? A vous entendre, on croirait que les forêts n'existent que pour que les gars et les filles des villages puissent y crier « ohé ! »

KHROUCHTCHEV

Je n'ai jamais dit cela.

VOÏNITZKI

Tout ce que j'ai eu l'honneur d'entendre de votre bouche sur la protection des forêts me paraît dépassé, peu sérieux et tendancieux. Je vous prie de m'excuser. Je ne juge pas par ouï-dire, non ; je connais presque

par cœur tous vos plaidoyers. Par exemple... *(Avec
emphase, en faisant de grands gestes comme pour imiter
Khrouchtchev :)* Vous autres hommes, vous détruisez
les forêts, ces forêts qui embellissent la terre, qui nous
apprennent à sentir la beauté et nous élèvent l'âme.
Les forêts adoucissent la rudesse du climat. Dans les
pays tempérés, on gaspille moins de forces à lutter contre
la nature; les hommes y sont plus doux, plus affectueux.
Tous les êtres y sont beaux, souples, sensibles, parlent
avec élégance et se meuvent avec grâce. Les arts et les
sciences y fleurissent, la philosophie n'y est pas pessimiste, les hommes y traitent les femmes avec beaucoup
de délicatesse... Et cœtera, et cœtera... Tout cela est
très gentil, mais si peu convaincant que vous voudrez
bien me permettre de brûler des bûches dans mon poêle
et de construire des granges en bois.

KHROUCHTCHEV

Qu'on abatte les arbres quand c'est nécessaire, mais
qu'on cesse d'anéantir les forêts. Toutes les forêts russes
gémissent sous les coups de hache, des millions d'arbres
sont perdus, les bêtes et les oiseaux quittent leurs refuges,
les rivières baissent et se dessèchent, les plus beaux
paysages disparaissent à jamais — tout cela parce que
l'homme paresseux n'a pas le courage de se baisser
pour ramasser le combustible qui traîne. Il faut être un
barbare insensé *(il montre les arbres)* pour brûler cette
beauté dans un poêle, pour anéantir ce que nous sommes
incapables de créer. L'homme a été doué d'intelligence
et de force créatrice pour augmenter son patrimoine,
mais jusqu'à présent il n'a rien créé, il n'a fait que
détruire. Il y a de moins en moins de forêts, les cours
d'eau se tarissent, le gibier disparaît, le climat est dété-
rioré et, tous les jours, la terre s'appauvrit et s'enlaidit.

Vous me regardez ironiquement, tout ce que je dis vous paraît démodé et peu sérieux. Cependant, quand je passe devant les forêts paysannes que j'ai sauvées de la hache, ou quand j'entends bruire les bois que j'ai plantés de mes propres mains, je sens que le climat est un peu en mon pouvoir et que si, dans dix mille ans, l'homme est plus heureux, j'y serai pour quelque chose. Quand je plante un petit bouleau et que, plus tard, je le vois reverdir et s'incliner sous la brise, je suis rempli de fierté, car je sais que j'ai aidé Dieu à créer un être vivant!

FÉDOR IVANOVITCH, *l'interrompant.*

A ta santé, Sauvage.

VOÏNITZKI

Tout cela est parfait, mais si vous vouliez considérer la question du point de vue scientifique et non journalistique...

SONIA

Oncle Georges, ta langue est couverte de rouille. Tais-toi!

KHROUCHTCHEV

En effet, Egor Petrovitch, cessons de parler de cela. Je vous en prie.

VOÏNITZKI

A votre aise.

MARIA VASSILIEVNA

Oh!

SONIA

Qu'avez-vous, grand-mère?

MARIA VASSILIEVNA, *à Sérébriakov.*

J'ai oublié de vous dire, Alexandre... Je n'ai plus de
mémoire!... Ce matin, j'ai reçu une lettre de Kharkov,
de Paul Aléxéevitch... Il vous envoie ses amitiés...

SÉRÉBRIAKOV

Merci, j'en suis très heureux.

MARIA VASSILIEVNA

Il m'envoie aussi sa nouvelle brochure, qu'il me
demande de vous montrer.

SÉRÉBRIAKOV

Intéressante?

MARIA VASSILIEVNA

Oui, mais un peu étrange. Il réfute tout ce qu'il
soutenait lui-même il y a sept ans. C'est tout à fait
caractéristique de notre époque. Jamais on n'a renié
ses convictions avec autant de facilité. C'est affreux!

VOÏNITZKI

Il n'y a rien là d'affreux. Mangez votre carassin,
maman.

MARIA VASSILIEVNA

Mais enfin, je veux parler!

VOÏNITZKI

Des tendances et des opinions, nous en parlons depuis cinquante ans. Il est temps d'en finir.

MARIA VASSILIEVNA

Je ne sais pas pourquoi tu détestes m'entendre parler. Excuse-moi, Georges, mais tu as tellement changé depuis un an, que je ne te reconnais plus. Tu étais un homme aux idées bien arrêtées, une personnalité lumineuse...

VOÏNITZKI

Oui, bien sûr! J'étais une personnalité lumineuse qui n'éclairait rien, ni personne. Permettez-moi de me lever... Une personnalité lumineuse! Peut-on se moquer de moi plus cruellement! Aujourd'hui, j'ai quarante-sept ans. Jusqu'à l'année dernière, j'ai tout fait, comme vous-mêmes, pour m'étourdir sciemment de ces théories abstraites, de cette scolastique, afin de ne pas voir la vie réelle. Et je croyais bien faire! Mais maintenant, si vous saviez comme je me juge stupide d'avoir bête-ment laissé passer le temps où j'aurais pu avoir tout ce que la vieillesse me refuse maintenant!

SÉRÉBRIAKOV

Permets, Georges. On dirait que tu reproches quelque chose à tes convictions passées...

SONIA

Assez, papa! C'est ennuyeux.

SÉRÉBRIAKOV

Attends. On dirait que tu reproches quelque chose à tes convictions passées. Mais elles n'y sont pour rien.

Le seul responsable, c'est toi. Tu as oublié que, si l'on n'agit pas, les convictions demeurent lettre morte... Tu aurais dû agir.

VOÏNITZKI

Agir? Tout le monde n'est pas capable d'être un perpetuum mobile, la plume à la main.

SÉRÉBRIAKOV

Que veux-tu dire par là?

VOÏNITZKI

Rien du tout. Passons. Nous ne sommes pas chez nous.

MARIA VASSILIEVNA

Où ai-je donc la tête? J'aurais dû vous rappeler, Alexandre, de prendre vos gouttes avant le déjeuner. Je les ai apportées, et voilà que j'oublie de vous en parler.

SÉRÉBRIAKOV

C'est inutile.

MARIA VASSILIEVNA

Mais vous êtes malade, Alexandre! Vous êtes très malade!

SÉRÉBRIAKOV

Pourquoi le crier sur les toits? Vieux, malade, malade, vieux... je n'entends plus que cela. *(A Jeltoukhine :)* Léonide Stépanytch, permettez-moi de me lever de table et d'aller à l'intérieur. Il fait trop chaud, ici... et il y a des moustiques.

JELTOUKHINE

Mais je vous en prie. Nous avons fini de déjeuner.

SÉRÉBRIAKOV

Je vous remercie.

Il se lève et va vers la maison. Maria Vassilievna le suit.

YOULIA, *à son frère.*

Va avec le professeur! Il faut être poli.

JELTOUKHINE, *à Youlia.*

Que le diable l'emporte!

Il va à l'intérieur.

DIADINE

Youlia Stépanovna, permettez-moi de vous remercier du fond du cœur.

Il lui baise la main.

YOULIA

Il n'y a pas de quoi, Ilia Iliitch! Vous avez mangé si peu de choses! *(Chacun la remercie.)* Il n'y a pas de quoi, mes amis. Vous avez mangé si peu de choses!

FÉDOR

Eh bien, qu'est-ce qu'on fait maintenant? D'abord, nous allons jouer au croquet, et je tâcherai de gagner mon pari... Mais après?

YOULIA

Après, nous dînerons.

FÉDOR

Et après?

KHROUCHTCHEV

Après, vous viendrez tous chez moi. Ce soir, nous organiserons une partie de pêche sur le lac.

FÉDOR

Parfait.

DIADINE

C'est délicieux!

SONIA

Permettez, un instant... Nous allons donc maintenant jouer au croquet, disputer la partie... Puis nous dînerons ici, chez Youlia, pas trop tard, et, vers sept heures, nous irons tous chez le Sauv... je veux dire, chez Mikhaïl Lvovitch. C'est parfait. Youlia, allons chercher les boules.

Sonia et Youlia vont dans la maison.

FÉDOR

Vassili, emporte ces bouteilles sur le terrain de jeu. Nous boirons à la santé du vainqueur. Eh bien, paternel, viens t'adonner à ce noble sport.

ORLOVSKI

Attends, mon garçon, je vais bavarder cinq minutes avec le professeur. Ce sera plus convenable. Il faut respecter l'étiquette. Joue avec ma boule en attendant, ça ne sera pas long.

Il va vers la maison.

DIADINE

Moi aussi, j'irai écouter le très savant Alexandre Vladimirovitch. Anticipant le grand plaisir que...

VOÏNITZKI

Tu nous ennuies, Gaufrette. Va-t'en.

DIADINE

Je m'en vais.

Il va vers la maison.

FÉDOR *va vers le jardin et chante.*

« Et tu seras la reine du monde, O ma fidèle amie... »

Il sort.

KHROUCHTCHEV

Je vais me retirer discrètement. *(A Voïnitzki :)* Egor Petrovitch, ne parlons plus jamais ni des forêts ni de la médecine, je vous en prie instamment. Chaque fois que vous abordez l'un de ces sujets, cela me laisse un arrière-goût dans la bouche toute la journée, comme si j'avais mangé dans une assiette non étamée. J'ai bien l'honneur...

Il sort.

SCÈNE VIII

ELÉNA ANDRÉEVNA, VOÏNITZKI

VOÏNITZKI

Quel esprit étroit! Chacun a le droit de dire des bêtises, mais je n'aime pas qu'on les dise avec emphase.

ELÉNA ANDRÉEVNA

Mais vous, Georges, vous avez encore été impossible. Quel besoin aviez-vous de discuter avec Maria Vassi-lievna, avec Alexandre, et de parler de « perpetuum mobile »? C'est vraiment mesquin!

VOÏNITZKI

Mais puisque je le hais!

ELÉNA ANDRÉEVNA

Il n'y a aucune raison de haïr Alexandre. Il est comme les autres...

Sonia et Youlia vont au jardin, portant des boules et des maillets.

VOÏNITZKI

Si vous pouviez vous voir vous-même, voir votre visage, vos mouvements... Quelle paresse de vivre! Oh! quelle paresse!

ELÉNA ANDRÉEVNA

Oui, c'est de la lassitude et de l'ennui... *(Une pause.)* Tout le monde dit devant moi du mal de mon mari, sans être gêné par ma présence. Tout le monde me regarde avec pitié : la malheureuse, elle a un vieux mari... Tous, même de très braves gens, voudraient que je quitte Alexandre... Toutes ces marques de sympathie, ces regards pleins de compassion, ces tristes soupirs n'ont qu'une seule signification... Le Sauvage disait tout à l'heure : insensés qui détruisez les forêts, il n'y en aura bientôt plus sur la terre; et vous, comme des insensés, vous détruisez l'être humain, et, à cause de vous, il n'y aura bientôt plus sur terre ni fidélité, ni pureté, ni esprit de sacrifice. Pourquoi ne pouvez-vous pas regarder froidement une épouse fidèle, si ce n'est pas la vôtre? Le Sauvage a parfaitement raison : le démon de la destruction vous habite. Vous n'avez pitié ni des forêts ni des oiseaux, ni des femmes ni de vos semblables.

VOÏNITZKI

Cette philosophie me déplaît.

ELÉNA ANDRÉEVNA

Et dites à votre Fédor Ivanytch que je suis fatiguée de son insolence. Cela devient écœurant, à la fin! Me regarder dans les yeux et parler devant tout le monde de son amour pour une femme mariée! C'est extrêmement spirituel! *(Des voix dans le jardin : « Bravo ! Bravo ! »)* Ce Sauvage, comme il est sympathique! Il vient souvent chez nous, mais je suis timide, et je n'ai jamais su lui parler, ni l'accueillir aimablement. Il doit me croire méchante ou trop fière. Si nous sommes bons amis, vous et moi, Georges, c'est sans doute parce que nous sommes des êtres fades et assommants. Oui, des êtres assommants Ne me regardez pas ainsi, je n'aime pas cela.

VOÏNITZKI

Comment pourrais-je vous regarder autrement? Je
vous aime. Vous êtes mon bonheur, ma vie, ma jeunesse! Je sais que mes chances d'être aimé en retour
sont nulles, mais je ne vous demande rien, permettez-
moi seulement de vous regarder, d'écouter votre voix...

SCÈNE IX

LES MÊMES, SÉRÉBRIAKOV

SÉRÉBRIAKOV *se montre à la fenêtre.*

Léna, où es-tu?

ELÉNA ANDRÉEVNA

Ici.

SÉRÉBRIAKOV

Viens, reste un peu avec nous, ma chérie...
Il disparaît, Eléna Andréevna va vers la maison.

VOÏNITZKI, *qui la suit.*

Permettez-moi de vous parler de mon amour, ne me
chassez pas, et ce sera déjà pour moi le plus grand
bonheur...

ACTE II

Une salle à manger dans la maison de Sérébriakov. Un buffet ; au centre de la pièce, une grande table. Il est plus d'une heure du matin. On entend les claquettes du veilleur de nuit dans le jardin.

SCÈNE PREMIÈRE

SÉRÉBRIAKOV, *qui sommeille dans un fauteuil, près de la fenêtre ouverte et* ELÉNA ANDRÉEVNA, *assise près de lui. Elle sommeille aussi.*

SÉRÉBRIAKOV, *s'éveillant.*

Qui est là ? C'est toi, Sonia ?

ELÉNA ANDRÉEVNA

C'est moi.

SÉRÉBRIAKOV

Ah ! c'est toi, Léna... J'ai des douleurs insupportables...

ELÉNA ANDRÉEVNA

Ton plaid est tombé. *(Elle lui enveloppe les jambes.)*
Je vais fermer la fenêtre, Alexandre.

SÉRÉBRIAKOV

Non, j'étouffe... Je viens de m'assoupir et j'ai rêvé
que ma jambe gauche n'était pas à moi. Une douleur
lancinante m'a réveillé. Non, ce n'est pas la goutte,
c'est plutôt le rhumatisme... Quelle heure est-il maintenant ?

ELÉNA ANDRÉEVNA

Une heure vingt.

Un temps.

SÉRÉBRIAKOV

Nous devons avoir les œuvres de Batiouchkov dans
la bibliothèque. Veux-tu les chercher demain matin ?

ELÉNA ANDRÉEVNA

Comment ?

SÉRÉBRIAKOV

Cherche les œuvres de Batiouchkov demain matin.
Je crois me souvenir qu'elles étaient là. Mais pourquoi
ai-je tant de peine à respirer ?

ELÉNA ANDRÉEVNA

C'est la fatigue. Deux nuits que tu ne dors pas !

SÉRÉBRIAKOV

On dit que la goutte dont souffrait Tourguéniev
s'était transformée en angine de poitrine. J'ai bien peur

qu'il ne m'arrive la même chose. Maudite vieillesse!
Elle est odieuse, que le diable l'emporte! Depuis que je
suis devenu vieux, je me dégoûte moi-même et je me
figure que vous êtes tous dégoûtés de me voir.

ELÉNA ANDRÉEVNA

A t'entendre parler de ta vieillesse, on dirait que
nous en sommes tous responsables.

SÉRÉBRIAKOV

Toi la première, tu es dégoûtée de moi.

ELÉNA ANDRÉEVNA

Que c'est ennuyeux!

Elle se lève et va s'asseoir à l'écart.

SÉRÉBRIAKOV

Naturellement, tu as raison. Je ne suis pas bête, je
comprends. Tu es jeune, bien portante, belle, tu veux
vivre, et moi je suis un vieillard, un demi-mort. Eh bien?
Est-ce que je ne comprends pas? Bien sûr, c'est bête
d'être encore en vie. Mais attendez un peu, je ne tarderai
pas à vous débarrasser de ma personne. Je n'en ai pas
pour longtemps.

ELÉNA ANDRÉEVNA

Sacha, je n'en peux plus. Si mes nuits de veille méri-
tent quelque récompense, alors je t'en supplie, tais-toi!
Pour l'amour du ciel, tais-toi! Je ne te demande rien de
plus.

SÉRÉBRIAKOV

Ainsi, par ma faute, vous êtes tous à bout, vous vous
ennuyez, vous perdez votre jeunesse, et moi je suis le
seul à jouir de la vie et à être content. C'est cela, non?

ELÉNA ANDRÉEVNA

Tais-toi, tu me tortures.

SÉRÉBRIAKOV

Je vous torture tous, cela va de soi.

ELÉNA ANDRÉEVNA, *pleurant*.

C'est insupportable! Dis-moi, que me veux-tu?

SÉRÉBRIAKOV

Rien du tout.

ELÉNA ANDRÉEVNA

Alors, tais-toi; je t'en prie!

SÉRÉBRIAKOV

Étrange! Quand c'est Georges ou cette vieille idiote
de Maria Vassilievna qui parlent, tout va bien, tout le
monde écoute, mais il suffit que je dise un seul mot,
et tous se sentent malheureux. Même le son de ma voix
les dégoûte. Eh bien, soit, je suis désagréable, je suis
un égoïste, un despote, mais est-ce que, dans ma vieillesse, je n'ai pas le droit d'être un peu égoïste? Ne l'ai-je
pas mérité? Ma vie a été dure. Orlovski et moi, nous
étions étudiants à la même époque. Tu n'as qu'à l'interroger. Lui faisait la noce, il allait chez les Tziganes,

subvenait à mes besoins, et moi, pendant ce temps-là, je vivais dans une chambre d'hôtel sordide, je travaillais jour et nuit comme un bœuf, je ne mangeais pas à ma faim et je souffrais de vivre aux crochets d'un autre. Plus tard, je suis allé à Heidelberg, mais je n'ai pas vu Heidelberg; je suis allé à Paris, mais je n'ai pas vu Paris. Je restais tout le temps à travailler entre mes quatre murs. Nommé professeur de Faculté, j'ai servi la science toute ma vie, en toute conscience, comme on dit; et je continue encore à la servir. Je vous le demande : est-ce que tout cela ne me donne pas droit à une vieillesse tranquille, à des égards?

ELÉNA ANDRÉEVNA

Personne ne te conteste ce droit. *(Une fenêtre claque sous la poussée du vent.)* Le vent se lève, je vais fermer la fenêtre. *(Elle la ferme.)* Il va pleuvoir tout à l'heure. Non, personne ne te conteste ce droit.

> *Un temps. Au-dehors, le veilleur de nuit frappe et chante une chanson.*

SÉRÉBRIAKOV

Vouer toute sa vie à la science, être habitué à son cabinet de travail, à son auditoire, à des collègues respectables, et puis, brusquement, on ne sait pourquoi, échouer ici, dans ce caveau, ne voir tous les jours que des gens vulgaires, n'entendre que des conversations futiles! Je veux vivre, j'aime le succès, la célébrité, le bruit, et je suis ici comme en déportation. Regretter le passé à tout instant, suivre les succès des autres, craindre la mort... non, je n'en peux plus! Je n'en ai pas la force! Et voilà qu'on ne veut même pas me pardonner ma vieillesse!

ELÉNA ANDRÉEVNA

Attends un peu, prends patience. Encore cinq ou six ans, et je serai vieille, moi aussi.

Entre Sonia.

SCÈNE II

LES MÊMES, SONIA

SONIA

Je me demande pourquoi le docteur tarde à venir. J'ai dit à Stéphane d'aller chercher le Sauvage, si le médecin du *zemstvo* [1] n'était pas chez lui.

SÉRÉBRIAKOV

Quel besoin ai-je de ton Sauvage? Il s'y connaît en médecine, comme moi en astronomie.

SONIA

On ne peut tout de même pas faire venir toute la Faculté de médecine pour soigner ta goutte.

SÉRÉBRIAKOV

Je ne veux même pas parler avec ce simple d'esprit.

SONIA

A ta guise. *(Elle s'assied.)* Cela m'est égal.

1. *Zemstvo :* administration locale. *(N. d. T.)*

SÉRÉBRIAKOV

Quelle heure est-il maintenant?

ELÉNA ANDRÉEVNA

Une heure passée.

SÉRÉBRIAKOV

Il fait lourd... Sonia, donne-moi les gouttes qui sont sur la table.

SONIA

Voilà.

Elle lui donne le flacon.

SÉRÉBRIAKOV, *irrité.*

Mais non, pas celles-là! On ne peut donc rien te demander!

SONIA

Pas de caprices, s'il te plaît! Certains les trouvent peut-être à leur goût, mais moi, je te prie de m'en faire grâce. Je n'aime pas ça.

SÉRÉBRIAKOV

Cette petite fille a un caractère impossible. Pourquoi te fâches-tu?

SONIA

Et toi, pourquoi prends-tu ce ton désespéré? A t'entendre, on pourrait croire que tu es vraiment malheureux. En réalité, peu d'hommes sont aussi heureux que toi.

SÉRÉBRIAKOV

Parbleu oui! Je suis extrêmement heureux!

SONIA

Bien sûr! Quant à ta goutte, tu sais très bien que la
crise passera avant le matin. Alors, pourquoi gémir?
Ce n'est pas grave du tout!

> *Entre Voïnitzki, en robe de chambre et une bougie
> à la main.*

SCÈNE III
LES MÊMES, VOÏNITZKI

VOÏNITZKI

Un orage se prépare. *(On voit un éclair.)* Avez-vous
vu ça? Hélène et Sonia, allez vous coucher, je vais vous
relayer.

SÉRÉBRIAKOV, *effrayé.*

Non, non, ne me laissez pas seul avec lui! Il va
m'assommer avec ses discours!

VOÏNITZKI

Mais il faut bien qu'elles se reposent. Voilà deux nuits
qu'elles ne dorment pas.

SÉRÉBRIAKOV

Qu'elles aillent se coucher, mais toi aussi, va-t'en.
Merci... Je t'en supplie. Au nom de notre amitié passée,
ne proteste pas. Nous parlerons une autre fois.

VOÏNITZKI

Notre amitié passée? J'avoue que c'est nouveau pour moi.

ÉLÉNA ANDRÉEVNA

Taisez-vous, Georges.

SÉRÉBRIAKOV

Ma chérie, ne me laisse pas seul avec lui. J'ai peur de ses discours.

VOÏNITZKI

Cela devient ridicule à la fin. *(On entend la voix de Khrouchtchev derrière la scène :* « Ils sont dans la salle à manger? Ici? Veuillez dire qu'on prenne soin de mon cheval! ») Voilà le docteur.

Entre Khrouchtchev.

SCÈNE IV

LES MÊMES, KHROUCHTCHEV

KHROUCHTCHEV

Drôle de temps, hein? La pluie m'a poursuivi, j'ai eu du mal à lui échapper. Bonjour, tout le monde.

Il salue les personnes présentes.

SÉRÉBRIAKOV

Excusez-nous de vous avoir dérangé. Je n'en suis d'ailleurs pas responsable.

KHROUCHTCHEV

Voyons, aucune importance! Mais qu'est-ce qui vous arrive, Alexandre Vladimirovitch? N'avez-vous pas honte d'être malade? Qu'est-ce qui ne va pas?

SÉRÉBRIAKOV

Pourquoi les médecins prennent-ils toujours ce ton condescendant pour parler à leurs malades?

KHROUCHTCHEV, *en riant.*

Ne soyez pas trop observateur. *(Gentiment :)* Venez vous coucher. Vous n'êtes pas bien ici... Dans votre lit, vous serez au chaud et plus tranquille... Venez... Je vous ausculterai... et tout ira très bien.

ELÉNA ANDRÉEVNA

Écoute le docteur, Sacha, va.

KHROUCHTCHEV

Si marcher vous fait souffrir, nous allons vous porter dans votre fauteuil.

SÉRÉBRIAKOV

Mais non, je peux marcher... j'irai. *(Il se lève.)* Mais on a eu tort de vous déranger... *(Khrouchtchev et Sonia le soutiennent sous les bras.)* D'ailleurs, je ne crois pas beaucoup... à la pharmacie. Pourquoi me soutenez-vous? Je peux marcher tout seul.

Il sort, accompagné de Khrouchtchev et de Sonia.

SCÈNE V

ELÉNA ANDRÉEVNA, VOÏNITZKI

ELÉNA ANDRÉEVNA

Il m'a épuisée. Je tiens à peine sur mes jambes.

VOÏNITZKI

Il vous a fatiguée, et moi je me fatigue tout seul. Voilà la troisième nuit que je ne dors pas.

ELÉNA ANDRÉEVNA

Ça ne va pas bien dans cette maison. Votre mère déteste tout, sauf ses brochures et le professeur; le professeur est irrité, il n'a pas confiance en moi et il a peur de vous. Sonia est fâchée contre son père et ne me parle pas; vous, vous détestez mon mari et méprisez ouvertement votre mère, et moi, j'ai le cafard. Je suis aussi énervée que les autres et j'ai eu vingt fois envie de pleurer depuis ce matin. Bref, c'est la guerre de tous contre tous. On se demande à quoi rime cette guerre et quel en est le but.

VOÏNITZKI

Laissons cette philosophie.

ELÉNA ANDRÉEVNA

Ça ne va pas bien dans cette maison. Vous qui êtes intelligent et instruit, Georges, vous devriez comprendre que ce ne sont ni les brigands, ni les voleurs qui font

périr le monde, mais la haine secrète, l'hostilité entre les
hommes de bien, et toutes ces petites intrigues que ceux
qui appellent notre maison le foyer de l'intelligentzia
ne soupçonnent même pas. Aidez-moi à réconcilier
tout le monde. Seule, je n'en ai pas la force!

VOÏNITZKI

Réconciliez-moi d'abord avec moi-même! Ma chérie...

> *Il presse la main d'Eléna Andréevna contre ses
> lèvres.*

ELÉNA ANDRÉEVNA

Laissez-moi! *(Elle retire sa main.)* Allez-vous-en.

VOÏNITZKI

Tout à l'heure, la pluie va cesser, la nature va revivre
et respirer à nouveau largement. Il n'y a que moi que
l'orage ne rafraîchira pas. La pensée que ma vie est
perdue sans retour m'oppresse nuit et jour, comme un
esprit malveillant. Je n'ai pas de passé, je l'ai bêtement
gaspillé en futilités, et le présent est d'une effroyable
absurdité. Voilà ma vie et mon amour. A quoi servent-ils,
que dois-je en faire? Mon amour inutile se meurt comme
un rayon de soleil tombé dans une fosse, et moi de même.

ELÉNA ANDRÉEVNA

Quand vous me parlez de votre amour, je deviens
stupide, je ne sais que répondre. Pardonnez-moi, je n'ai
rien à vous dire. *(Elle fait mine de partir.)* Bonne nuit!

VOÏNITZKI, *lui barrant le chemin.*

Si vous saviez combien je souffre à l'idée qu'à côté
de ma vie, une autre vie — la vôtre — s'éteint dans

cette maison. Qu'attendez-vous? Quelle philosophie maudite vous arrête? Comprenez donc que d'avoir enchaîné votre jeunesse, étouffer votre soif de vivre, ce n'est pas de la haute morale...

ELÉNA ANDRÉEVNA, *le regardant attentivement.*

Georges, vous êtes ivre!

VOÏNITZKI

C'est possible, c'est possible.

ELÉNA ANDRÉEVNA

Fédor Ivanovitch est-il chez vous?

VOÏNITZKI

Oui, il passe la nuit chez moi... Peut-être, peut-être... Tout est possible...

ELÉNA ANDRÉEVNA

Et vous avez encore fait la noce aujourd'hui? Pourquoi faites-vous cela?

VOÏNITZKI

Cela me donne l'illusion de vivre. Ne m'en empêchez pas, Hélène!

ELÉNA ANDRÉEVNA

Avant, vous ne buviez jamais, et vous n'étiez pas aussi bavard. Allez vous coucher. Vous m'ennuyez. Et dites à votre ami Fédor Ivanovitch que s'il ne cesse de m'importuner, je prendrai des mesures... Allez maintenant!

voïnitzki *se penche sur la main d'Eléna Andréevna.*

Ma chérie... Mon adorable...

Entre Khrouchtchev.

SCÈNE VI

LES MÊMES, KHROUCHTCHEV

KHROUCHTCHEV

Eléna Andréevna, le professeur vous demande.

ELÉNA ANDRÉEVNA, *retirant vivement sa main.*

J'y vais!

Elle sort.

KHROUTCHTCHEV, *s'adressant à Voïnitzki.*

Rien de sacré pour vous, alors! Vous ne devriez tout
de même pas oublier, vous et cette charmante dame qui
vient de sortir, que le professeur a été jadis le mari de
votre propre sœur et qu'une jeune fille vit sous votre
toit. Toute la province parle déjà de votre roman.
Comment n'avez-vous pas honte?

Il va rejoindre son malade.

VOÏNITZKI, *seul.*

Elle est partie. *(Une pause.)* Il y a dix ans, je la rencontrais parfois chez ma défunte sœur. Elle avait
alors dix-sept ans et moi trente-sept. Pourquoi ne suis-je
pas tombé amoureux d'elle à cette époque? Pourquoi
ne l'ai-je pas demandée en mariage? Pourtant, ç'aurait

été si simple. Aujourd'hui, elle serait ma femme... Oui...
L'orage nous aurait réveillés tous les deux. Elle aurait
eu peur du tonnerre, et moi je l'aurais serrée dans mes
bras, j'aurais murmuré : « Ne crains rien, je suis là... »
Oh! quelle vision délicieuse! J'en ris de bonheur...
Mon Dieu, mes pensées s'embrouillent... Pourquoi
suis-je vieux? Pourquoi ne veut-elle pas me comprendre?
Sa rhétorique, sa morale timorée, ses pensées absurdes
et paresseuses sur la fin du monde, tout cela m'est
odieux!... *(Une pause.)* Pourquoi ai-je ce caractère
malheureux? Comme j'envie ce toqué de Fédor ou cet
imbécile de Sauvage! Eux sont spontanés, francs et
naïfs. Ils ne connaissent pas cette maudite ironie qui
empoisonne tout...

> *Entre Fédor Ivanovitch, enveloppé dans une couver-*
> *ture.*

SCÈNE VII

VOÏNITZKI, FÉDOR IVANOVITCH

FÉDOR IVANOVITCH, *sur le seuil de la porte.*

Vous êtes seul? Il n'y a pas de dames ici? *(Il entre.)*
C'est l'orage qui m'a réveillé. Une pluie formidable!
Quelle heure est-il?

VOÏNITZKI

Le diable le sait!

FÉDOR IVANOVITCH

J'ai cru entendre tout à l'heure la voix d'Eléna
Andréevna.

VOÏNITZKI

Elle sort d'ici.

FÉDOR IVANOVITCH

Quelle femme splendide! *(Il examine les fioles qui sont sur la table.)* Qu'est-ce que c'est? Des pastilles de menthe? *(Il en mange plusieurs.)* Oui, une femme splendide... Que se passe-t-il? Le professeur est malade?

VOÏNITZKI

Oui.

FÉDOR IVANOVITCH

A quoi sert une existence pareille? On raconte que les Anciens précipitaient les enfants faibles et chétifs du haut du mont Blanc. C'est des types dans son genre qu'il faudrait jeter dans un gouffre!

VOÏNITZKI, *avec irritation.*

De la Roche tarpéienne et non pas du mont Blanc! Quelle ignorance crasse!

FÉDOR IVANOVITCH

Va pour la Roche, je m'en fiche pas mal. Pourquoi es-tu si triste ce soir? Tu plains le professeur, ou quoi?

VOÏNITZKI

Laisse-moi tranquille.

Un temps.

FÉDOR IVANOVITCH

Ou bien serais-tu amoureux de sa femme? Hein?
Eh bien... à ta guise, soupire, si tu veux, seulement
écoute-moi : si j'apprends qu'il y a seulement un mot
de vrai dans les potins qui courent un peu partout, je
serai sans pitié : je te précipiterai de la Roche tarpéienne...

VOÏNITZKI

Elle est mon amie.

FÉDOR IVANOVITCH

Déjà?

VOÏNITZKI

Qu'est-ce que cela veut dire : déjà?

FÉDOR IVANOVITCH

Une femme ne peut être une amie pour nous qu'après
avoir été une camarade, puis une maîtresse.

VOÏNITZKI

C'est une philosophie bien vulgaire.

FÉDOR IVANOVITCH

Bon prétexte pour boire un coup. Viens, je crois qu'il
me reste de la chartreuse. Nous allons en boire et, à
l'aube, nous irons chez moi. Ça vous va-t-y? J'ai un
intendant, Luc, qui ne dit jamais « cela vous va? »,
mais toujours « ça vous va-t-y? ». Un sacré gredin, d'ailleurs. Alors, ça vous va-t-y? *(Voyant Sonia qui entre :)*
Seigneur! Excusez-moi, je n'ai pas de cravate!

Il se sauve.

SCÈNE VIII

VOÏNITZKI, SONIA

SONIA

Oncle Georges, tu as encore bu du champagne avec Fédor et tu t'es promené en troïka avec lui. Vous faites à vous deux une belle paire de larrons! L'autre est né bambocheur, c'est un homme perdu, mais toi, qu'est-ce qui te prend? Est-ce de ton âge?

VOÏNITZKI

Quel rapport avec l'âge? Lorsque la vie réelle vous échappe, on se contente de mirages. C'est tout de même mieux que rien.

SONIA

Les foins ne sont pas encore rentrés; aujourd'hui, Guérassime a dit que la pluie les ferait pourrir, et toi, tu t'occupes de mirages. *(Effrayée :)* Mon oncle, tu as des larmes aux yeux!

VOÏNITZKI

Quelles larmes? Ce n'est rien... Des bêtises... Tout à l'heure, tu m'as regardé comme ta pauvre mère... Ma petite... *(Il lui baise avidement les mains et le visage.)* Ma sœur... ma chère sœur... où est-elle maintenant? Si elle savait! Oh! si elle savait!...

SONIA

Quoi? Si elle savait quoi, mon oncle?

VOÏNITZKI

J'ai le cœur lourd... J'ai mal... Ça passera. *(Entre Khrouchtchev.)* Plus tard... Ce n'est rien... Je m'en vais.

Il sort.

SCÈNE IX

SONIA, KHROUCHTCHEV

KHROUCHTCHEV

Votre papa ne veut pas m'écouter. Je lui dis : la goutte; il répond : le rhumatisme. Je lui demande de rester couché, et lui veut être assis. *(Il prend sa casquette.)* Ce sont les nerfs.

SONIA

Il est trop gâté. Posez donc votre casquette. Attendez la fin de la pluie. Voulez-vous manger quelque chose?

KHROUCHTCHEV

Pourquoi pas? Si vous voulez.

SONIA

J'aime bien manger un morceau la nuit. Je crois qu'il reste quelque chose dans le buffet. *(Elle fouille dans le buffet.)* Ce n'est pas un médecin qu'il lui faut, mais une douzaine de dames autour de lui, et que chacune le regarde dans les yeux et minaude : « Professeur ». Tenez, prenez du fromage.

KHROUCHTCHEV

On ne parle pas sur ce ton de son propre père. Il a le caractère difficile, c'est vrai. Mais, comparés à lui, tous ces oncles Georges et Ivan Ivanovitch ne valent pas son petit doigt.

SONIA

Voilà une bouteille de... je ne sais quoi. Je ne vous parle pas de mon père, non, mais du grand homme. Mon père, je l'aime beaucoup, mais les grands hommes et leurs chinoiseries m'ennuient à la longue. *(Ils s'assoient.)* Quelle pluie! *(On voit un éclair.)* Encore!

KHROUCHTCHEV

Ça passe à côté, nous n'aurons que la queue de l'orage.

SONIA *lui verse à boire.*

Buvez donc.

KHROUCHTCHEV

Je vous souhaite de vivre cent ans.

Il boit.

SONIA

Vous nous en voulez de vous avoir dérangé la nuit?

KHROUCHTCHEV

Au contraire. Si vous ne m'aviez pas appelé, je serais maintenant en train de dormir; et il est bien plus agréable de vous voir en réalité qu'en rêve.

SONIA

Alors pourquoi avez-vous l'air fâché?

KHROUCHTCHEV

Parce que je suis fâché. Nous sommes seuls ici, je
peux parler ouvertement. Sophie Alexandrovna, avec
quel plaisir je vous aurais emmenée à l'instant même!
L'air de votre maison m'est irrespirable et il me semble
qu'il vous empoisonne. Votre père qui est absorbé par
sa goutte et ses livres, et qui ne veut rien savoir d'autre,
cet oncle Georges, votre belle-mère enfin...

SONIA

Eh bien quoi? ma belle-mère...

KHROUCHTCHEV

Je ne peux pas tout vous dire... c'est impossible.
Merveilleuse amie, certains traits de l'homme me
paraissent incompréhensibles. Dans l'être humain,
tout devrait être beau : son visage, ses habits, son âme
et ses pensées. Il m'arrive souvent de voir un beau visage
et des habits qui me font tourner la tête. Mais pour
l'âme et les pensées... mon Dieu! Souvent, sous une
enveloppe ravissante, se dissimule une âme si noire,
que même le blanc de neige ne pourrait la purifier...
Pardonnez-moi, je suis ému... C'est que vous m'êtes
infiniment chère.

SONIA *fait tomber un couteau.*

Tombé...

KHROUCHTCHEV *ramasse le couteau.*

Ce n'est rien... *(Une pause.)* Il m'arrive de marcher
en pleine nuit, à travers la forêt. Il suffit qu'une petite
lumière brille au loin, pour que mon âme se réjouisse,
que j'oublie ma fatigue, l'obscurité, les branches épineuses qui me fouettent le visage... Je travaille du
matin jusqu'au soir, je ne connais de repos ni l'hiver,
ni l'été, je lutte contre ceux qui ne me comprennent pas,
il m'arrive de souffrir d'une manière intolérable... Mais
j'ai fini par trouver ma petite lumière! Je ne prétends
pas vous aimer plus que tout au monde... L'amour
n'est pas tout pour moi : il est ma récompense. Ma
très chère et douce amie, il n'y a pas plus grande récompense pour celui qui travaille, qui lutte, qui souffre...

SONIA, *très émue.*

Excusez-moi... Une question, Mikhaïl Lvovitch!

KHROUCHTCHEV

Oui? Dites!

SONIA

Voyez-vous... vous venez nous voir... moi aussi, je
viens parfois chez vous avec les nôtres. Avouez donc
que vous ne pouvez pas vous le pardonner...

KHROUCHTCHEV

C'est-à-dire?

SONIA

C'est-à-dire... cette amitié doit blesser votre sentiment démocratique. Moi, j'ai fréquenté un institut pour

jeunes filles nobles, Eléna Andréevna est une aristo-
crate, nous nous habillons à la mode... et vous, vous
êtes un démocrate...

HKROUCHTCHEV

Voyons, voyons, ne parlons pas de cela, ce n'est pas
le moment!

SONIA

Et surtout, vous extrayez vous-même de la tourbe,
vous plantez des forêts... tout cela est si étrange! En
un mot, vous êtes un populiste...

KHROUCHTCHEV

Démocrate, populiste... Sophie Alexandrovna, pouvez-vous dire ça sérieusement et même d'une voix
émue?

SONIA

Oui, oui, très sérieusement, on ne peut plus sérieusement!

KHROUCHTCHEV

Mais non, voyons!

SONIA

Si, je vous assure, je vous le jure par tout ce que vous
voudrez; si par exemple j'avais une sœur dont vous
seriez amoureux et que vous l'ayez demandée en mariage,
vous vous en voudriez à vous-même, et, devant vos
médecins du zemstvo, devant les doctoresses, vous
auriez honte d'aimer une jeune fille sortie d'un institut,

une oie blanche qui n'a pas suivi de cours supérieurs
et qui s'habille au goût du jour. Je le sais très bien! Je
vois dans vos yeux que c'est la vérité! Bref, toutes vos
forêts, votre tourbe, votre blouse brodée de paysan
c'est de la pose, de la comédie, des mensonges et rien
de plus!

KHROUCHTCHEV

Pourquoi? mon enfant, pourquoi m'insulter? D'ailleurs, c'est bien fait pour moi, je ne suis qu'une bête :
où la chèvre est attachée, il faut qu'elle broute. Adieu!

Il va vers la porte.

SONIA

Adieu... J'ai été trop dure, je vous en demande pardon!

KHROUCHTCHEV *revient.*

Si vous saviez combien l'atmosphère de votre maison
est étouffante et lourde! Ici, l'on aborde chacun de
biais, on le regarde de travers, on cherche en lui un
populiste, un toqué, un phraseur, tout ce qu'on voudra,
sauf un être humain. « Oh! disent-ils, c'est un psychopathe! » Et ils en sont tout contents. Ou encore : « Un
phraseur! » Et ils en sont heureux comme s'ils avaient
découvert l'Amérique! Et, s'ils ne me comprennent pas
et ne savent quelle étiquette coller à mon front, au
lieu de s'en vouloir, c'est à moi qu'ils en veulent. Alors
ils disent : « C'est un homme bizarre, très bizarre! »
Vous n'avez encore que vingt ans, mais vous êtes déjà
vieille, une raisonneuse dans le genre de votre père, de
l'oncle Georges, et je ne serais nullement étonné, si

vous me faisiez venir pour soigner votre goutte. On ne
peut pas vivre ainsi! Qu'importe l'homme que je suis,
il faut me regarder droit dans les yeux, sans arrière-
pensée, sans programme, il faut avant tout chercher
en moi l'être humain — sinon vous n'aurez jamais de
rapports amicaux avec les autres. Adieu! Et croyez-moi :
avec le regard que vous avez, plein de ruse et de soupçon, vous n'aimerez jamais.

SONIA

Ce n'est pas vrai!

KHROUCHTCHEV

Si!

SONIA

Ce n'est pas vrai! Tenez! Pour vous faire enrager...
j'aime... j'aime et je souffre! Laissez-moi! Partez, je
vous en supplie, et ne revenez pas... ne revenez plus!

KHROUCHTCHEV

J'ai l'honneur de vous saluer!

Il sort.

SONIA, *seule.*

Il est furieux. Dieu nous préserve d'un caractère
pareil. *(Un temps.)* Il parle très bien, mais qui m'assure
que ce ne sont pas des phrases creuses? Il ne pense qu'à
ses forêts, il plante des arbres... C'est beau, mais si
c'était un signe de folie?... *(Elle cache son visage dans
ses mains.)* Je n'y comprends rien. *(Elle pleure.)* Il a
fait des études de médecine, mais ce n'est pas la méde-

cine qui l'occupe... Tout cela est étrange, étrange...
Mon Dieu, faites que je m'y reconnaisse!

Entre Eléna Andréevna.

SCÈNE X

SONIA, ELÉNA ANDRÉEVNA

ELÉNA ANDRÉEVNA, *ouvrant la fenêtre.*

L'orage est passé. Comme l'air est bon! *(Un temps.)*
Où est le Sauvage?

SONIA

Parti.

Un temps.

ELÉNA ANDRÉEVNA

Sophie!

SONIA

Oui?

ELÉNA ANDRÉEVNA

Jusqu'à quand me bouderez-vous? Pourquoi être
ennemies? Finissons-en...

SONIA

Je le voulais moi-même. *(Elle entoure Eléna Andréevna
de ses bras.)* Ma chérie!

ELÉNA ANDRÉEVNA

Voilà, c'est parfait!

Toutes les deux sont émues.

SONIA

Papa est couché?

ELÉNA ANDRÉEVNA

Non, il est assis au salon. Nous ne nous parlons pas depuis un mois entier, Dieu sait pourquoi... Il était temps d'y mettre fin. *(Elle regarde la table.)* Qu'est-ce que c'est?

SONIA

Le Sauvage vient de souper ici.

ELÉNA ANDRÉEVNA

Il y a même du vin... Buvons et tutoyons-nous...

SONIA

Je veux bien.

ELÉNA ANDRÉEVNA

Dans le même verre... *(Elle verse du vin.)* Cela vaut mieux. Alors, on se dit « tu »?

SONIA

Mais oui! *(Elles boivent et s'embrassent.)* Il y a long-temps que je voulais faire la paix avec toi, mais j'avais honte, je ne sais pourquoi.

Elle pleure.

ELÉNA ANDRÉEVNA

Pourquoi pleures-tu?

SONIA

Ce n'est rien. Je pleure sans raison.

ELÉNA ANDRÉEVNA

Assez, assez... *(Elle pleure.)* Petite sotte, voilà que je pleure aussi, à cause de toi! *(Un temps.)* Tu étais fâchée parce que tu croyais que j'avais épousé ton père par intérêt. Si tu crois aux serments, alors je te jure que je me suis mariée avec lui par amour! J'ai été séduite par son grand savoir, par sa célébrité. Ce n'était pas véritablement de l'amour, mais un sentiment artificiel. Pourtant il me semblait alors que je l'aimais pour de bon! Je ne suis pas coupable. Mais toi, depuis le jour de notre mariage, tu me poursuivais de ton regard chargé de soupçon et de ruse...

SONIA

Eh bien, faisons la paix, oublions tout cela! C'est la deuxième fois qu'on me dit aujourd'hui que j'ai le regard chargé de soupçon et de ruse.

ELÉNA ANDRÉEVNA

Il ne faut pas regarder les gens ainsi. Cela ne te va pas. Il faut avoir confiance en tout le monde, sinon il est impossible de vivre.

SONIA

Chat échaudé craint l'eau froide. J'ai été si souvent déçue.

ELÉNA ANDRÉEVNA

Par qui? Ton père est un homme bon et honnête, un travailleur. Aujourd'hui, tu lui as reproché son bonheur. Si vraiment il a été heureux, il ne s'en est même pas aperçu, absorbé comme il l'était par son travail. Pour ma part, je n'ai jamais fait de mal sciemment, ni à ton père ni à toi. Ton oncle Georges est très bon, très honnête, mais c'est un homme malheureux, insatisfait. Qui donc t'a déçue?

Un temps.

SONIA

Dis-moi en toute franchise, comme à une amie... Es-tu heureuse?

ELÉNA ANDRÉEVNA

Non.

SONIA

Je le savais. Encore une question; réponds-moi sincèrement. Aurais-tu voulu avoir un mari jeune?

ELÉNA ANDRÉEVNA

Quelle petite fille tu fais! Bien sûr que je l'aurais voulu! *(Elle rit.)* Eh bien, pose-moi d'autres questions.

SONIA

Est-ce que le Sauvage te plaît?

ELÉNA ANDRÉEVNA

Mais oui, beaucoup!

SONIA *rit.*

J'ai l'air bête... n'est-ce pas? Il est parti, et j'entends
encore sa voix, le bruit de ses pas, et lorsque je regarde
la vitre obscure, je crois distinguer son visage... Laisse-
moi t'expliquer... Mais je ne peux pas parler à haute
voix, j'ai honte... Viens dans ma chambre, nous causerons. Tu me trouves bêtes, avoue-le... Est-ce un homme
bon?

ELÉNA ANDRÉEVNA

Très, très bon!

SONIA

Je trouve ses forêts, sa tourbe si bizarres... Je ne
comprends pas.

ELÉNA ANDRÉEVNA

Comme s'il s'agissait de forêts! Comprends donc,
ma chère, il a du talent. Sais-tu ce que cela veut dire?
Le talent, c'est la hardiesse, l'esprit libre, les idées larges... Quand il a planté un arbrisseau, extrait une dizaine
de kilos de tourbe, il se demande ce que cela donnera
dans mille ans, il rêve déjà du bonheur de l'humanité.
De tels hommes sont rares, il faut les aimer. Que Dieu
vous donne du bonheur! Tous les deux, vous êtes purs,
hardis et honnêtes. Lui est fantasque, et toi, tu es
intelligente et raisonnable. Vous vous complétez parfaitement. *(Elle se lève.)* Et moi, je ne suis qu'un personnage épisodique, ennuyeux... Dans la musique ou dans
la maison de mon mari, ou au milieu de vos intrigues
amoureuses, je n'ai joué qu'un rôle épisodique. A vrai
dire, Sonia, si l'on y réfléchit, je suis sans doute très,

très malheureuse. *(Émue, elle arpente la scène.)* Il n'y a
pas de bonheur pour moi en ce monde! Non! Pourquoi
ris-tu?

SONIA *rit en se couvrant le visage.*

Je suis heureuse! Que je suis heureuse!

ELÉNA ANDRÉEVNA, *en se tordant les mains.*

Non, il n'y a pas de bonheur pour moi!

SONIA

Je suis heureuse, si heureuse!

ELÉNA ANDRÉEVNA

Je voudrais jouer du piano. En ce moment, je jouerais
avec plaisir.

SONIA

Joue! *(Elle l'enlace.)* Je ne pourrai pas dormir... Joue!

ELÉNA ANDRÉEVNA

Attends. Ton père ne dort pas. Quand il souffre, la
musique l'irrite. Va lui demander. S'il veut bien, je
jouerai. Va.

SONIA

Tout de suite!

> *Elle sort. On entend les claquettes du veilleur de
> nuit dans le jardin.*

ELÉNA ANDRÉEVNA

Il y a longtemps que je n'ai plus joué. Je vais jouer et pleurer comme une sotte. *(Elle appelle par la fenêtre :)* C'est toi qui frappes, Ephime? *(La voix du veilleur de nuit :* Eh oui!) Ne frappe plus, Monsieur n'est pas bien. *(La voix du veilleur de nuit :* Je m'en vais. *Il siffle ses chiens :* Allons, Jouc! Trésor! *Un temps.)*

SONIA *revient.*

Interdit!

ACTE III

Un salon dans la maison de Sérébriakov. Une porte à gauche, une porte à droite, une troisième au milieu. C'est l'après-midi. Derrière la scène, Eléna Andréevna joue au piano l'air de Lenski, « Avant le duel », tiré de l'opéra Eugène Onéguine.

SCÈNE PREMIÈRE

ORLOVSKI, VOÏNITZKI, FÉDOR IVANOVITCH

Celui-ci porte une tunique noire et tient à la main un bonnet causasien en peau de mouton.

VOÏNITZKI

C'est elle qui joue... Eléna Andréevna... C'est mon air préféré. *(La musique se tait.)* Oui... Un beau morceau de musique... Je crois qu'on ne s'est jamais autant embêté chez nous.

FÉDOR IVANOVITCH

Le véritable ennui, mon vieux, tu ne sais pas ce que c'est. Lorsque j'étais volontaire en Serbie, c'est alors

qu'on s'embêtait ferme. La chaleur, le manque d'air, la
crasse et un mal de tête affreux pour avoir trop bu.
Un jour, je me rappelle, je me trouvais dans une sale
petite grange en compagnie d'un capitaine Kachkenazi...
On avait déjà parlé de tout, on ne savait ni où aller,
ni quoi faire, on n'avait plus envie de boire — on s'embêtait, comprends-tu, à se pendre. Nous étions là à nous
regarder comme des imbéciles. Lui me regarde, je le
regarde... Je le regarde, il me regarde... Nous nous
fixons sans savoir pourquoi... une heure passe, comprends-tu, puis une autre, et nous nous regardons toujours. Brusquement, sans raison aucune, le voilà qui
saute sur ses pieds, tire son sabre et se précipite sur moi.
Merci bien! Moi, j'avais compris qu'il allait me tuer;
naturellement je tire aussitôt mon sabre, et nous voilà
partis : tchik-tchak, tchik-tchak... On a eu du mal à nous
séparer... Moi, je n'ai rien eu, mais le capitaine Kachkenazi, lui, se promène depuis avec une cicatrice sur la
joue. Voilà à quel point on peut s'abrutir des fois...

ORLOVSKI

Oui, ça arrive.

Entre Sonia.

SCÈNE II

LES MÊMES, SONIA

SONIA, *à part*.

Je ne sais où me mettre...

Elle rit en traversant la scène.

ORLOVSKI

Où vas-tu, mon minet? Reste un peu avec nous!

SONIA

Fédia, viens ici... *(Elle emmène Fédor Ivanovitch à l'écart.)* Viens...

FÉDOR IVANOVITCH

Que veux-tu? Pourquoi as-tu l'air si rayonnant?

SONIA

Fédia, jure-moi de faire ce que je te demanderai!

FÉDOR IVANOVITCH

Eh bien?

SONIA

Va... chez le Sauvage.

FÉDOR IVANOVITCH

Pour quoi faire?

SONIA

Pour rien... Vas-y, tout simplement. Demande-lui pourquoi il ne vient plus chez nous. Voilà déjà quinze jours...

FÉDOR IVANOVITCH

Elle a piqué un fard! Quelle honte! Mes amis, Sonia est amoureuse!

TOUS

Quelle honte! Quelle honte!

Sonia se couvre le visage et s'enfuit.

FÉDOR IVANOVITCH

Elle erre d'une pièce à l'autre comme une âme en peine et ne sait que faire d'elle-même. Elle est amoureuse du Sauvage.

ORLOVSKI

C'est une bonne petite... Je l'aime bien. J'ai toujours rêvé que tu l'épouserais, Fédia, — tu trouverais difficilement une meilleure femme — mais sans doute Dieu l'a-t-il voulu ainsi... Ç'aurait été bien agréable, bien attendrissant pour moi! En venant chez toi, j'aurais trouvé une jeune femme, un foyer intime, un samovar bouillant...

FÉDOR IVANOVITCH

Je manque d'aptitude pour ce genre d'exercice. Si jamais j'avais l'idée saugrenue de me marier, c'est Youlia que je choisirais. Au moins celle-là est un petit bout de femme : entre tous les maux il faut choisir le moindre. Et puis, c'est une bonne ménagère. *(Il se donne une tape sur le front.)* Une idée!

ORLOVSKI

Quoi donc?

FÉDOR IVANOVITCH

Nous allons boire du champagne!

Le Sauvage

VOÏNITZKI

Il est trop tôt... et il fait trop chaud. Attends.

ORLOVSKI, *admirant son fils.*

Mon garçon, mon joli... Il a envie de champagne,
mon mignon...

Entre Eléna Andréevna.

SCÈNE III

LES MÊMES, ELÉNA ANDRÉEVNA, *qui traverse la scène.*

VOÏNITZKI

Admirez-la! En marchant elle vacille de paresse!
C'est vraiment joli! Très joli!

ELÉNA ANDRÉEVNA

Suffit, Georges. Je m'ennuie assez comme ça, faites-
moi grâce de vos ronchonnements.

VOÏNITZKI

Elle a du talent, c'est une artiste! Qui le croirait?
De l'apathie, de la paresse, de la flemme... et tant de
vertu que, pardonnez-moi, je n'ai aucun plaisir à vous
regarder.

ELÉNA ANDRÉEVNA

Ne me regardez pas... Laissez-moi passer.

VOÏNITZKI

Pourquoi languissez-vous? *(Avec vivacité :)* Voyons,
ma chère, ma splendide, soyez raisonnable! Il y a du
sang de sirène dans vos veines, soyez donc une sirène!

ELÉNA ANDRÉEVNA

Laissez-moi passer!

VOÏNITZKI

Une seule fois dans votre vie, laissez-vous aller sans
contrainte, n'attendez pas, amourachez-vous éperdument de quelque génie des eaux...

FÉDOR IVANOVITCH

Et sautez dans un tourbillon, la tête la première,
pour que le Herr Professor et nous autres restions là,
bouche bée.

VOÏNITZKI

N'êtes-vous pas une ondine? Il faut aimer, tant que
vous en avez envie!

ELÉNA ANDRÉEVNA

A quoi bon vos leçons? Comme si je ne savais pas
moi-même ce que je ferais de ma vie, si j'avais de la
volonté! Je m'envolerais d'ici, comme un oiseau libre,
loin de vous tous, de vos physionomies somnolentes,
de vos propos insipides et odieux, j'oublierais jusqu'à
votre existence, et alors personne n'oserait me faire
la leçon. Mais je n'ai pas de volonté. Je suis craintive et
timide, il me semble toujours que si je trompais mon
mari, d'autres femmes suivraient mon exemple et aban-

donneraient le leur, que Dieu me punirait et que ma
conscience me tourmenterait... Sinon, je vous montre-
rais à tous comment on vit quand est on libre!

Elle sort.

ORLOVSKI

Mon âme, ma toute belle...

VOÏNITZKI

Je crois que je finirai par mépriser cette femme! Elle
est timide comme une gamine et elle aime philosopher
comme un vieux diacre paré de toutes les vertus! Aigre
comme du verjus! Comme du lait caillé!

ORLOVSKI

Voyons, voyons! Où est le professeur?

VOÏNITZKI

Dans son cabinet de travail. Il écrit.

ORLOVSKI

Il m'a fait venir pour une affaire quelconque. Vous
ne savez pas de quoi il s'agit?

VOÏNITZKI

De quelle affaire voulez-vous qu'il s'agisse? Il écrit
des inepties, il ronchonne et il est jaloux, voilà tout.

*Jeltoukhine et Youlia arrivent par la porte de
droite.*

SCÈNE IV

LES MÊMES, JELTOUKHINE, YOULIA

JELTOUKHINE

Bonjour, messieurs.

YOULIA

Bonjour, mon petit parrain! *(Ils s'embrassent.)*
Bonjour, Fédia! *(Ils s'embrassent.)* Bonjour, Egor
Petrovitch!

Ils s'embrassent.

JELTOUKHINE

Alexandre Vladimirovitch est-il chez lui?

ORLOVSKI

Oui. Il est dans son cabinet de travail.

JELTOUKHINE

Il faut que j'aille le voir. Il m'a écrit qu'il avait besoin
de moi pour une affaire.

Il sort.

YOULIA

Egor Petrovitch, vous a-t-on livré de l'orge hier selon
votre commande?

VOÏNITZKI

Oui, je vous remercie. Combien vous devons-nous?
Vous nous avez livré encore autre chose au printemps,

je ne sais plus au juste quoi. Il faudrait faire nos comptes... J'ai horreur des comptes embrouillés et qui traînent.

YOULIA

Au printemps, vous avez pris huit quarts de sceau de
blé, Egor Petrovitch, puis deux génisses, un jeune tau-
reau, et on a envoyé chercher du beurre pour votre
ferme.

VOÏNITZKI

Bref, on vous doit combien?

YOULIA

Comment voulez-vous que je vous le dise, Egor
Petrovitch? Il me faudrait un boulier.

VOÏNITZKI

Je vais vous l'apporter.

Il sort et revient aussitôt avec un boulier.

ORLOVSKI

Ton frère va bien, mon poulet?

YOULIA

Dieu merci, ça va. Où avez-vous acheté votre cravate,
mon petit parrain?

ORLOVSKI

En ville, chez Kirchitchev.

YOULIA

Elle est mignonne. Il faudra en acheter une semblable
à Lénia.

VOÏNITZKI

Voilà un boulier pour vous.

Youlia s'assied et commence à compter sur le boulier.

ORLOVSKI

Quelle ménagère le bon Dieu a donné à Lénia! Un
petit bout de femme, haut comme trois pommes, mais
regardez-la travailler! Voyez-moi ça!

FÉDOR IVANOVITCH

Oui, — et lui ne fait que flâner en se tenant la joue.
C'est un flemmard.

ORLOVSKI

Ma chère petite commère... Vous ne savez pas, elle
porte un manteau de marchande! L'autre vendredi,
je passe par le marché et je la vois dans son grand manteau qui se promène entre les chariots...

YOULIA

Voilà, vous me faites faire des erreurs!

VOÏNITZKI

Allons ailleurs, mes amis. Dans le grand salon, par
exemple. J'en ai assez d'être ici...

Il bâille.

ORLOVSKI

Va pour le grand salon. Ça m'est bien égal.

Ils sortent par la porte de gauche.

YOULIA, *seule, après un temps.*

Fédia s'est déguisé en Tchetchène... Voilà ce qui arrive quand on n'a pas reçu de bons principes de ses parents... Il n'y a pas plus bel homme dans tout le gouvernement, il est intelligent, il est riche, mais à quoi cela lui sert-il? Il a l'air d'un imbécile fini...

Elle compte sur le boulier. Entre Sonia.

SCÈNE V

YOULIA, SONIA

SONIA

Vous êtes chez nous, Youletchka? Et moi qui n'en savais rien!

YOULIA, *l'embrassant.*

Chérie!

SONIA

Que faites-vous là? Des comptes? Quelle bonne ménagère vous êtes, Youletchka! A vous regarder, je deviens jalouse... Youletchka, pourquoi ne vous mariez-vous pas?

YOULIA

C'est comme ça... On est bien venu me demander en mariage, mais j'ai refusé. Un mari convenable ne voudra pas de moi! *(Elle soupire.)* Non!

SONIA

Pourquoi donc?

YOULIA

Je n'ai pas reçu d'instruction. On m'a retirée du lycée en cinquième...

SONIA

Et pourquoi vous a-t-on retirée, Youletchka!

YOULIA

Pour manque d'aptitudes... *(Sonia rit.)* Pourquoi riez-vous, Sonetchka?

SONIA

Il y a comme un brouillard dans ma tête... Youletchka, je suis si heureuse aujourd'hui, si heureuse, que j'en suis oppressée... Je ne sais où me mettre... Voyons, parlons de quelque chose, bavardons. Avez-vous jamais été amoureuse? *(Youlia fait un signe affirmatif.)* Oui? D'un homme intéressant? *(Youlia lui murmure quelques mots à l'oreille.)* De qui? De Fédor Ivanovitch?

YOULIA *fait un signe affirmatif.*

Et vous?

SONIA

Moi aussi... mais pas de Fédor Ivanovitch. *(Elle rit.)* Eh bien, dites-moi encore quelque chose!

YOULIA

Il y a longtemps que je veux vous parler, Sonetchka.

SONIA

Allez-y.

YOULIA

Je veux m'expliquer... Voyez-vous... J'ai toujours
eu tant d'amitié pour vous... Je connais beaucoup de
jeunes filles, mais vous êtes la meilleure de toutes...
Si vous me disiez : « Youletchka, donnez-moi dix chevaux ou, par exemple, deux cents chèvres... », je le
ferais sans hésiter une seconde... Pour vous, je ne regret-
terais rien.

SONIA

Pourquoi êtes-vous si gênée, Youletchka?

YOULIA

J'ai honte.... j'ai tant de sympathie pour vous... vous
êtes la meilleure de toutes... vous n'êtes pas fière...
Quelle jolie petite cotonnade vous avez là!

SONIA

Laissons la cotonnade pour l'instant. Continuez!

YOULIA, *très émue.*

Je ne sais pas comment quelqu'un d'intelligent dirait
cela... Permettez-moi de vous proposer... Rendez heureux... c'est-à-dire... c'est-à-dire... épousez mon frère
Lénia!

Elle se couvre le visage.

SONIA, *se levant.*

Ne parlons pas de cela, Youletchka... Non, il ne faut pas...

Entre Eléna Andréevna.

SCÈNE VI

LES MÊMES, ELÉNA ANDRÉEVNA

ELÉNA ANDRÉEVNA

On ne sait vraiment pas où se réfugier. Les deux Orlovski et Georges errent d'une pièce à l'autre, on tombe sur eux partout où l'on va. C'est à vous donner le cafard! Que viennent-ils faire ici? Pourquoi ne vont-ils pas ailleurs?

YOULIA, *à travers ses larmes.*

Bonjour, Eléna Andréevna!

Elle veut l'embrasser.

ELÉNA ANDRÉEVNA

Bonjour, Youletchka. Excusez-moi, je n'aime pas échanger des baisers trop souvent. Sonia, que fait ton père? *(Silence.)* Sonia, pourquoi ne me réponds-tu pas? Je te demande ce que fait ton père. *(Silence.)* Sonia, pourquoi ne me réponds-tu pas?

SONIA

Vous tenez à le savoir? Venez par ici. *(Elle l'emmène un peu à l'écart.)* Soit! Il y a trop de pureté dans mon

cœur aujourd'hui pour que je continue à dissimuler...
Voilà! Tenez! *(Elle lui tend une lettre.)* Je l'ai trouvée
dans le jardin. Venez, Youletchka!

    Sonia et Youlia sortent par la porte de gauche.

SCÈNE VII

ELÉNA ANDRÉEVNA, *seule, puis* FÉDOR IVANOVITCH

ELÉNA ANDRÉEVNA

Qu'est-ce que c'est? Une lettre de Georges, pour moi?
Mais est-ce ma faute s'il s'obstine? Oh! que c'est dur,
que c'est inhumain! Elle a le cœur si pur qu'elle ne peut
pas me parler! M'insulter ainsi, mon Dieu! La tête me
tourne, je vais me trouver mal!

FÉDOR IVANOVITCH *entre par la porte de gauche et traverse la scène.*

Pourquoi donc tressaillez-vous chaque fois que vous
me voyez? *(Un temps.)* Hum... *(Il prend la lettre de
la main d'Eléna et la déchire.)* Il faut oublier tout ça.
Vous ne devez plus penser qu'à moi.

ELÉNA ANDRÉEVNA

Qu'est-ce que cela veut dire?

FÉDOR IVANOVITCH

Cela veut dire que quand j'ai jeté mon dévolu sur
quelqu'un, il lui est impossible de m'échapper.

ELÉNA ANDRÉEVNA

Non, cela veut dire que vous êtes bête et insolent.

FÉDOR IVANOVITCH

Ce soir, à sept heures et demie, vous m'attendrez derrière le jardin, près du petit pont... Compris? C'est tout ce que j'ai à vous dire. Donc, au revoir, mon ange, à sept heures et demi. *(Il veut lui prendre la main. Eléna Andréevna lui donne une gifle.)* Voilà une forte parole...

ELÉNA ANDRÉEVNA

Sortez d'ici!

FÉDOR IVANOVITCH

A vos ordres. *(Il fait quelques pas et revient en arrière.)* Je suis touché... Causons paisiblement. Voyez-vous... En ce monde, j'ai goûté à tout, j'ai même mangé à deux reprises de la soupe faite de poissons rouges... M'envoler en ballon et enlever l'épouse d'un savant professeur... c'est tout ce qui me reste à faire.

ELÉNA ANDRÉEVNA

Sortez d'ici!

FÉDOR IVANOVITCH

Tout de suite. Donc, j'ai tâté de tout... j'y ai gagné une insolence à ne savoir qu'en faire. Pourquoi je vous dis cela? Pour que vous sachiez que si jamais vous avez besoin d'un ami ou d'un chien fidèle, vous devez vous adresser à moi... Je suis touché.

ELÉNA ANDRÉEVNA

Je n'ai besoin d'aucun chien fidèle. Allez-vous-en!

FÉDOR IVANOVITCH

A vos ordres. *(Il est ému.)* Tout de même, je suis touché... Oui...

Il sort en hésitant.

ELÉNA ANDRÉEVNA, *seule.*

Oh! Ma tête... Toutes les nuits, je fais de mauvais rêves et j'ai des pressentiments affreux... Comme tout cela est atroce! Ces jeunes se connaissent depuis toujours, ils ont grandi ensemble, ils se tutoient et s'embrassent sans cesse, ils devraient vivre en paix et dans l'amitié, et je crois qu'ils finiront par s'entre-dévorer. Les forêts sont sauvées par le docteur, mais personne pour sauver les hommes.

> *Elle va vers la porte de gauche, mais voyant Jeltoukhine et Youlia qui viennent à sa rencontre, elle sort par la porte du milieu.*

SCÈNE VIII

JELTOUKHINE, YOULIA

YOULIA

Que nous sommes malheureux tous les deux, Lénia! Oh! que nous sommes malheureux!

JELTOUKHINE

Mais qui t'a chargée de parler avec elle? Marieuse de malheur! Espèce de baba! Tu as tout gâché! Elle va croire que je ne sais pas parler pour moi-même... quelle

attitude petite-bourgeoise! Je t'ai dit et répété qu'il
valait mieux laisser tomber! Tout cela ne donnera rien
que de l'humiliation... des insinuations, de petites bas-
sesses... Le vieux a sans doute deviné que j'aime sa fille :
il essaie déjà d'exploiter mon sentiment. Il veut que je
lui achète cette propriété.

YOULIA

Et combien en demande-t-il?

JELTOUKHINE

Chut! Les voilà!

> *Sérébriakov, Orlovski et Maria Vassilievna entrent
> par la porte de gauche; Maria Vassilievna lit une
> brochure tout en marchant.*

SCÈNE IX

LES MÊMES, SÉRÉBRIAKOV, ORLOVSKI,
MARIA VASSILIEVNA

ORLOVSKI

Moi-même, mon ami, je ne suis pas très bien. Voilà
deux jours que j'ai mal à la tête et des courbatures dans
tout le corps...

SÉRÉBRIAKOV

Où donc sont les autres? Je n'aime pas cette maison!
Un véritable labyrinthe. Il y a ici vingt-six pièces énormes, chacun s'en va de son côté et jamais on ne peut

retrouver personne. *(Il sonne.)* Veuillez demander à
Eléna Andréevna et à Egor Petrovitch de venir ici.

JELTOUKHINE

Toi qui n'as rien à faire, Youlia, va donc les chercher.

Youlia sort.

SÉRÉBRIAKOV

Va encore pour le mauvais état de santé, on s'y fait,
mais ce que je ne peux pas digérer, c'est mon état
d'esprit actuel. J'ai le sentiment d'être déjà mort ou
d'avoir échoué sur une planète inconnue.

ORLOVSKI

Tout cela dépend du point de vue...

MARIA VASSILIEVNA, *en lisant*.

Donnez-moi un crayon! Encore une contradiction!
Il faut la relever.

ORLOVSKI

Voilà, Votre Excellence!

> *Il lui donne un crayon et lui baise la main. Entre
> Voïnitzki.*

SCÈNE X

LES MÊMES, VOÏNITZKI, *un peu plus tard*
ELÉNA ANDRÉEVNA

VOÏNITZKI

Vous avez besoin de moi?

SÉRÉBRIAKOV

Oui, Georges.

VOÏNITZKI

Que me voulez-vous?

SÉRÉBRIAKOV

Vous... Pourquoi te fâches-tu? *(Un temps.)* Je vous
ai fait venir, messieurs, pour vous annoncer qu'un
inspecteur général arrive dans nos parages [1]. Mais trêve
de plaisanterie. Il s'agit d'une affaire sérieuse. Je vous
ai réunis, mes amis, pour vous demander aide et conseil.
Connaissant votre amabilité coutumière, j'espère les
obtenir. Je suis un homme de science, un rat de bibliothèque, je n'ai jamais rien compris à la vie pratique.
Je ne pourrais me passer des conseils des gens avertis,
c'est pourquoi je m'adresse à vous — à toi, Ivan Ivanytch,
ainsi qu'à vous, Léonide Stépanytch, et à toi, Georges...
Manet omnes una nox —, cela veut dire que nous dépendons tous de la volonté divine; je suis vieux et malade,
et je considère qu'il est temps de mettre de l'ordre dans
mes affaires, dans la mesure où elles concernent ma
famille. Ma vie est finie, je ne pense pas à moi-même,
mais j'ai une femme qui est jeune, une fille à marier.
Il leur est impossible de continuer à vivre ici.

ELÉNA ANDRÉEVNA

Pour ma part, ça m'est égal.

SÉRÉBRIAKOV

Nous ne sommes pas faits pour la campagne. D'autre
part, il est impossible de vivre en ville avec le revenu

1. Citation de la pièce de Gogol, *Le Revizor (N. d. T.)*

de cette propriété. Avant-hier, j'ai vendu pour quatre
mille roubles de bois, mais c'est là une mesure exceptionnelle, à laquelle je ne pourrais recourir tous les ans.
Il s'agit donc de trouver un moyen qui nous garantirait
un revenu régulier, plus ou moins fixe. Je viens de
trouver ce moyen, et j'ai l'honneur de vous le soumettre.
Notre propriété ne nous rapporte, bon an mal an, que
deux pour cent de revenu. Je propose de la vendre.
Si l'on convertit en titres l'argent de la vente, nous toucherons de quatre à cinq pour cent. Je pense qu'il y
aura même un excédent qui nous permettrait d'acheter
une villa en Finlande...

VOÏNITZKI

Tu permets? je crois avoir mal entendu. Répète ce
que tu viens de dire.

SÉRÉBRIAKOV

Convertir l'argent en titres de rente et acheter une
villa en Finlande...

VOÏNITZKI

Il ne s'agit pas de la Finlande... tu as dit encore autre
chose.

SÉRÉBRIAKOV

Je propose de vendre cette propriété.

VOÏNITZKI

C'est cela même. Tu vendras la propriété... C'est
parfait, c'est une riche idée... Et que veux-tu que nous
devenions, moi et ma vieille mère?

SÉRÉBRIAKOV

On y pensera en temps voulu... On ne peut pas résoudre toutes les questions à la fois.

VOÏNITZKI

Attends un peu... Il faut croire que jusqu'à ce jour je n'avais pas le moindre sens commun, puisque j'avais la bêtise de croire que cette propriété appartenait à Sonia. Mon défunt père a acheté cette propriété comme dot de ma sœur. Jusqu'à présent, j'étais naïf, je n'interprétais pas la loi à la façon des Turcs, je me figurais que depuis le décès de ma sœur, cette propriété était à Sonia.

SÉRÉBRIAKOV

Mais oui, la propriété est à Sonia. Qui dit le contraire? Je ne la vendrai pas sans l'assentiment de Sonia. D'ailleurs je le fais pour son bien.

VOÏNITZKI

C'est incroyable, incroyable! Ou bien je suis devenu fou... ou bien... ou bien...

MARIA VASSILIEVNA

Georges, il ne faut pas contredire le professeur! Il sait mieux que nous ce qu'il faut faire.

VOÏNITZKI

Non, donnez-moi de l'eau! *(Il boit.)* Continuez, dites ce que vous voudrez! Ce que vous voudrez!

SÉRÉBRIAKOV

Pourquoi te mettre dans cet état, Georges? Je ne te
comprends pas. Je ne prétends pas que mon projet soit
idéal. Si tout le monde le trouve mauvais, je n'insisterai
pas.

> *Entre Diadine. Il porte un frac, des gants blancs et
> un chapeau haut de forme à larges bords.*

SCÈNE XI

LES MÊMES, DIADINE

DIADINE

J'ai l'honneur de vous saluer. Excusez-moi, je vous
prie, de venir sans me faire annoncer. Je suis coupable,
mais je mérite votre indulgence : il n'y a pas un seul
domestique dans l'entrée.

SÉRÉBRIAKOV, *gêné.*

Très heureux.

DIADINE, *faisant de grands saluts*

Votre Excellence! Mesdames! Mon intrusion dans
votre domaine a un double but. Tout d'abord je suis
venu vous rendre visite et vous apporter le témoignage
de ma vénération respectueuse, et puis je veux vous
inviter tous, vu le beau temps, à entreprendre une
excursion du côté de chez moi. J'habite un moulin à
eau qui appartient à notre ami commun, le Sauvage.
C'est un petit coin poétique et retiré, où la nuit on
entend le clapotement des ondines et le jour...

VOÏNITZKI

Attends, Gaufrette, nous parlons affaire. Attends...
(S'adressant à Sérébriakov :) Tu n'as qu'à l'interroger,
lui. C'est à son oncle que mon père a acheté cette propriété.

SÉRÉBRIAKOV

Que veux-tu que je lui demande? Pourquoi faire?

VOÏNITZKI

A l'époque, cette propriété a été achetée pour quatre-
vingt-quinze mille roubles. Mon père n'en avait payé
que soixante-dix, il restait donc vingt-cinq mille roubles
de dettes. Maintenant, écoutez-moi bien. On n'aurait
pas pu acheter cette propriété, si je n'avais pas renoncé
à ma part d'héritage en faveur de ma sœur, que j'aimais.
Mais ce n'est pas tout. Pendant dix ans, j'ai travaillé
comme un bœuf et j'ai fini par payer la dette.

ORLOVSKI

Pourquoi nous racontez-vous ça, mon cœur?

VOÏNITZKI

Cette propriété n'est libre de dettes, elle n'est en bon
état que grâce à mes efforts personnels. Et maintenant
que je suis vieux, on veut me chasser d'ici à coups de
pied!

SÉRÉBRIAKOV

Je ne comprends pas où tu veux en venir!

VOÏNITZKI

Pendant vingt-cinq ans j'ai géré cette propriété, j'ai
travaillé, je t'ai envoyé de l'argent comme le régisseur

le plus consciencieux, et jamais tu n'as songé à me dire merci! Pendant tout ce temps, dans ma jeunesse comme aujourd'hui, je recevais de toi cinq cents roubles par an — un salaire misérable! — et jamais tu n'as songé à m'augmenter d'un seul rouble!

SÉRÉBRIAKOV

Mais, Georges, qu'en savais-je? Je ne suis pas un homme pratique, je n'y comprends rien. Tu n'avais qu'à augmenter ton salaire toi-même, selon tes besoins.

VOÏNITZKI

En effet, pourquoi n'ai-je pas volé? Pourquoi ne me méprisez-vous pas de n'avoir pas été un voleur? Cela aurait été juste, et je ne serais pas un gueux aujourd'hui.

MARIA VASSILIEVNA, *sévèrement*.

Georges!

DIADINE, *ému*.

Mon petit Georges, il ne faut pas... J'en tremble... Pourquoi gâcher les bonnes relations? *(Il l'embrasse.)* Assez...

VOÏNITZKI

Pendant vingt-cinq ans je suis resté avec ma mère que voilà, entre quatre murs, comme une taupe. Tous nos sentiments, toutes nos pensées étaient pour toi. Dans la journée, nous parlions de toi, de tes travaux, nous étions fiers de ta célébrité, nous prononcions ton nom avec vénération; et nous passions nos nuits à lire

des revues et des livres qu'aujourd'hui je méprise profondément!

DIADINE

Assez, mon petit Georges, il ne faut pas... Je n'en
peux plus!

SÉRÉBRIAKOV

Je ne comprends pas ce que tu veux dire!

VOÏNITZKI

Tu étais pour nous un être supérieur, nous connaissions tes articles par cœur... Mais maintenant mes yeux
se sont ouverts. Je vois tout! Tu écris sur l'art, mais tu
n'y comprends rien! Tous tes travaux que j'aimais tant
ne valent pas un sou!

SÉRÉBRIAKOV

Mes amis! Calmez-le enfin! Sinon je m'en vais!

ELÉNA ANDRÉEVNA

Georges! Vous allez vous taire, je l'exige! Vous m'entendez?

VOÏNITZKI

Non, je ne me tairai pas! *(Barrant le chemin à Séré-*
briakov.) Attends, je n'ai pas fini! Tu as gâché ma vie!
Je n'ai pas vécu! Par ta faute, j'ai perdu, j'ai détruit
les meilleures années de ma vie! Tu es mon pire ennemi!

DIADINE

Je n'en peux plus! Je n'en peux plus! Je vais à côté...
               Il sort, très ému, par la porte de droite.

SÉRÉBRIAKOV

Que me veux-tu? De quel droit me parles-tu sur ce ton? Espèce de nullité! Si cette propriété est à toi, prends-la, je n'en ai pas besoin.

JELTOUKHINE, *à part.*

En voilà un gâchis! Je m'en vais.

Il sort.

ELÉNA ANDRÉEVNA

Si vous ne vous taisez pas, je quitte cet enfer à l'instant! *(Elle crie.)* Je ne peux pas supporter ça!

VOÏNITZKI

Ma vie est fichue! J'ai du talent, je suis intelligent, et audacieux! Si j'avais vécu normalement, je serais devenu un Schopenhauer, un Dostoïevski... Je divague... Je deviens fou... Mère, je suis au désespoir! Mère!

MARIA VASSILIEVNA

Écoute le professeur!

VOÏNITZKI

Maman! Que dois-je faire? Non, inutile, ne me dites rien! Je le sais moi-même! *(A Sérébriakov :)* Tu te souviendras de moi!

Il sort par la porte du milieu. Maria Vassilievna le suit.

SÉRÉBRIAKOV

Mes amis, qu'est-ce que cela veut dire à la fin? Débarrassez-moi de ce fou!

ORLOVSKI

Ce n'est rien, Sacha. Laisse son cœur se calmer. Ne t'agite pas tellement.

SÉRÉBRIAKOV

Je ne peux pas vivre sous le même toit que lui. Il habite là *(il montre la porte du milieu),* presque à côté de moi. Qu'il aille vivre au village, ou dans une aile de la maison, ou c'est moi qui déménagerai, mais ça ne peut pas durer comme ça...

ELÉNA ANDRÉEVNA, *s'adressant à son mari.*

Si des scènes pareilles se reproduisent, je partirai d'ici.

SÉRÉBRIAKOV

Ne me fais pas peur, s'il te plaît.

ELÉNA ANDRÉEVNA

Je ne veux pas te faire peur, mais on dirait que vous vous êtes tous concertés pour faire de ma vie un enfer. Je m'en irai!

SÉRÉBRIAKOV

Chacun sait parfaitement que tu es jeune, que je suis vieux et que tu m'obliges infiniment en vivant ici.

ELÉNA ANDRÉEVNA

Continue, continue...

ORLOVSKI

Eh bien, eh bien... Mes amis!

Khrouchtchev entre rapidement.

SCÈNE XII

LES MÊMES, KHROUCHTCHEV

KHROUCHTCHEV, *très agité.*

Je suis très heureux de vous trouver à la maison, Alexandre Vladimirovitch. Excusez-moi, je viens peut-être mal à propos, je vous dérange... Mais il ne s'agit pas de cela. Bonjour!

SÉRÉBRIAKOV

Que désirez-vous?

KHROUCHTCHEV

Pardonnez-moi, je suis ému, — peut-être parce que je suis venu à cheval, très rapidement... Alexandre Vladimirovitch, on raconte qu'avant-hier vous avez vendu à Kouznetzov votre forêt, pour qu'on l'abatte... Si c'est vrai, si ce n'est pas un simple ragot, je vous prie de n'en rien faire.

ELÉNA ANDRÉEVNA

Mikhaïl Lvovitch, mon mari n'est pas disposé à parler affaire en ce moment. Venez au jardin.

KHROUCHTCHEV

Mais il faut que je lui parle tout de suite!

ELÉNA ANDRÉEVNA

Comme vous voudrez... Moi, je n'en peux plus.

Elle sort.

KHROUCHTCHEV

Permettez-moi d'aller trouver Kouznetzov et de lui
dire que vous avez changé d'avis. Vous le permettez,
n'est-ce pas ? Abattre un millier d'arbres, les détruire
pour en tirer quelque deux ou trois mille roubles, pour
des chiffons de femme, une lubie, un besoin de luxe !
Si vous, un savant, un homme célèbre, vous vous déci-
dez à commettre cet acte de cruauté, que feront ceux
qui ne vous valent pas ? C'est affreux !

ORLOVSKI

Micha, tu en parleras plus tard.

SÉRÉBRIAKOV

Allons-nous-en, Ivan Ivanovitch... Cela ne finira donc
jamais !

KHROUCHTCHEV, *barrant le chemin à Sérébriakov.*

Dans ce cas, professeur, je vous propose autre chose.
Attendez un peu, dans trois mois j'aurai de l'argent, je
vous achèterai votre forêt.

ORLOVSKI

Excuse-moi, Micha, mais tu es vraiment étrange.
Bon, tu es un homme à idées, nous t'en remercions,
nous te saluons bien bas *(il le salue)*, mais tout de même,
pourquoi casser le mobilier ?

KHROUCHTCHEV, *en colère.*

Parrain universel ! Il y a beaucoup de gens débonnaires
ici-bas et cela m'a toujours paru suspect ! Ils sont débonnaires, parce qu'ils se fichent de tout !

ORLOVSKI

Tu es venu ici pour te quereller, mon ami... Ce n'est pas bien. En dehors des idées, il faut encore avoir ça! *(Il montre son cœur.)* Si tu n'en as pas, mon vieux, toutes tes forêts et toute ta tourbe ne valent pas un copeck de cuivre... Ne te fâche pas, mais tu es encore un blanc-bec, un vrai blanc-bec!

SÉRÉBRIAKOV, *d'un ton tranchant.*

Désormais, quand vous viendrez ici, faites-vous annoncer, je vous prie. Je suis las de vos extravagances! Vous avez tous juré de me faire perdre patience, eh bien! vous y êtes parvenus. Veuillez me laisser! Pour moi, vos forêts et votre tourbe, c'est du délire et de la psychopathie — voilà mon opinion! Viens, Ivan Ivano-vitch.

Il sort.

ORLOVSKI, *qui le suit.*

Non, Sacha, c'en est trop... Pourquoi être si dur?

Il sort.

KHROUCHTCHEV, *seul, après une pause.*

Du délire, de la psychopathie... D'après l'avis du célèbre savant je suis fou! Je m'incline devant l'autorité de Votre Excellence, je vais rentrer chez moi immédia-tement et me faire raser la tête... Non, folle est la terre qui vous supporte!

Il se dirige rapidement vers la porte de droite ; Sonia, qui a écouté à la porte pendant toute la durée de la scène, entre par la porte de gauche.

SCÈNE XIII

KHROUCHTCHEV, SONIA

SONIA *court après lui.*

Arrêtez! J'ai tout entendu... Parlez! Parlez vite! Sinon, je n'y tiendrai plus, je parlerai moi-même!

KHROUCHTCHEV

J'ai dit tout ce que j'avais à dire, Sophie Alexandrovna. J'ai supplié votre père d'épargner la forêt, c'est moi qui ai raison, mais lui m'a insulté, m'a traité de fou... Je suis un fou!

SONIA

Assez, assez...

KHROUCHTCHEV

Oui, — mais ils ne sont pas fous, ceux qui cachent un cœur dur et cruel sous leur érudition, ceux qui font passer leur indifférence pour une profonde sagesse! Elles ne sont pas folles, celles qui épousent des vieillards pour les tromper au vu de tous et pour s'acheter des robes élégantes avec l'argent que rapportent des arbres coupés!

SONIA

Écoutez, écoutez-moi! *(Elle lui serre les mains.)* Laissez-moi vous dire...

KHROUCHTCHEV

Assez! Finissons-en. Pour vous, je suis un étranger,
je sais ce que vous pensez de moi. Qu'ai-je à faire ici?
Adieu. De notre bonne amitié, qui m'était si chère, il
ne me restera que le souvenir de la goutte de votre
père et de vos raisonnements sur mon démocratisme...
Je le regrette, mais ce n'est pas ma faute... non, pas
ma faute. *(Sonia pleure, se couvre le visage et sort rapidement par la porte de gauche. Il reste seul.)* J'ai eu l'impru-
dence de tomber amoureux ici, cela me servira de
leçon! Quittons vite cette cave!

> *Il va vers la porte de droite; Eléna Andréevna
> entre par la porte de gauche.*

SCÈNE XIV

KHROUCHTCHEV, ELÉNA ANDRÉEVNA

ELÉNA ANDRÉEVNA

Vous n'êtes pas parti? Attendez un instant... Ivan
Ivanovitch vient de me dire que mon mari a été dur
pour vous... Pardonnez-lui, il est irrité aujourd'hui,
il vous a mal compris... Quant à moi, je suis de toute
mon âme avec vous, Mikhaïl Lvovitch! Croyez à la
sincérité de mon estime, à ma sympathie, à mon émotion... Permettez-moi de vous offrir mon amitié du fond
du cœur.

> *Elle lui tend les deux mains.*

KHROUCHTCHEV, *d'un air de dégoût.*

Laissez-moi... Je méprise votre amitié!

> *Il sort.*

ELÉNA ANDRÉEVNA, *seule ; elle gémit.*

Pourquoi? Pourquoi?

> *Un coup de feu retentit derrière la scène.*

SCÈNE XV

ELÉNA ANDRÉEVNA, MARIA VASSILIEVNA, *puis* SONIA,
SÉRÉBRIAKOV, ORLOVSKI *et* JELTOUKHINE

*Maria Vassilievna sort en chancelant par la porte du
milieu, pousse un cri et tombe sans connaissance. Sonia entre
et court vers la porte du milieu.*

SÉRÉBRIAKOV, ORLOVSKI, JELTOUKHINE, *ensemble.*

Qu'y a-t-il?

> *Cri de Sonia derrière la scène ; elle revient et s'écrie :*

SONIA

Oncle Georges s'est tué!

> *Orlovski, Sérébriakov et Jeltoukhine sortent en
> courant par la porte du milieu.*

ELÉNA ANDRÉEVNA, *en gémissant.*

Pourquoi? Pourquoi?

DIADINE *apparaît à la porte de droite.*

Que se passe-t-il?

ELÉNA ANDRÉEVNA

Emmenez-moi! Jetez-moi dans un gouffre profond!
Tuez-moi vite, je vous en supplie! Je ne peux pas rester
ici!

> *Elle sort avec Diadine.*

ACTE IV

Une maison dans la forêt près du moulin que Khrouchtchev loue à Diadine.

SCÈNE PREMIÈRE

ELÉNA ANDRÉEVNA, DIADINE

Ils sont assis sur un banc, sous une fenêtre.

ELÉNA ANDRÉEVNA

Ilia Iliitch, mon cher ami, demain vous retournerez à la poste.

DIADINE

Je n'y manquerai pas.

ELÉNA ANDRÉEVNA

J'attendrai encore trois jours. Si mon frère ne répond toujours pas à ma lettre, je vous emprunterai de l'argent

et j'irai à Moscou. Je ne peux tout de même pas rester
chez vous, au moulin, jusqu'à la fin de mes jours!

DIADINE

Cela va de soi... *(Un temps.)* Je n'ose pas vous faire
la leçon, ma chère dame, mais toutes vos lettres, vos
télégrammes, mes voyages quotidiens à la poste, tout
cela, excusez-moi, c'est de l'agitation en pure perte.
Quelle que soit la réponse de monsieur votre frère, vous
finirez bien par retourner chez votre époux.

ELÉNA ANDRÉEVNA

Non, je n'y retournerai pas... Il faut raisonner logiquement, Ilia Iliitch. Je n'aime pas mon mari. Tous
ces jeunes, pour qui j'avais tant d'affection, m'ont
traitée injustement, du début à la fin. Pourquoi retour-
nerais-je à la maison? Vous me direz : c'est votre devoir.
Je le sais parfaitement — mais, je le répète, il faut
raisonner logiquement.

Un temps.

DIADINE

Oui... Le grand poète russe Lomonosov s'est enfui du
gouvernement d'Arkhangel pour trouver son bonheur
à Moscou. C'était noble de sa part, bien sûr... Mais
vous, pourquoi vous êtes-vous sauvée? Pour parler
franchement, il n'y a nulle part de bonheur pour vous...
C'est le sort du serin de rester dans sa cage et d'observer
le bonheur des autres, — eh bien, il n'a qu'à y rester
toute sa vie.

ELÉNA ANDRÉEVNA

Et si je n'étais pas un serin, mais un libre moineau?

DIADINE

Voyons, chère madame! On reconnaît un oiseau à
son vol. A votre place, une autre aurait trouvé le moyen,
pendant ces quinze jours, de faire le tour d'une dizaine
de villes et de jeter de la poudre aux yeux de tous.
Mais vous, vous n'avez réussi qu'à venir jusqu'au
moulin, et déjà votre âme en est tourmentée. A quoi
bon tout cela! Vous resterez encore quelque temps chez
moi, votre cœur finira par s'apaiser et vous retournerez
chez votre époux... *(Il dresse l'oreille.)* Quelqu'un vient
ici en voiture...

Il se lève.

ELÉNA ANDRÉEVNA

Je m'en vais.

DIADINE

Je n'ose pas vous encombrer plus longtemps. Je vais
chez moi, au moulin, faire un petit somme. Ce matin,
je me suis levé avant la déesse Aurore.

ELÉNA ANDRÉEVNA

Revenez ici quand vous aurez fini de dormir. Nous
prendrons le thé ensemble.

Elle va dans la maison.

DIADINE, *seul.*

Si j'habitais un centre intellectuel, on pourrait publier
ma caricature dans un journal satirique, accompagnée
d'une légende hautement spirituelle. Voyez-moi ça!
A mon âge, avec mon physique ingrat, j'ai enlevé sa
jeune épouse à un célèbre professeur! C'est délicieux!

Il sort. Entrent Youlia et Sémione.

SCÈNE II

SÉMIONE, *portant des seaux*, YOULIA

YOULIA

Bonjour, Senka, que Dieu te vienne en aide! Ilia Iliitch est là?

SÉMIONE

Oui. Il est allé au moulin.

YOULIA

Va le chercher.

SÉMIONE

Tout de suite.

Il sort.

YOULIA, *seule.*

Il dort sans doute... (*Elle s'assied sur le banc et pousse un soupir.*) Les uns dorment, d'autres se promènent, il n'y a que moi qui trime du matin au soir... Pourquoi le bon Dieu ne me rappelle-t-il pas à lui? (*Encore un gros soupir.*) Seigneur! Dire qu'il y a des gens aussi stupides que ce Gaufrette! Tout à l'heure, j'ai vu un petit cochon noir qui sortait de la grange... Quand les cochons lui auront déchiré les sacs des clients, il verra ce que c'est, ce Gaufrette...

Entre Diadine.

SCÈNE III

YOULIA, DIADINE

DIADINE

C'est vous, Youlia Stépanovna? Excusez mon déshabillé... Je voulais m'assoupir un peu dans les bras de Morphée...

YOULIA

Bonjour.

DIADINE

Pardonnez-moi de ne pas vous inviter à l'intérieur... Il y a du désordre à la maison... et ainsi de suite... Voulez-vous venir au moulin avec moi?

YOULIA

Je suis très bien sur ce banc... Savez-vous pourquoi je suis venue? Mon frère Lénia et le professeur veulent organiser aujourd'hui un pique-nique ici, au moulin... Prendre le thé, quoi...

DIADINE

J'en suis charmé.

YOULIA

Je suis venue en éclaireuse. Ils arriveront tout à l'heure. Ordonnez de mettre une table ici, et, bien entendu, de faire chauffer le samovar. Dites à Senka de sortir les paniers à provision de ma voiture.

DIADINE

C'est facile... *(Un temps.)* Eh bien? Comment cela va-t-il chez vous?

YOULIA

Mal, Ilia Iliitch... Croyez-vous? J'ai eu tant de peine que j'en suis tombée malade. Vous savez que le professeur et Sonetchka habitent maintenant chez nous?

DIADINE

Oui, je sais.

YOULIA

Depuis qu'Egor Petrovitch s'est donné la mort, ils n'osent plus rester chez eux... Ils ont peur. Dans la journée, ça va encore tant bien que mal, mais dès que la nuit tombe, ils se réunissent tous dans une pièce et restent ensemble jusqu'à l'aube. C'est la crainte qui les tourmente. Ils ont peur de voir le fantôme d'Egor Petrovitch dans l'obscurité.

DIADINE

Ce sont des préjugés... Et Eléna Andréevna, est-ce qu'ils pensent à elle?

YOULIA

Bien entendu. *(Un temps.)* Elle s'est sauvée...

DIADINE

Oui, voilà un sujet digne du pinceau du peintre Aïvazovski. Elle s'est sauvée sans crier gare!

YOULIA

Qui sait où elle est maintenant? Peut-être bien loin...
A moins que de désespoir...

DIADINE

Dieu est miséricordieux, Youlia Stépanovna. Tout
s'arrangera pour le mieux.

> *Entre Khrouchtchev portant un carton et une boîte
> de peinture.*

SCÈNE IV

LES MÊMES, KHROUCHTCHEV

KHROUCHTCHEV

Hé! Y a-t-il quelqu'un? Sémione!

DIADINE

Regarde donc par ici.

KHROUCHTCHEV

Ah! Bonjour, Youletchka!

YOULIA

Bonjour, Mikhaïl Lvovitch.

KHROUCHTCHEV

Ilia Iliitch, je viens encore travailler chez toi, comme
hier. Je ne peux pas rester à la maison. Dis qu'on mette

une table sous cet arbre et que l'on prépare deux lampes.
Le crépuscule commence à tomber.

DIADINE

Λ vos ordres, Votre Noblesse.

Il sort. Un temps.

KHROUCHTCHEV

Comment ça va, Youletchka?

YOULIA

Pas très fort...

Un temps.

KHROUCHTCHEV

Les Sérébriakov habitent chez vous?

YOULIA

Oui.

KHROUCHTCHEV

Hum... Et votre Lénia, que fait-il?

YOULIA

Il ne quitte guère la maison. Il est toujours auprès de
Sonia.

KHROUCHTCHEV

Parbleu! *(Un temps.)* Il devrait l'épouser.

YOULIA

Pourquoi pas? *(Un soupir.)* Dieu le veuille! C'est un homme instruit, un noble; elle aussi est de bonne famille. Je l'ai toujours souhaité.

KHROUCHTCHEV

C'est une sotte.

YOULIA

Pourquoi dites-vous cela?

KHROUCHTCHEV

Et votre Lénia n'est pas plus intelligent qu'elle. Tous vos amis, d'ailleurs, on dirait qu'on les a choisis sur mesure. Ils sont bêtes à pleurer!

YOULIA

Vous n'avez sans doute pas dîné ce soir.

KHROUCHTCHEV

Pourquoi cela?

YOULIA

Vous êtes trop méchant.

Entrent Diadine et Sémione, qui portent une table de dimensions moyennes.

SCÈNE V

LES MÊMES, DIADINE, SÉMIONE

DIADINE

Tu ne manques pas de goût, Micha! Quel endroit délicieux tu as choisi pour travailler! C'est une oasis! Une oasis, parfaitement! Imagine-toi qu'il y a des palmiers tout autour, Youletchka est une douce gazelle, toi un lion et moi un tigre...

KHROUCHTCHEV

Tu es un brave homme, un cœur pur, Ilia Iliitch, mais pourquoi ces manières? Tu dis des mots doucereux, tu claques des talons, tu te trémousses... Quelqu'un qui ne te connaîtrait pas pourrait croire que tu n'es pas un homme, mais Dieu sait quoi! C'est irritant à la fin!

DIADINE

Tel est sans doute mon sort... Une prédestination fatale.

KHROUCHTCHEV

Voilà, il ne manquait plus que la prédestination fatale. Laisse donc ça! *(Il fixe un dessin sur la table.)* Je reste coucher chez toi cette nuit.

DIADINE

J'en suis infiniment heureux. Tu te fâches, Micha, mais moi je ressens une joie indicible. Il me semble

qu'il y a un petit oiseau dans mon cœur et qu'il chante
une chanson.

KHROUCHTCHEV

Eh bien, réjouis-toi. *(Un temps.)* Toi, tu as un petit
oiseau dans le cœur, et moi, j'ai un crapaud. J'ai mille
ennuis! Chimanski a vendu sa forêt pour qu'elle soit
abattue. Et d'un! Eléna Andréevna a quitté son mari
et personne ne sait où elle est maintenant. Et de deux!
Moi, je me sens devenir plus bête et plus médiocre tous
les jours. Et de trois! Hier, je voulais te raconter quelque
chose, mais je n'ai pas pu, le courage m'a manqué.
Je mérite des félicitations! Après la mort d'Egor Petrovitch, on a trouvé son journal intime. C'est chez Ivan
Ivanovitch que ce journal a tout d'abord échu. Je suis
allé chez lui, j'ai relu ces pages une dizaine de fois...

YOULIA

Les nôtres, eux aussi, ont lu ce journal.

KHROUCHTCHEV

Ce roman d'amour entre Georges et Eléna Andréevna
dont tout le district faisait des gorges chaudes n'était
en réalité qu'un sale et ignoble ragot. Mais moi je l'ai
cru, j'ai calomnié comme les autres, j'ai détesté, méprisé,
insulté mon prochain...

DIADINE

Ce n'est pas beau, bien sûr...

KHROUCHTCHEV

Le premier à qui j'avais fait confiance était votre
frère, Youletchka. Je suis bon, moi! J'ai cru votre frère
pour qui je n'ai pas d'estime, et je n'ai pas cru cette

femme qui se sacrifiait devant moi. Je crois plus facilement le mal que le bien, je ne vois pas plus loin que
le bout de mon nez! Je suis aussi médiocre que les autres.

DIADINE, *s'adressant à Youlia.*

Venez au moulin avec moi, mon petit. Laissons ce
méchant garçon à son travail et allons nous promener.
Bon courage, Micha!

Il sort accompagné de Youlia.

KHROUCHTCHEV, *resté seul; il dilue de la couleur
dans une soucoupe.*

Une fois, la nuit, je l'ai vu presser son visage contre
la main d'Eléna. Dans son journal, il décrit minutieu-
sement cette scène; il parle de mon arrivée, il cite mes
paroles. Il m'appelle un sot et un esprit étroit. *(Un
temps.)* Cette couleur est trop foncée. Il faut l'éclaircir.
Puis, il reproche à Sonia d'être amoureuse de moi.
Pourtant elle ne m'a jamais aimé... J'ai fait un pâté...
(Il racle le papier avec un couteau.) Même s'il y avait
du vrai là-dedans, inutile d'y penser... Cela a commencé
bêtement, cela s'est terminé de la même façon... *(Sémione
et un ouvrier apportent une grande table.)* Qu'est-ce que
c'est? Pour quoi faire?

SÉMIONE

C'est Ilia Iliitch qui a dit de l'apporter. Ces messieurs-
dames de Jeltoukhino viendront prendre le thé ici.

KHROUCHTCHEV

Merci bien! Mon travail est fichu. Je vais ramasser
mes affaires et rentrer chez moi.

Entre Jeltoukhine donnant le bras à Sonia.

SCÈNE VI

KHROUCHTCHEV, JELTOUKHINE, SONIA

JELTOUKHINE *chante.*

« Malgré moi, une force inconnue m'attire vers ce triste rivage [1]. »

KHROUCHTCHEV

Qui vient là ? Ah !

Il se dépêche de ranger son attirail de dessinateur.

JELTOUKHINE

Une question encore, chère Sophie. Vous vous souvenez ? Le jour de mon anniversaire vous avez déjeuné chez nous. Avouez donc que c'est de mon physique que vous avez ri ce jour-là.

SONIA

Voyons, Léonide Stépanytch, quelle idée ! Je riais sans raison.

JELTOUKHINE, *apercevant Khrouchtchev.*

Ah ! Qui vois-je ? Tu es là, toi aussi ? Bonjour !

KHROUCHTCHEV

Bonjour.

1. Citation de l'*Ondine* de Pouchkine *(N. d. T.)*

JELTOUKHINE

Tu travailles? C'est parfait... Où est Gaufrette?

KHROUCHTCHEV

Là...

JELTOUKHINE

Où ça?

KHROUCHTCHEV

Je m'exprime clairement, il me semble. Là, au moulin.

JELTOUKHINE

Je vais l'appeler. *(Il s'en va en chantonnant :)* « Malgré moi, une force inconnue... »

Il sort.

SONIA

Bonjour...

KHROUCHTCHEV

Bonjour.

Un temps.

SONIA

Qu'est-ce que vous dessinez là?

KHROUCHTCHEV

Ce n'est rien... Rien d'intéressant...

SONIA

C'est un plan?

KHROUCHTCHEV

Non, c'est une carte des forêts de notre district.
C'est moi qui l'ai établie. *(Un temps.)* La couleur verte
désigne les endroits où, du temps de nos grands-pères,
il y avait encore des forêts; le vert clair, les endroits
déboisés depuis vingt-cinq ans; le bleu, la forêt qui
existe encore... Oui... *(Un temps.)* Et vous? Que deve-
nez-vous? Êtes-vous heureuse?

SONIA

Mikhaïl Lvovitch, ce n'est pas le moment de penser
à son bonheur.

KHROUCHTCHEV

A quoi faut-il donc penser?

SONIA

Notre grand malheur n'est arrivé que parce que nous
avons trop pensé à notre bonheur...

KHROUCHTCHEV

Tiens!

SONIA

Il n'y a pas de mal sans bien. Le chagrin m'a appris
quelque chose. Il faut oublier son bonheur, Mikhaïl
Lvovitch, et ne penser qu'au bonheur des autres. Il
faut que notre vie soit faite de sacrifices...

KHROUCHTCHEV

Comment donc! *(Un temps.)* Le fils de Maria Vassilievna s'est brûlé la cervelle, mais elle continue à chercher

des erreurs dans ses petites brochures. Un malheur vous a frappée, mais, pour flatter votre amour-propre, vous voulez gâcher votre vie et vous croyez faire des sacrifices... Personne n'a de cœur... Ni vous, ni moi... Personne ne fait ce qu'il devrait faire et tout va à la diable... Je vais partir à l'instant, je ne vous dérangerai pas, vous et Jeltoukhine... Mais pourquoi pleurez-vous? Ce n'est pas ce que je voulais...

SONIA

Ce n'est rien...

Elle s'essuie les yeux. Entrent Youlia, Diadine et Jeltoukhine.

SCÈNE VII

LES MÊMES, YOULIA, DIADINE, JELTOUKHINE, *puis* SÉRÉBRIAKOV et ORLOVSKI

LA VOIX DE SÉRÉBRIAKOV

Ohé! où êtes-vous, mes amis?

SONIA

Ici, papa!

DIADINE

On apporte le samovar! C'est délicieux!

Il s'affaire avec Youlia autour de la table. Entrent Sérébriakov et Orlovski.

SONIA

Par ici, papa!

SÉRÉBRIAKOV

Je vois, je vois...

JELTOUKHINE, *élevant la voix.*

Messieurs-dames, je déclare la séance ouverte. Débouche la liqueur, Gaufrette!

KHROUCHTCHEV, *s'adressant à Sérébriakov.*

Professeur, oublions nos malentendus. *(Il lui tend la main.)* Je vous présente mes excuses.

SÉRÉBRIAKOV

Je vous remercie. J'en suis très heureux! Veuillez me pardonner, vous aussi. Lorsque, au lendemain de cet incident, j'ai essayé d'y réfléchir et que je me suis remémoré notre entretien, j'ai été très peiné... Soyons amis.

Il le prend par le bras et le conduit à la table.

ORLOVSKI

Ce n'est pas trop tôt, mon cœur! Une mauvaise paix vaut mieux qu'une bonne querelle.

DIADINE

Je suis très heureux, Votre Excellence, que vous ayez daigné visiter mon oasis. Cela m'est indiciblement agréable.

SÉRÉBRIAKOV

Merci, mon cher. Cet endroit est vraiment ravissant. Une oasis, parfaitement!

ORLOVSKI

Est-ce que tu aimes la nature, Sacha?

SÉRÉBRIAKOV

Beaucoup. *(Un temps.)* Ne nous taisons pas, mes
amis, parlons plutôt. C'est ce qu'il y a de mieux à faire
dans notre situation. Il faut regarder le malheur en
face, sans crainte. Si je parais plus courageux que vous
autres, c'est parce que c'est moi le plus malheureux.

YOULIA

Je ne vous mets pas de sucre, mes amis; prenez de
la confiture.

DIADINE, *qui s'affaire autour de ses hôtes.*

Que je suis heureux! Que je suis heureux!

SÉRÉBRIAKOV

Ces jours derniers, Mikhaïl Lvovitch, j'ai tant souffert,
tant réfléchi, que je pourrais, il me semble, écrire tout
un traité pour l'édification de la postérité, sur la meilleure manière de vivre. Tant qu'on vit, on continue
d'apprendre — et le malheur est notre maître.

DIADINE

Honni soit qui parle du passé! Dieu est miséricordieux.
Tout s'arrangera.

Sonia tressaille.

JELTOUKHINE

Qu'avez-vous, Sonia?

SONIA

J'ai entendu un cri...

DIADINE

Ce sont des moujiks qui pêchent des écrevisses dans
la rivière.

Un temps.

JELTOUKHINE

Mes amis, il était entendu que nous allions passer
cette soirée comme si rien n'était arrivé... Il y a pourtant
une certaine tension...

DIADINE

Moi, Votre Excellence, je ressens pour la science non
seulement de la vénération, mais même un sentiment
de parenté. Le frère de la femme de mon frère Grigory,
M. Constantin Gavrilovitch Novosselov, que vous
connaissez peut-être, avait le titre de maître de conférences de littérature étrangère.

SÉRÉBRIAKOV

Je ne le connais pas personnellement, mais j'ai entendu
parler de lui.

Un temps.

YOULIA

Demain, cela fera quinze jours exactement qu'est
mort Egor Petrovitch.

KHROUCHTCHEV

Youletchka, il ne faut pas parler de cela.

SÉRÉBRIAKOV

Du courage, du courage.

Un temps.

JELTOUKHINE

On sent pourtant une certaine tension...

SÉRÉBRIAKOV

La nature ne tolère pas le vide. Elle m'a privé de deux êtres proches et, pour combler la lacune, m'a donné aussitôt deux nouveaux amis. A votre santé, Léonide Stépanitch!

JELTOUKHINE

Merci, cher Alexandre Vladimirovitch! Permettez-moi de lever mon verre à votre travail scientifique si fécond.

Jetez les semences du raisonnable, du bon, de l'éternel!
Jetez les semences! Et le peuple russe
vous en remerciera de tout cœur [1].

SÉRÉBRIAKOV

J'apprécie votre aimable allocution. Je souhaite de toute mon âme que nos relations amicales se transforment bientôt en liens familiaux.

Entre Fédor Ivanovitch.

---

1. Vers très connus de Nekrassov. *(N. d. T.)*

SCÈNE VIII

LES MÊMES, FÉDOR IVANOVITCH

FÉDOR IVANOVITCH

Tiens! On pique-nique ici!

ORLOVSKI

Mon garçon! Mon joli...

FÉDOR IVANOVITCH

Bonjour!

Il échange des baisers avec Youlia et Sonia.

ORLOVSKI

Quinze jours qu'on ne s'est pas vus! Où étais-tu?
Qu'as-tu fait?

FÉDOR IVANOVITCH

Je viens de passer chez Lénia, on m'a dit que vous
étiez tous ici, alors je me ramène.

ORLOVSKI

Où as-tu encore traîné?

FÉDOR IVANOVITCH

Voilà trois nuits que je ne dors pas. Hier, papa, j'ai
perdu cinq mille roubles au jeu... J'ai bu, j'ai joué aux

cartes, j'ai été en ville cinq fois au moins... Me voilà complètement abruti!

ORLOVSKI

Quel phénomène! Alors maintenant tu es noir?

FÉDOR IVANOVITCH

Pas pour un sou. Youlka, du thé! Avec du citron, et que ça soit bien acide!... Et Georges, qu'en dites-vous? S'envoyer une balle dans la tête, sans aucune raison! Et avec quel revolver encore : un Lefauché! Il ne pouvait donc prendre un Smith et Wesson?

KHROUCHTCHEV

Tais-toi, espèce de brute.

FÉDOR IVANOVITCH

Je suis une brute, mais une brute racée. *(Il caresse sa barbe.)* Rien que ma barbe vaut son pesant d'or... J'ai beau être une brute, un imbécile, une canaille, — si je le voulais seulement, n'importe quelle jeune fille m'accepterait. Sonia, veux-tu m'épouser? *(Se tournant vers Khrouchtchev :)* Oh! pardon, je m'excuse...

KHROUCHTCHEV

Cesse de faire l'idiot...

YOULIA

Tu es un homme fini, Fédia! Dans tout le gouvernement, il n'y a pas d'ivrogne, ni de panier percé pire que toi! On a mal au cœur rien qu'à te regarder! Tu n'es bon à rien! Une vraie punition du ciel!

FÉDOR IVANOVITCH

Voilà qu'elle se lamente encore! Viens t'asseoir près de moi... Comme ça. Je viendrai passer quinze jours chez toi. J'ai besoin de repos.

Il l'embrasse.

YOULIA

On a honte de toi devant les gens. Au lieu de consoler ton père dans ses vieux jours, tu le couvres de déshonneur. C'est une vie stupide que la tienne, et rien de plus!

FÉDOR IVANOVITCH

Je ne boirai plus! Baste! *(Il se verse de la liqueur.)* C'est du kirsch ou de la prunelle?

YOULIA

Mais ne bois plus! Ne bois plus!

FÉDOR IVANOVITCH

Un petit verre n'a pas d'importance. *(Il boit.)* Je te ferai cadeau, Sauvage, d'une paire de chevaux et d'un fusil. J'irai m'installer chez Youlia. J'ai envie de passer chez elle une semaine ou deux.

KHROUCHTCHEV

Tu devrais passer quelque temps dans un bataillon disciplinaire.

YOULIA

Bois du thé, bois-en!

DIADINE

Prends des biscottes, Fédia!

ORLOVSKI, *s'adressant à Sérébriakov.*

Moi, frère Sacha, jusqu'à l'âge de quarante ans j'ai
mené la même vie que mon Fédor. Un jour, mon cœur,
je me suis mis à faire le compte des femmes que j'ai
rendues malheureuses dans ma vie. Je suis arrivé à
soixante-dix, après quoi j'ai abandonné. Bon! — et
puis, quand j'ai eu quarante ans sonnés, frère Sacha,
il y a eu brusquement en moi quelque chose de changé.
Je ressentais de l'angoisse, je ne savais que faire de moi,
bref, j'étais en désaccord avec moi-même, voilà tout.
J'essayais ceci et cela, je travaillais, je lisais, je voyageais,
— mais rien n'y faisait. Un jour, mon cœur, je suis allé en
visite chez mon défunt compère, le prince sérénissime
Dmitri Pavlovitch. Nous avons cassé la croûte, puis
dîné... Après le dîner, nous avons organisé un tir dans
la cour. Il y avait là un monde fou... Notre Gaufrette
y était, lui aussi.

DIADINE

Oui, oui... Je m'en souviens.

ORLOVSKI

L'angoisse me serrait le cœur, comprends-tu... Seigneur! Je n'ai pu y tenir. Brusquement des larmes
ont jailli de mes yeux, j'ai chancelé et j'ai crié de toutes
mes forces, à tel point que ça a résonné dans toute la
cour : « Mes amis! Bonnes gens! Pardonnez-moi, pour
l'amour du Christ! » Au même moment, j'ai senti mon
âme devenir pure, douce et chaude, et depuis ce temps,

mon ami, il n'y a pas d'homme plus heureux que moi
dans tout le district. Tu devrais faire la même chose.

SÉRÉBRIAKOV

Quoi?

ORLOVSKI

La même chose. Tu devrais capituler.

On voit une lueur d'incendie dans le ciel.

SÉRÉBRIAKOV

Voilà un exemple de philosophie provinciale! Tu me
conseilles de demander pardon?... Pourquoi? Qu'on
me fasse des excuses, à moi, oui, d'abord.

SONIA

Papa, mais c'est nous qui sommes les coupables?

SÉRÉBRIAKOV

Oui? Je crois comprendre, mes amis, que vous faites
allusion à mes rapports avec ma femme. Est-ce vraiment
que vous me jugez coupable? C'est ridicule, mes amis.
C'est elle qui a manqué à son devoir, qui m'a abandonné
à un moment difficile de ma vie...

KHROUCHTCHEV

Alexandre Vladimirovitch, veuillez m'écouter... Pendant vingt-cinq ans vous avez été professeur, vous avez
servi la science; moi, je plante des forêts et j'exerce la
médecine, — mais à quoi bon, pour qui tout cela, si
nous ne ménageons pas ceux pour qui nous travaillons?
Nous prétendons servir l'humanité, et en même temps

nous nous blessons cruellement. Par exemple, qu'avons-
nous fait pour sauver Georges ? Où est votre femme
que nous avons tous insultée ? Où est votre paix ? La
paix de votre fille ? Tout est perdu, détruit, parti en
fumée. Vous m'appelez le Sauvage, mes amis, mais je ne
suis pas le seul, il y a un sauvage en chacun de vous,
vous errez tous dans une forêt obscure, vous vivez à
tâtons. L'intelligence, le savoir, le cœur ne nous servent
qu'à gâcher notre vie et celle des autres.

> *Eléna Andréevna sort de la maison et s'assied
> sur le banc, sous la fenêtre.*

SCÈNE IX

LES MÊMES, ELÉNA ANDRÉEVNA

KHROUCHTCHEV

Je me croyais un homme à idées, un être charitable,
et en même temps je ne pardonnais pas la moindre
faute à mon prochain, je croyais les ragots, je calom-
niais comme les autres, et lorsque votre femme m'a
offert avec confiance son amitié, je lui ai répondu du
haut de ma grandeur : « Laissez-moi ! Je méprise votre
amitié ! » Il y a un sauvage en moi, je suis mesquin,
dénué de tout talent, mais vous, professeur, vous n'êtes
pas un aigle non plus ! Et cependant tout le district,
toutes les femmes voient en moi un héros, un homme
supérieur, et vous, professeur, vous êtes célèbre dans
toute la Russie. Mais si des êtres tels que moi sont consi-
dérés comme de vrais héros, si des hommes tels que vous
jouissent d'une pareille célébrité, cela signifie que faute
de grives on se contente de merles, que les vrais héros,

les vrais talents n'existent pas, qu'il n'y a pas d'hommes qui nous aideraient à sortir de cette forêt obscure, et qui auraient corrigé nos erreurs...

SÉRÉBRIAKOV

Je vous demande pardon... Je ne suis pas venu ici pour engager une polémique avec vous, ni pour défendre mes droits à la notoriété...

JELTOUKHINE

Laissons cette conversation, Micha!

KHROUCHTCHEV

J'ai presque fini, je m'en vais. Oui, je suis mesquin, mais vous, professeur, vous n'êtes pas un aigle non plus! Il était mesquin, Georges, qui n'a rien trouvé de mieux à faire que de se brûler la cervelle! Tous, nous sommes des médiocres! Quant aux femmes...

ELÉNA ANDRÉEVNA, *l'interrompant.*

Quant aux femmes, elles ne sont guère plus remarquables. (*Elle s'approche de la table.*) Eléna Andréevna a quitté son mari... Croyez-vous qu'elle a su profiter de sa liberté? Détrompez-vous... Elle reviendra... (*Elle s'assied à la table.*) La voilà déjà revenue.

Confusion générale.

DIADINE *éclate de rire.*

C'est délicieux! Ne me condamnez pas, messieurs, permettez-moi de dire un mot! Votre Excellence! C'est moi qui ai enlevé votre épouse comme jadis un certain Pâris a enlevé la belle Hélène! Moi! On n'a encore jamais vu de Pâris marqué de petite vérole, — mais il y a des choses, ami Horatio, dont nos sages n'ont jamais rêvé.

KHROUCHTCHEV

Je n'y comprends rien... C'est bien vous, Eléna Andréevna?

ELÉNA ANDRÉEVNA

J'ai passé ces quinze jours chez Ilia Iliitch... Pourquoi me regardez-vous tous ainsi? Eh bien, bonjour! J'étais à la fenêtre, j'ai tout entendu. *(Elle embrasse Sonia.)* Faisons la paix! Bonjour, chère petite fille... Paix et concorde!

DIADINE, *se frottant les mains.*

C'est délicieux!

ELÉNA ANDRÉEVNA, *s'adressant à Khrouchtchev.*

Mikhaïl Lvovitch! Honni soit qui rappelle le passé... Bonjour, Fédor Ivanovitch... Youletchka...

ORLOVSKI

Mon cœur, madame le professeur, notre toute belle... Elle est revenue, elle est à nouveau parmi nous.

ELÉNA ANDRÉEVNA

Je m'ennuyais de vous tous. Bonjour, Alexandre! *(Elle tend la main à son mari, celui-ci se détourne.)* Alexandre!

SÉRÉBRIAKOV

Vous avez manqué à votre devoir.

ELÉNA ANDRÉEVNA

Alexandre!

SÉRÉBRIAKOV

Je suis très heureux de vous voir et de vous parler,
je ne le cache pas, — mais pas ici : à la maison...

Il s'éloigne de la table.

ORLOVSKI

Sacha!

Un temps.

ELÉNA ANDRÉEVNA

C'est bon. Voici donc la solution de notre problème :
il n'y a pas de solution! Tant pis, qu'il en soit ainsi.
Je suis un personnage épisodique, je n'ai droit qu'à
un bonheur de serin : rester calfeutrée à la maison,
manger, boire, dormir et l'écouter parler tous les jours
de sa goutte, de ses droits et de ses mérites... Pourquoi
baissez-vous la tête, comme si vous étiez gênés? Buvons
au moins de la liqueur, non?

DIADINE

Tout s'arrangera, tout rentrera dans l'ordre...

FÉDOR IVANOVITCH *s'approche de Sérébriakov, très ému.*

Alexandre Vladimirovitch, je suis ému... Je vous en
prie, soyez bon pour votre femme, dites-lui au moins
une parole affectueuse et, foi de galant homme, je serai
toujours votre fidèle ami! Je vous ferai cadeau de ma
meilleure troïka!

SÉRÉBRIAKOV

Je vous remercie, mais, excusez-moi, je ne vous comprends pas...

FÉDOR IVANOVITCH

Hum... Vous ne me comprenez pas! Un jour, en revenant de la chasse, j'ai vu un hibou perché dans un arbre. Je lui envoie de la dragée... Pan! Il ne bouge pas. J'essaie d'un autre calibre... Rien! Il est toujours là à me regarder et il n'a rien pigé.

SÉRÉBRIAKOV

De qui parlez-vous?

FÉDOR IVANOVITCH

Du hibou.

Il revient à la table.

ORLOVSKI, *prêtant l'oreille.*

Permettez, mes amis... Silence... On dirait qu'on sonne le tocsin...

FÉDOR IVANOVITCH, *qui voit la lueur d'incendie.*

Oh! là! là! Regardez le ciel! Quelle lueur!

ORLOVSKI

Mes petits pères! Et nous qui n'avons rien remarqué!

DIADINE

C'est formidable!

FÉDOR IVANOVITCH

Eh bien, eh bien! En voilà une illumination! Ça doit brûler près d'Alexéevski...

KHROUCHTCHEV

Non, Alexéevski est plus à droite... C'est plutôt à Novo-Petrovski.

YOULIA

C'est effrayant! J'ai peur des incendies!

KHROUCHTCHEV

C'est certainement à Novo-Petrovski.

DIADINE, *élevant la voix.*

Hé! Sémione! Cours à la digue, regarde où ça brûle. De là, on voit mieux.

SÉMIONE *crie.*

C'est la forêt de Telibéev!

DIADINE

Comment?

SÉMIONE

La forêt de Telibéev!

DIADINE

C'est la forêt...

            Un silence prolongé.

KHROUCHTCHEV

Il faut que j'y aille... Adieu! Pardonnez-moi, j'ai été dur — c'est parce que je n'ai jamais été aussi accablé qu'aujourd'hui... J'ai le cœur lourd... mais ça ne fait rien, il faut être un homme et garder la tête froide. Je ne me brûlerai pas la cervelle, je ne me jetterai pas sous les roues du moulin... Je ne suis pas un héros? Je le deviendrai! Je me ferai pousser des ailes d'aigle, et ni cet incendie ni le diable en personne ne me feront peur! Tant pis si les forêts brûlent — j'en planterai de nouvelles! Tant pis, si l'on ne m'aime pas — j'en aimerai une autre!

Il sort rapidement.

ELÉNA ANDRÉEVNA

Quel homme magnifique!

ORLOVSKI

Oui... « Tant pis, si l'on ne m'aime pas — j'en aimerai une autre! » Comment faut-il comprendre ces paroles?

SONIA

Emmenez-moi... Je veux rentrer à la maison...

SÉRÉBRIAKOV

En effet, il est temps de partir. Il fait horriblement humide ici. Mon manteau et mon plaid étaient quelque part par là...

JELTOUKHINE

Le plaid est dans la voiture, et voici le manteau...

Il aide le professeur à mettre son manteau.

SONIA, *très agitée.*

Emmenez-moi... Emmenez-moi vite!

JELTOUKHINE

Je suis à vos ordres.

SONIA

Non, je partirai avec mon parrain... Emmenez-moi, mon petit parrain!

ORLOVSKI

Viens, mon cœur, viens avec moi.

Il l'aide à se couvrir.

JELTOUKHINE, *à part.*

Que le diable... Rien que des humiliations. C'est abject!

Fédor Ivanovitch et Youlia rangent la vaisselle et les serviettes dans le panier.

SÉRÉBRIAKOV

La plante du pied gauche me fait mal... Sans doute encore une crise de rhumatisme. Encore une nuit sans sommeil...

ELÉNA ANDRÉEVNA, *en boutonnant le manteau de son mari.*

Ilia Iliitch, mon cher, apportez-moi donc mon chapeau et ma mante qui sont dans la maison.

DIADINE

A l'instant.

Il va à la maison et en revient portant la mante et le chapeau.

ORLOVSKI

C'est l'incendie qui t'a effrayée, mon cœur? N'aie crainte, la lueur diminue, le feu s'éteint...

YOULIA

Il reste un demi-pot de confiture de myrtilles... Ça ne fait rien, Ilia Iliitch le finira. *(S'adressant à son frère :)* Lénia, prends le panier!

ELÉNA ANDRÉEVNA

Je suis prête. *(A Sérébriakov :)* Eh bien, emmène-moi, statue du commandeur, et que nos vingt-six pièces lugubres nous engloutissent! Ce sera bien fait pour moi.

SÉRÉBRIAKOV

La statue du commandeur... Je rirais bien de ta plaisanterie, si cette douleur dans mon pied ne m'en empêchait. *(S'adressant aux autres :)* Au revoir, mes amis. Je vous remercie de toutes ces bonnes choses et de votre agréable compagnie. Une charmante soirée, du thé excellent, tout serait parfait, — mais, excusez-moi, il y a une chose que je ne peux admettre : c'est votre philosophie provinciale et votre manière de considérer la vie... Il faut travailler, mes amis! On ne peut vivre ainsi! Il faut travailler! Oui! Adieu.

Il sort accompagné de sa femme.

FÉDOR IVANOVITCH, *à Youlia*.

Viens, ma vieille. *(A son père :)* Adieu, paternel!

Il sort avec Youlia.

JELTOUKHINE, *qui les suit en portant le panier*.

Qu'il est lourd, ce panier, que le diable l'emporte. J'ai horreur de ces pique-niques... *(Il sort et appelle derrière la scène :)* Alexis, la voiture!

SCÈNE X

ORLOVSKI, SONIA, DIADINE

ORLOVSKI, *s'adressant à Sonia*.

Tu t'assois encore? Pourquoi? Partons, mon minet!

Il se dirige vers la sortie avec Sonia.

DIADINE, *à part*.

A moi, personne ne m'a dit au revoir. C'est délicieux!

Il souffle les bougies.

ORLOVSKI, *s'adressant à Sonia*.

Eh bien, qu'attends-tu?

SONIA

Je ne peux pas partir, parrain. Je n'en ai pas la force... Je suis désespérée, mon petit parrain... désespérée... Je ne peux pas le supporter...

ORLOVSKI, *inquiet.*

Qu'as-tu? Mon petit cœur, ma jolie...

SONIA

Ne partons pas... restons encore un peu...

ORLOVSKI

Tantôt je veux partir, tantôt je veux rester... Comment veux-tu qu'on te comprenne?

SONIA

C'est ici que j'ai perdu mon bonheur aujourd'hui. Je n'en peux plus!... Ah! mon petit parrain, pourquoi ne suis-je pas morte! *(Elle l'entoure de ses bras.)* Si vous saviez, si vous saviez!

ORLOVSKI

Bois un peu d'eau... Viens t'asseoir... viens!

DIADINE

Qu'avez-vous? Sophie Alexandrovna, ma petite mère... par pitié... j'en tremble... *(D'une voix larmoyante :)* Je ne peux pas vous voir comme ça! Mon petit!

SONIA

Ilia Iliitch, emmenez-moi voir l'incendie! Je vous en supplie!

ORLOVSKI

Pourquoi aller voir l'incendie? Qu'est-ce que tu veux faire là-bas?

SONIA

Emmenez-moi, je vous en supplie, sinon j'irai seule...
Je suis au désespoir... Mon petit parrain, j'ai le cœur
si lourd, je n'en peux plus! Emmenez-moi voir l'incendie!

Khrouchtchev entre d'un pas rapide.

SCÈNE XI

LES MÊMES, KHROUCHTCHEV

KHROUCHTCHEV, *appelant.*

Ilia Iliitch!

DIADINE

Je suis là. Que veux-tu?

KHROUCHTCHEV

Je ne peux pas y aller à pied, prête-moi un cheval.

SONIA, *voyant Khrouchtchev, pousse un cri de joie.*

Mikhaïl Lvovitch! *(Elle va vers lui.)* Mikhaïl Lvovitch!
(S'adressant à Orlovski :) Allez-vous-en, parrain, il faut
que je lui parle. *(A Khrouchtchev :)* Mikhaïl Lvovitch,
vous avez dit que vous alliez en aimer une autre...
(A Orlovski :) Allez-vous-en, parrain! *(A Khrouchtchev :)*
C'est moi qui suis une autre, maintenant. Je ne veux
plus rien que la vérité... Que la vérité, rien d'autre!
J'aime... c'est vous, c'est vous seul que j'aime...

ORLOVSKI

Elle est bonne, celle-là !

Il rit.

DIADINE

C'est délicieux !

SONIA, *s'adressant à Orlovski.*

Allez-vous-en, parrain ! *(A Khrouchtchev :)* Oui, oui,
je ne veux plus que la vérité et rien d'autre. Parlez,
maintenant, parlez... j'ai tout dit.

KHROUCHTCHEV, *l'entourant de ses bras.*

Ma petite colombe !

SONIA

Ne partez pas, parrain... Chaque fois que tu me parlais
de ton amour, la joie m'étouffait, mais j'étais enchaînée
par des préjugés ; le même sentiment qui empêche mon
père de sourire à Hélène, m'empêchait de te dire la
vérité. Mais maintenant je suis libre...

ORLOVSKI

Ils se sont enfin mis d'accord ! Les voilà sortis de
l'eau ! J'ai l'honneur de vous présenter mes félicitations !
(Il les salue très bas.) Comment n'avez-vous pas honte ?
Tourner si longtemps autour du pot, faire tant de
manières !...

DIADINE, *embrassant Khrouchtchev.*

Michenka ! Que je suis content, mon cher !

ORLOVSKI, *embrassant Sonia.*

Ma douce, mon gentil serin... Ma petite filleule...
(Sonia éclate de rire.) La voilà qui éclate encore!

KHROUCHTCHEV

Attendez, je n'en suis pas encore revenu... Laissez-
moi lui parler... Ne nous dérangez pas. Je vous en
supplie, allez-vous-en!

Entrent Fédor Ivanovitch et Youlia.

SCÈNE XII

LES MÊMES, FÉDOR IVANOVITCH, YOULIA

YOULIA

Mais ce ne sont que des mensonges, Fédia! Tu mens
toujours.

ORLOVSKI

Chut! Silence, les enfants! Voilà mon brigand qui
arrive. Cachons-nous vite, je vous en prie!

Orlovski, Diadine, Khrouchtchev et Sonia se cachent.

FÉDOR IVANOVITCH

J'ai oublié mon fouet et un gant.

YOULIA

Mais tu ne fais que mentir!

FÉDOR IVANOVITCH

Eh bien, oui, je mens... et après? Je n'ai pas envie
d'aller chez toi tout de suite. Nous allons nous promener
d'abord, nous partirons plus tard.

YOULIA

Que de soucis tu me donnes! Une vraie punition du
Ciel! *(Elle joint les mains.)* Ce Gaufrette, est-il stupide
tout de même! Il n'a pas encore fait débarrasser la
table! Mais on pourrait lui voler son samovar! Ah, ce
Gaufrette! Il est pourtant déjà vieux, mais il n'a pas
plus de cervelle qu'un bébé!

DIADINE, *à part.*

Grand merci!

YOULIA

En venant ici, j'ai entendu rire...

FÉDOR IVANOVITCH

C'étaient des paysannes qui se baignaient. *(Il ramasse
un gant.)* A qui est ce gant? A Sonia... Sonia n'était
pas dans son assiette aujourd'hui. Elle est amoureuse
du Sauvage. Elle s'en est amourachée jusqu'aux oreilles,
et lui, l'imbécile, ne le remarque même pas.

YOULIA, *mécontente.*

Mais où allons-nous maintenant?

FÉDOR IVANOVITCH

A la digue. Allons y faire un tour. Il n'y a pas de plus
joli endroit dans tout le district. C'est bien beau!

ORLOVSKI, *à part.*

Mon fiston, mon joli gars, voyez-moi cette barbe...

YOULIA

Je viens d'entendre une voix...

FÉDOR IVANOVITCH

« Là-bas, il y a des merveilles, l'esprit des bois y rôde, une ondine se cache dans les branches [1]... » Voilà, mon vieux!

Il lui donne une tape à l'épaule.

YOULIA

Je ne suis pas ton vieux.

FÉDOR IVANOVITCH

Causons paisiblement. Écoute-moi, Youletchka! J'en ai vu, comme on dit, de toutes les couleurs... J'ai déjà trente-cinq ans, mais je n'ai pas d'autre titre que celui de lieutenant de l'armée serbe et de sous-officier de réserve russe... Je suis comme un oiseau sur la branche. Il faut changer de mode de vie, et sais-tu... comprends-tu... l'idée m'est venue que si je me mariais, ma vie en serait transformée. Veux-tu m'épouser? Hein? Je n'en veux pas d'autre que toi...

YOULIA, *embarrassée.*

Hum... Écoute, Fédia... Tu devrais d'abord t'amender.

1. Vers de Pouchkine, dans *Rousslane et Ludmila.* (*N. d. T.*)

FÉDOR IVANOVITCH

Allons, pas de biais! Réponds-moi franchement.

YOULIA

J'ai honte... *(Elle regarde autour d'elle.)* Attention, quelqu'un pourrait venir ou nous entendre... Il me semble que Gaufrette est à sa fenêtre.

FÉDOR IVANOVITCH

Il n'y a personne.

YOULIA *lui saute au cou.*

Mon Fédia!

> *Sonia éclate de rire, Orlovski, Diadine et Khrou-chtchev rient, battent des mains et crient : « Bravo! Bravo ! »*

FÉDOR IVANOVITCH

Fichtre! Vous m'avez fait peur. D'où sortez-vous?

SONIA

Youletchka, mes félicitations! Et moi aussi, moi aussi...

> *Rires, échange de baisers, bruits.*

DIADINE

C'est délicieux! C'est délicieux!

Oncle Vania

Scènes de la vie de campagne

QUATRE ACTES

ALEXANDRE VLADIMIROVITCH SÉRÉBRIAKOV, *professeur en retraite.*

ELÉNA ANDRÉEVNA, *sa femme, vingt-sept ans.*

SOPHIA ALEXANDROVNA (Sonia), *sa fille du premier lit.*

MARIA VASSILIEVNA VOÏNITZKAÏA, *veuve d'un conseiller intime, mère de la première femme du professeur.*

IVAN PETROVITCH VOÏNITZKI, *son fils.*

MIKHAÏL LVOVITCH ASTROV, *médecin.*

ILIA ILIITCH TELEGUINE, *propriétaire ruiné.*

MARINA, *la vieille nounou.*

UN OUVRIER.

L'action se passe dans la propriété de Sérébriakov.

ACTE PREMIER

Un jardin. On aperçoit une partie de la maison, avec la terrasse. Dans l'allée, sous un vieux peuplier, une table est dressée pour le thé. Des bancs, des chaises ; une guitare est posée sur un banc. Un peu à l'écart de la table, une balançoire.

Il est près de trois heures. Le temps est gris.

Marina, une petite vieille assez forte, alourdie par l'âge, tricote un bas, assise devant le samovar. Astrov va et vient près de la table.

MARINA, *verse un verre à Astrov.*

Bois, mon petit père.

ASTROV, *prenant le verre à contrecœur.*

Je n'en ai guère envie.

MARINA

Tu prendras peut-être un peu de vodka ?

ASTROV

Non. Je n'en prends pas tous les jours, de la vodka. Et puis, il fait lourd. *(Un temps.)* Nounou, il y a combien de temps qu'on se connaît, nous deux ?

MARINA, *réfléchissant.*

Combien? Attends... Que Dieu me donne de la
mémoire... Tu es arrivé ici, dans notre contrée... quand
donc? La mère de Sonetchka, Véra Petrovna, était
encore de ce monde. De son vivant, tu es venu deux
hivers chez nous... ça fait donc dans les onze ans...
(Réfléchissant :) Peut-être même davantage.

ASTROV

Ai-je beaucoup changé, depuis?

MARINA

Beaucoup. Tu étais jeune et beau alors... Tu as
vieilli, tu n'as plus la même beauté. Il faut avouer
qu'avec toute cette vodka...

ASTROV

Eh oui!... En dix ans je suis devenu un autre homme.
Et pourquoi? Je me suis surmené, nounou. Du matin
au soir, toujours debout, jamais de répit. Et la nuit,
sous mes couvertures, j'ai encore peur d'être traîné
chez un malade. Depuis que nous nous connaissons,
je n'ai pas eu un seul jour de liberté. Comment ne pas
vieillir? Et puis cette vie est ennuyeuse, stupide, sale.
On s'y enlise. Autour de moi, un tas d'originaux, rien
que des originaux. Quand on a passé deux ou trois ans
avec eux, on devient original soi-même, sans s'en
apercevoir. C'est inévitable. *(Il tire sur sa longue moustache.)* Regarde l'énorme moustache qui m'a poussé...
une moustache idiote... Je suis devenu un original,
nounou. Pas encore abruti, Dieu merci, mon cerveau
est intact, mais mes sentiments se sont émoussés. Je
ne désire rien, je n'ai besoin de rien, je n'aime personne...

Toi seule encore, peut-être. *(Il l'embrasse sur les cheveux.)*
Quand j'étais petit, j'avais une nounou qui te ressemblait.

MARINA

Tu mangeras peut-être un morceau?

ASTROV

Non. Pendant la troisième semaine du carême,
je suis allé au village de Malitzkoë. Il y avait une épidémie... le typhus... Dans les isbas, tous les gens les
uns sur les autres. Partout la saleté, la puanteur, la
fumée... et pêle-mêle avec les malades, par terre, des
veaux, des petits cochons... J'ai travaillé toute la journée, sans m'asseoir un instant, sans rien avaler. Je rentre
chez moi; impossible de souffler, on m'amène un aiguil-
leur du chemin de fer. Je le couche sur une table pour
l'opérer, et voilà qu'il me claque entre les mains, sous
le chloroforme. C'est le moment qu'ont choisi mes sentiments pour se réveiller, que ma conscience m'a fait
mal, comme si j'avais assassiné cet homme. Alors je
me suis assis, en fermant les yeux — comme ça — et je
me suis demandé : ceux qui vivront après nous, dans
cent ou deux cents ans, ceux à qui nous aurons frayé
le chemin, auront-ils une bonne parole pour nous?
Non, ma vieille, ils nous oublieront.

MARINA

Les hommes, oui, mais Dieu ne nous oubliera pas.

ASTROV

Je te remercie. Voilà une bonne parole.

Entre Voïnitzki.

VOÏNITZKI, *il vient de faire la sieste, il a encore l'air ensommeillé ; il s'assoit sur un banc et arrange son élégante cravate.*

Oui... *(Un temps.)* Oui...

ASTROV

Tu as assez dormi ?

VOÏNITZKI

Oui. *(Il bâille.)* Trop. Depuis que le professeur et son épouse habitent ici, la vie est complètement bouleversée... Je dors à n'importe quelle heure, à table je mange des plats raffinés, je bois du vin... Mauvais pour la santé, tout cela ! Avant, je n'avais pas une minute de libre, avec Sonia nous travaillions d'arrache-pied, et maintenant elle travaille toute seule, tandis que moi je ne fais que dormir, boire, manger... Ce n'est pas bien.

MARINA, *hochant la tête.*

Oui ! Quel désordre !... Le professeur se lève à midi, et le samovar bout depuis le matin. Avant, on déjeunait à une heure, comme tous les braves gens, maintenant, c'est à six heures passées. La nuit, le professeur lit, écrit... et brusquement, à deux heures du matin, voilà qu'il sonne... Qu'y a-t-il ? Mes aïeux ! Il lui faut du thé ! Il faut réveiller tout le monde, faire chauffer le samovar... Quel désordre !

ASTROV

Ils vont rester longtemps ici ?

VOÏNITZKI, *sifflotant.*

Cent ans. Le professeur a décidé de s'y installer pour de bon.

MARINA

C'est comme maintenant. Le samovar est sur la table depuis deux heures, et eux, ils sont partis en promenade.

VOÏNITZKI

Ils arrivent, ils arrivent, ne t'énerve pas.

> *On entend des voix. Du fond du jardin, revenant d'une promenade, arrivent Sérébriakov, Eléna Andréevna, Sonia et Teleguine.*

SÉRÉBRIAKOV

C'est magnifique, c'est magnifique... Des vues superbes!

TELEGUINE

Remarquables, Votre Excellence.

SONIA

Demain, nous irons à la maison forestière. Tu veux bien, papa?

VOÏNITZKI

Venez prendre du thé, mesdames et messieurs.

SÉRÉBRIAKOV

Mes amis, vous seriez bien gentils de me faire servir du thé dans mon cabinet. J'ai encore un travail à terminer aujourd'hui.

SONIA

Je suis sûre que la maison forestière te plaira beaucoup...

> *Eléna Andréevna, Sérébriakov et Sonia entrent dans la maison. Teleguine va vers la table et s'assoit près de Marina.*

VOÏNITZKI

Il fait chaud et lourd, mais notre grand savant sort en manteau, avec des caoutchoucs, des gants et un parapluie.

ASTROV

C'est qu'il prend bien soin de sa personne.

VOÏNITZKI

Mais comme elle est belle! Comme elle est belle! De ma vie je n'ai vu femme aussi parfaite.

TELEGUINE

Que je traverse un champ, Marina Timoféevna, que je me promène dans un jardin ombragé, que je regarde cette table, j'éprouve un sentiment de béatitude indicible. Le temps est délicieux, les petits oiseaux gazouillent, la paix et l'entente règnent parmi nous : que pourrions-nous souhaiter de mieux? (*Il prend le verre de thé qu'on lui tend.*) Je vous remercie infiniment.

VOÏNITZKI, *rêveur.*

Ces yeux... Une femme magnifique.

ASTROV

Raconte-nous quelque chose, Ivan Petrovitch!

VOÏNITZKI, *sans entrain.*

Que veux-tu que je te raconte?

ASTROV

Quoi de neuf?

VOÏNITZKI

Rien. Tout est comme par le passé. Moi, je suis le même, ou plutôt je suis devenu pire, je me laisse aller, je ne fiche plus rien, je ne fais que grincer comme un vieux birbe. Ma vieille linotte de mère radote toujours sur l'émancipation des femmes; d'un œil elle regarde dans la tombe, de l'autre elle cherche dans ses livres savants l'aube d'une vie nouvelle.

ASTROV

Et le professeur?

VOÏNITZKI

Toujours dans son cabinet de travail, du matin jusque tard dans la nuit, et il écrit. « L'esprit tendu, le front ridé, nous écrivons, nous écrivons, mais ni nous-mêmes ni nos écrits, nulle louange ne récoltons [1]. » Pauvre papier! Le professeur ferait mieux d'écrire son autobiographie. Voilà un sujet magnifique! Un professeur en retraite, vois-tu, tout desséché, perroquet savant... Il a la goutte, des rhumatismes, la migraine, le foie enflé à force de jalousie et d'envie... Il vit, ce vieux perroquet, dans la propriété de sa première femme, car ses moyens ne lui permettent pas de rester en ville. Il se plaint éternellement de ses malheurs, bien

1. Citation d'une satire de Dmitriev, XVIIIe s. *(N. d. T.)*

qu'en réalité il soit on ne peut plus heureux. *(Nerveusement :)* Pense un peu à la chance qu'il a eue! Fils d'un
simple diacre, élève d'un séminaire, il a obtenu des
titres universitaires, une chaire de faculté. On l'appelle
Excellence, il est le gendre d'un sénateur, etc., etc. Mais
il y a mieux! Voilà un homme qui depuis vingt-cinq ans
parle et écrit sur les arts, sans rien y comprendre. Vingt-
cinq ans qu'il remâche les idées des autres sur le réalisme, le naturalisme et autres balivernes; vingt-cinq ans
qu'il enseigne et écrit des choses que les gens intelligents connaissent depuis longtemps, et dont les imbéciles se moquent, bref vingt-cinq ans qu'il oscille entre
le vide et le néant. Et pourtant, quelle assurance! Que
de prétentions! Le voilà en retraite, et pas une âme
ne connaît son nom; tout le monde l'ignore. Il a donc
occupé pendant vingt-cinq ans une place à laquelle il
n'avait aucun droit. Eh bien, regarde-le marcher : ne
dirait-on pas un demi-dieu?

ASTROV

Mais c'est de la jalousie!

VOÏNITZKI

Oui, de la jalousie! Et quel succès auprès des femmes!
Aucun Don Juan n'a connu cela! Sa première femme,
ma sœur, une belle et douce créature, aussi pure que ce
ciel bleu, une femme noble, généreuse, qui avait plus
d'admirateurs que lui d'élèves, elle l'a aimé comme
seul un ange peut aimer son semblable. Ma mère, sa
belle-mère, est encore aujourd'hui en admiration devant
lui; il lui inspire, aujourd'hui encore, une terreur sacrée.
Sa deuxième femme, si belle, si intelligente — vous
l'avez vue — l'a épousé alors qu'il était déjà vieux.

Elle lui a tout donné, sa jeunesse, sa beauté, sa liberté, son éclat... Et pourquoi? Pour quelle raison?

ASTROV

Elle est fidèle à son professeur?

VOÏNITZKI

Oui, malheureusement.

ASTROV

Pourquoi, malheureusement?

VOÏNITZKI

Parce que cette fidélité est fausse d'un bout à l'autre. Beaucoup de rhétorique, mais pas trace de logique. Tromper un vieux mari qu'on ne peut pas sentir, c'est immoral; mais étouffer sa pauvre jeunesse et tout sentiment vrai, ça c'est très bien!

TELEGUINE, *d'une voix larmoyante.*

Vania, je n'aime pas t'entendre parler ainsi. Voyons, tout de même... Celui qui trompe son conjoint est un être sans foi, et pourrait même trahir sa patrie!

VOÏNITZKI, *avec dépit.*

Ferme ton robinet, Gaufrette.

TELEGUINE

Permets, Vania! Ma femme a filé avec l'homme de son choix, le lendemain de notre mariage. Depuis cet incident, je n'ai pas failli à mon devoir. J'aime toujours ma femme, je lui suis fidèle, je l'aide comme je peux, et j'ai sacrifié ma fortune à l'éducation des enfants qu'elle a eus avec l'homme de son choix. J'ai perdu le bonheur, mais la fierté me reste. Alors qu'elle... Sa jeunesse a fui, sa beauté s'est fanée, conformément aux lois de la nature, l'homme de son choix est mort... Que lui reste-t-il ?

> *Entrent Sonia et Eléna Andréevna; peu après, Maria Vassilievna, un livre à la main; elle s'assied et lit; on lui sert du thé qu'elle boit sans quitter son livre des yeux.*

SONIA, *à Marina, rapidement.*

Les moujiks sont arrivés, ma petite nounou. Va leur parler, je m'occuperai du thé.

> *Elle verse le thé.*

ASTROV, *à Eléna Andréevna.*

C'est pour votre mari que je suis venu; vous m'avez écrit qu'il était très malade, des rhumatismes, je ne sais quoi, mais il paraît qu'il se porte comme un charme.

ELÉNA ANDRÉEVNA

Hier soir, il était abattu, il se plaignait de douleurs dans les jambes, mais aujourd'hui ça va mieux...

ASTROV

Et moi qui ai galopé comme un fou pendant trente verstes ! Enfin tant pis, ce n'est pas la première fois. Comme ça, je resterai coucher chez vous, et je dormirai tout mon soûl.

SONIA

Parfait. Cela ne vous arrive pas souvent de coucher ici. Je suis sûre que vous n'avez pas dîné?

ASTROV

Eh non! Je n'ai pas dîné.

SONIA

Alors, vous partagerez notre repas, par la même occasion. Nous dînons maintenant à six heures passées. *(Elle boit son thé.)* Le thé est froid.

TELEGUINE

La température du samovar a déjà considérablement baissé.

ELÉNA ANDRÉEVNA

Peu importe. Ivan Ivanytch, nous le boirons froid.

TELEGUINE

Je vous demande pardon. Mon nom est Ilia Iliitch, non Ivan Ivanytch. Ilia Iliitch Teleguine, ou encore Gaufrette, comme certains m'appellent, en raison de mon visage marqué par la petite vérole. J'ai tenu Sonetchka sur les fonts baptismaux... Son Excellence, monsieur votre mari, me connaît fort bien. Vous ne l'avez peut-être pas remarqué, mais je dîne à votre table tous les jours...

SONIA

Ilia Iliitch nous aide beaucoup, c'est notre bras droit... *(Avec tendresse :)* Donnez votre verre, mon petit parrain, que je vous en verse encore...

MARIA VASSILIEVNA

Oh!

SONIA

Qu'avez-vous, grand-mère?

MARIA VASSILIEVNA

J'ai oublié de dire à Alexandre — je n'ai plus de
mémoire... ce matin, j'ai reçu une lettre de Kharkov,
de Paul Alexéevitch. Il nous envoie sa nouvelle brochure.

ASTROV

Intéressante?

MARIA VASSILIEVNA

Oui, mais un peu étrange. Il réfute ce qu'il soutenait
lui-même, il y a sept ans. C'est affreux!

VOÏNITZKI

Il n'y a rien là d'affreux. Buvez votre thé, maman.

MARIA VASSILIEVNA

Mais enfin, je veux parler!

VOÏNITZKI

Parler et lire, nous n'arrêtons pas depuis cinquante
ans. Il serait temps d'en finir.

MARIA VASSILIEVNA

Je ne sais pourquoi tu détestes m'entendre parler.
Excuse-moi, Jean, mais tu as tellement changé depuis

un an, je ne te reconnais plus. Tu étais un homme aux idées bien arrêtées, une personnalité lumineuse...

VOÏNITZKI

Oui, bien sûr! J'étais une personnalité lumineuse, qui n'éclairait rien ni personne... *(Un temps.)* Une personnalité lumineuse... Peut-on se moquer de moi plus cruellement? Aujourd'hui, j'ai quarante-sept ans. Jusqu'à l'an dernier, j'ai tout fait comme vous-même, pour m'étourdir sciemment de je ne sais quelle scolastique, pour ne pas voir la vie réelle, et je croyais bien faire. Mais maintenant, si vous saviez! Je ne dors plus de dépit et de colère, à l'idée d'avoir bêtement gaspillé le temps où j'aurais pu tout avoir, tout ce qu'aujourd'hui ma vieillesse refuse!

SONIA

C'est ennuyeux, oncle Vania!

MARIA VASSILIEVNA, *à son fils.*

On dirait que tu en veux à tes convictions passées. Mais elles n'y sont pour rien. Le seul responsable, c'est toi. Tu as oublié que si l'on n'agit pas, les convictions, c'est lettre morte. Tu aurais dû agir.

VOÏNITZKI

Agir? Tout le monde n'est pas capable d'être un *perpetuum mobile,* la plume à la main, comme votre Herr Professor.

SONIA, *suppliante.*

Grand-mère! Oncle Vania! Je vous en supplie!

VOÏNITZKI

Je me tais. Je me tais et je vous demande pardon.

Un temps.

ELÉNA ANDRÉEVNA

Il fait bon aujourd'hui. Pas trop chaud.

Un temps.

VOÏNITZKI

Un temps magnifique pour se pendre.

> *Teleguine accorde la guitare. Marina va et vient devant la maison, appelant les poules.*

MARINA

Petits, petits, petits...

SONIA

Nounou, qu'est-ce qu'ils voulaient, les moujiks?

MARINA

Toujours la même chose. Les terres en friche. Petits, petits, petits...

SONIA

Pourquoi appelles-tu?

MARINA

La Bigarrée est partie avec ses poussins... Gare aux corbeaux...

> *Elle sort. Teleguine joue une polka. Tous l'écoutent en silence. Entre un ouvrier.*

L'OUVRIER

Monsieur le docteur est ici? *(A Astrov :)* Mikhaïl Lvovitch, on est venu vous chercher.

ASTROV

D'où?

L'OUVRIER

De la fabrique.

ASTROV, *avec dépit.*

Merci bien! Que faire, il faut y aller. *(Il cherche sa casquette des yeux.)* C'est embêtant, que le diable les emporte!...

SONIA

Que c'est désagréable, vraiment! Mais après, revenez dîner.

ASTROV

Non, il sera trop tard. Tant pis!... Rien à faire... *(A l'ouvrier :)* Tiens, mon vieux, apporte-moi donc un verre de vodka. *(L'ouvrier sort.)* Tant pis... Rien à faire... *(Il a trouvé sa casquette.)* Dans une pièce d'Ostrovski, il y a un personnage doué d'une grande moustache et de petites capacités intellectuelles. Ce personnage, c'est moi. Eh bien, j'ai l'honneur... *(A Eléna Andréevna :)* Si jamais vous passez me voir, avec Sophia Alexandrovna, vous me ferez grand plaisir. Je n'ai qu'une propriété moyenne, trente déciatines en tout et pour tout, mais, si cela vous intéresse, j'ai un jardin modèle et des pépinières comme vous n'en trouverez pas à des milliers

de verstes à la ronde. Les forêts de l'État sont tout à
côté. Le garde-forestier est vieux, souvent malade, je
dois m'occuper de tout.

ELÉNA ANDRÉEVNA

On m'a déjà dit que vous aimiez beaucoup la forêt.
Bien sûr, je comprends, c'est un travail utile, mais
est-ce que votre véritable vocation n'en souffre pas?
Vous êtes médecin, avant tout!

ASTROV

Dieu seul sait en quoi consiste notre véritable vocation.

ELÉNA ANDRÉEVNA

Et c'est vraiment intéressant?

ASTROV

Oui, c'est un travail intéressant.

VOÏNITZKI, *ironique.*

Comment donc!

ELÉNA ANDRÉEVNA, *à Astrov.*

Vous êtes encore jeune, on vous donnerait... je
ne sais pas moi, trente-six, trente-sept ans... Je ne pense
pas que ce soit aussi intéressant que vous le dites. La
forêt, toujours la forêt... A la fin, quelle monotonie!

SONIA

Non, c'est passionnant. Tous les ans, Mikhaïl Lvovitch plante de nouvelles forêts; il a déjà reçu une

médaille de bronze et un diplôme. Il lutte contre la
destruction des vieux arbres. Écoutez-le, vous verrez
qu'il a raison. Il dit que les forêts embellissent la terre,
qu'elles nous apprennent à sentir la beauté, qu'elles
élèvent l'âme. Les forêts adoucissent la rudesse du climat. Dans les pays tempérés, on gaspille moins de forces
à lutter contre la nature; l'homme y est plus doux,
plus affectueux. Les êtres y sont beaux, souples, sensibles, ils parlent avec élégance, se meuvent avec grâce.
Les arts et les sciences y fleurissent, la philosophie n'est
pas pessimiste, les hommes traitent les femmes avec
beaucoup de délicatesse...

VOÏNITZKI

Bravo! Bravo! C'est très gentil tout ça, mais si peu
convaincant que tu voudras bien me permettre, mon
ami *(à Astrov)*, de brûler des bûches dans mon poêle,
et de construire des granges en bois.

ASTROV

Tu peux te chauffer avec de la tourbe et construire
des granges en pierre. Enfin, soit; j'admets qu'on
abatte des arbres quand c'est nécessaire, mais pourquoi
des forêts entières? Les forêts russes gémissent sous
les coups de hache, des millions d'arbres sont perdus,
les bêtes et les oiseaux fuient leurs refuges. Les rivières
baissent et se dessèchent, tout cela parce que l'homme
paresseux n'a pas le courage de se baisser pour ramasser le combustible qu'il a sous le nez. *(A Eléna :)*
N'est-il pas vrai, madame? Il faut être un barbare
insensé pour brûler toute cette beauté dans un poêle,
pour anéantir ce que nous sommes incapables de créer.
L'homme a été doué d'intelligence et de force créatrice

pour augmenter son patrimoine, mais jusqu'à présent,
qu'a-t-il créé? Il n'a fait que détruire. Il y a de moins
en moins de forêts, les cours d'eau tarissent, le gibier
disparaît, le climat durcit, et tous les jours la terre
s'appauvrit et s'enlaidit. *(A Voïnitzki :)* Tu me regardes ironiquement, tout ce que je te dis te paraît peu
sérieux... et peut-être... en effet, dis-je des choses bizarres, mais quand je passe devant les forêts paysannes que
j'ai sauvées de la hache, ou quand j'entends bruire le
jeune bois que j'ai planté de mes propres mains, je sens
que le climat est un peu en mon pouvoir, et que si,
dans mille ans, l'homme est plus heureux, eh bien,
j'y serai pour quelque chose. Quand je plante un petit
bouleau et que plus tard je le vois reverdir et s'incliner
sous la brise, je suis rempli de fierté, et je crois... *(Voyant
l'ouvrier qui apporte un verre de vodka sur un plateau :)* Mais
(il boit) il est temps de partir. En fin de compte, oui,
ce ne sont peut-être que des idées loufoques. J'ai bien
l'honneur...

> *Il va vers la maison.*

SONIA, *lui prenant le bras et l'accompagnant.*

Quand reviendrez-vous?

ASTROV

Je n'en sais rien.

SONIA

Faudra-t-il attendre encore un mois?

> *Sonia et Astrov entrent dans la maison. Maria
> Vassilievna et Teleguine restent à table. Eléna
> Andréevna et Voïnitzki se dirigent vers la terrasse.*

ELÉNA ANDRÉEVNA

Et vous, Ivan Petrovitch, vous avez encore été impossible. Quel besoin aviez-vous d'irriter Maria Vassilievna, de parler de *perpetuum mobile* ? Et puis, au déjeuner, vous avez encore discuté avec Alexandre. C'est vraiment mesquin!

VOÏNITZKI

Mais puisque je le hais!

ELÉNA ANDRÉEVNA

Il n'y a aucune raison de haïr Alexandre. Il est comme les autres. Il vous vaut bien.

VOÏNITZKI

Si seulement vous pouviez vous voir vous-même, voir votre visage, vos gestes... Quelle paresse de vivre! Oh! Quelle paresse!

ELÉNA ANDRÉEVNA

Oui, c'est de la lassitude, de l'ennui! Tout le monde dit du mal d'Alexandre, on me regarde avec pitié : la malheureuse, elle a un vieux mari. Toutes ces marques de compassion, oh! comme je les comprends! C'est comme Astrov qui disait tout à l'heure : insensés qui détruisez les forêts, il n'y en aura bientôt plus sur terre; ainsi vous détruisez l'être humain, et à cause de vous il n'y aura bientôt plus ni fidélité, ni pureté, ni esprit de sacrifice ici-bas. Pourquoi ne pouvez-vous pas regarder froidement une femme qui n'est pas la vôtre? Ce docteur a tout à fait raison : un démon de la destruction vous habite. Vous n'avez pitié ni des forêts, ni des oiseaux, ni des femmes, ni de vos semblables.

VOÏNITZKI

Cette philosophie me déplaît.

Un temps.

ELÉNA ANDRÉEVNA

Le visage du docteur est las et nerveux; un visage
intéressant d'ailleurs. Je crois qu'il attire Sonia, elle en
est éprise, cela ne m'étonne pas. C'est la troisième fois
qu'il vient depuis que nous sommes ici, mais je suis
timide, je n'ai jamais su lui parler, ni l'accueillir aimablement. Il doit me croire méchante. Si nous sommes
bons amis, vous et moi, Ivan Petrovitch, c'est sans
doute parce que nous sommes des êtres fades et assommants. Oui, assommants! Ne me regardez pas ainsi, je
n'aime pas.

VOÏNITZKI

Comment pourrais-je vous regarder autrement?
Je vous aime. Vous êtes mon bonheur, ma vie, ma
jeunesse! Je sais que mes chances d'être aimé en retour
sont nulles, mais je ne vous demande rien, permettez-
moi seulement de vous regarder, d'écouter votre voix...

ELÉNA ANDRÉEVNA

Chut! On pourrait vous entendre.

Ils vont vers la maison.

VOÏNITZKI, *la suivant.*

Permettez-moi de vous parler de mon amour, ne
me chassez pas, et ce sera déjà pour moi le plus grand
bonheur...

ELÉNA ANDRÉEVNA

C'est insupportable...

Ils entrent dans la maison. Teleguine plaque des accords et joue une polka. Maria Vassilievna griffonne en marge de la brochure qu'elle lit.

ACTE II

Une salle à manger dans la maison de Sérébriakov. C'est la nuit. On entend les claquettes du veilleur de nuit dans le jardin. Sérébriakov somnole dans un fauteuil, près de la fenêtre ouverte. Assise à côté de lui, somnolant aussi, Eléna Andréevna.

SÉRÉBRIAKOV, *s'éveillant.*

Qui est là? C'est toi, Sonia?

ELÉNA ANDRÉEVNA

C'est moi.

SÉRÉBRIAKOV

Ah! c'est toi, Léna... J'ai des douleurs insupportables!

ELÉNA ANDRÉEVNA

Ton plaid est tombé. *(Elle lui enveloppe les jambes.)* Je vais fermer la fenêtre, Alexandre.

SÉRÉBRIAKOV

Non, j'étouffe... Je viens de m'assoupir et j'ai rêvé que ma jambe gauche n'était pas à moi. Une douleur

lancinante m'a réveillé. Non, ce n'est pas la goutte, des
rhumatismes, plutôt. Quelle heure est-il maintenant?

ELÉNA ANDRÉEVNA

Minuit vingt.

Un temps.

SÉRÉBRIAKOV

Nous devons avoir les œuvres de Batiouchkov
dans la bibliothèque. Cherche-les-moi demain matin.

ELÉNA ANDRÉEVNA

Comment?

SÉRÉBRIAKOV

Demain matin, cherche les œuvres de Batiouchkov.
Je crois me souvenir qu'elles étaient là. Mais pourquoi
ai-je tant de mal à respirer?

ELÉNA ANDRÉEVNA

C'est la fatigue. Deux nuits que tu ne dors pas!

SÉRÉBRIAKOV

On dit que la goutte dont souffrait Tourguenev
s'était transformée en angine de poitrine. J'ai peur
qu'il ne m'arrive la même chose. Maudite vieillesse!
Elle est odieuse, que le diable l'emporte! Depuis que
je suis vieux, je me dégoûte moi-même, et j'ai l'impression que vous êtes tous dégoûtés de me voir.

ELÉNA ANDRÉEVNA

A t'entendre parler de ta vieillesse, on dirait que
nous en sommes tous responsables.

SÉRÉBRIAKOV

Toi la première, je te dégoûte. *(Eléna Andréevna se lève et va s'asseoir à l'écart.)* Naturellement, tu as raison. Je ne suis pas bête, va, je comprends. Tu es jeune, bien portante, belle, tu veux vivre, et moi je suis un vieillard, un demi-mort. Est-ce que je ne comprends pas? Bien sûr, c'est bête d'être encore en vie. Mais un peu de patience, je ne tarderai pas à vous débarrasser de ma personne. Je n'en ai pas pour long-temps...

ELÉNA ANDRÉEVNA

Je n'en peux plus... Pour l'amour de Dieu, tais-toi!

SÉRÉBRIAKOV

Ainsi, par ma faute, vous êtes tous à bout, vous vous ennuyez, vous perdez votre jeunesse, et moi je suis le seul à jouir de la vie et à être content. C'est bien cela, non?

ELÉNA ANDRÉEVNA

Tais-toi! Tu me tortures.

SÉRÉBRIAKOV

Je vous torture tous, évidemment.

ELÉNA ANDRÉEVNA, *à travers les larmes.*

C'est insupportable! Dis-moi, que me veux-tu?

SÉRÉBRIAKOV

Rien du tout.

ELÉNA ANDRÉEVNA

Alors, tais-toi! Je t'en prie.

SÉRÉBRIAKOV

Étrange! Quand c'est Ivan Petrovitch qui parle, ou cette vieille idiote de Maria Vassilievna, tout va bien, tout le monde écoute, mais je n'ai qu'à dire un seul mot, et c'est le désastre général. Jusqu'au son de ma voix qui vous dégoûte. Eh bien, soit, je suis désagréable, je suis un égoïste, un despote, mais est-ce que mon âge ne le permet pas un peu? Ne l'ai-je pas mérité? Je vous le demande : n'ai-je pas droit à une vieillesse tranquille, à des égards?

ELÉNA ANDRÉEVNA

Personne ne te conteste ce droit. (*Une fenêtre claque sous l'effet du vent.*) Le vent se lève, je vais fermer la fenêtre. (*Elle la ferme.*) Il va bientôt pleuvoir. Non, personne ne te conteste ce droit.

> *Un temps. Dehors, le veilleur de nuit tambourine et chante.*

SÉRÉBRIAKOV

Vouer toute sa vie à la science, être habitué à son cabinet de travail, à son auditoire, à des collègues respectables, et puis, brusquement, on ne sait pourquoi, échouer ici, dans ce caveau, ne voir tous les jours que des gens vulgaires, n'entendre que des futilités! Je veux vivre, j'aime le succès, la gloire, le bruit, et je suis ici comme en déportation. Regretter sans cesse le passé, suivre les succès des autres, craindre la mort... non, je n'en peux plus! je n'en ai pas la force! Et voilà qu'on ne veut même pas me pardonner ma vieillesse!

ELÉNA ANDRÉEVNA

Attends un peu, prends patience : encore cinq ou six ans, et je serai vieille, moi aussi.

Entre Sonia.

SONIA

Papa, c'est toi-même qui as envoyé chercher le docteur Astrov, et maintenant qu'il est là, tu refuses de le recevoir. C'est un manque de délicatesse. Pourquoi l'avoir dérangé inutilement?

SÉRÉBRIAKOV

Qu'ai-je besoin de ton Astrov? Il s'y connaît en médecine comme moi en astronomie.

SONIA

On ne peut tout de même pas faire venir toute la faculté de médecine pour soigner ta goutte.

SÉRÉBRIAKOV

Je ne veux pas parler avec ce simple d'esprit.

SONIA

Comme tu voudras. *(Elle s'assied.)* Ça m'est égal.

SÉRÉBRIAKOV

Quelle heure est-il?

ELÉNA ANDRÉEVNA

Bientôt une heure.

SÉRÉBRIAKOV

Il fait lourd... Sonia, donne-moi les gouttes qui
sont sur la table.

SONIA

Voilà.

> *Elle lui donne un flacon.*

SÉRÉBRIAKOV, *irrité.*

Mais non, pas celles-là! On ne peut rien te demander.

SONIA

Pas de caprices, s'il te plaît. Certains les trouvent
peut-être à leur goût, mais très peu pour moi. Je n'aime
pas ça. Et je n'ai pas de temps à perdre. Demain je me
lève de bonne heure, c'est la fenaison.

> *Entre Voïnitzki, en robe de chambre, une bougie
> à la main.*

VOÏNITZKI

Il y a de l'orage dans l'air. *(On voit un éclair.)* Vous
avez vu? Hélène et Sonia, allez vous coucher, je viens
vous relayer.

SÉRÉBRIAKOV, *effrayé.*

Non, non, ne me laissez pas seul avec lui! Non,
il va m'assommer avec ses discours.

VOÏNITZKI

Mais il faut bien qu'elles se reposent! Déjà deux nuits
qu'elles ne dorment pas.

SÉRÉBRIAKOV

Qu'elles aillent se coucher, mais toi aussi, va-t'en!
Merci! Je t'en supplie. Au nom de notre amitié passée,
ne proteste pas. Nous parlerons une autre fois.

VOÏNITZKI, *avec un sourire ironique.*

Notre amitié passée?... Passée...

SONIA

Tais-toi, oncle Vania.

SÉRÉBRIAKOV, *à sa femme.*

Ma chérie, ne me laisse pas seul avec lui. J'ai peur
de ses discours.

VOÏNITZKI

C'en devient ridicule, à la fin.

Entre Marina avec une bougie.

SONIA

Tu devrais te coucher, ma petite nounou. Il est tard.

MARINA

On n'a pas encore enlevé le samovar de la table.
Comment veux-tu que je me couche?

SÉRÉBRIAKOV

Personne ne dort, tous sont exténués, moi seul je
nage dans le bonheur.

MARINA, *s'approchant de Sérébriakov, affectueusement.*

Alors, mon petit père, vous avez mal? Moi aussi, ça me tiraille, ça me tiraille dans les jambes! *(Elle arrange le plaid du professeur.)* Il y a longtemps que ce mal vous tient, allez. La pauvre Véra Petrovna, la maman de Sonia, elle passait des nuits sans sommeil, à se tourmenter. Elle vous aimait tellement! *(Un temps.)* Les vieux, c'est comme les enfants, ils voudraient qu'on les plaigne, mais qui en a pitié? *(Elle dépose un baiser sur l'épaule de Sérébriakov.)* Viens, mon petit père, viens te coucher... Viens, mon pauvre.... Je te ferai boire du tilleul, je te réchaufferai les pieds... Je prierai pour toi...

SÉRÉBRIAKOV, *ému.*

Allons, Marina.

MARINA

Mes pauvres jambes! Ça me tiraille, ça me tiraille!... *(Elle l'emmène, Sonia le soutenant de l'autre côté.)* Dans le temps, Véra Petrovna se tracassait, versait des larmes... Toi, Soniouchka, tu étais encore toute petite, tu étais bête... Viens, mon petit père, viens...

Sérébriakov, Sonia et Marina sortent.

ELÉNA ANDRÉEVNA

Il m'a épuisée. Je tiens à peine sur mes jambes.

VOÏNITZKI

Il vous a fatiguée, et moi je me fatigue tout seul. Trois nuits que je ne dors pas.

ELÉNA ANDRÉEVNA

Ça ne va pas bien dans cette maison. Votre mère déteste tout, sauf ses brochures et le professeur; le

professeur est irrité, il n'a pas confiance en moi et il
a peur de vous. Sonia est fâchée contre son père, contre
moi, elle ne me parle pas depuis quinze jours; vous, vous
détestez mon mari et méprisez ouvertement votre
mère. Quant à moi, j'ai les nerfs à bout, j'ai eu vingt fois
envie de pleurer depuis ce matin... Ça ne va pas bien dans
cette maison.

VOÏNITZKI

Laissons cette philosophie.

ELÉNA ANDRÉEVNA

Vous qui êtes intelligent et instruit, Ivan Petrovitch,
vous devriez comprendre que ce ne sont ni les brigands
ni les incendies qui détruisent le monde, mais la haine,
l'hostilité, les petites intrigues... Au lieu de ronchonner,
vous devriez essayer de réconcilier tout le monde.

VOÏNITZKI

Réconciliez-moi d'abord avec moi-même. Ma chérie...
Il presse la main d'Eléna contre ses lèvres.

ELÉNA ANDRÉEVNA

Laissez-moi. *(Elle lui retire sa main.)* Allez-vous-
en!

VOÏNITZKI

La pluie va cesser, la nature revivre et respirer à
nouveau largement. Il n'y a que moi que l'orage ne
rafraîchira pas. Nuit et jour, la pensée que ma vie est
perdue sans retour m'oppresse, comme un esprit malveillant. Je n'ai pas de passé, je l'ai bêtement gaspillé
en niaiseries, et le présent est d'une effroyable absurdité.

Voilà ma vie et mon amour. A quoi servent-ils, que dois-je en faire? Mon amour inutile se meurt comme un rayon de soleil tombé dans une fosse, et moi de même.

ELÉNA ANDRÉEVNA

Quand vous me parlez de votre amour, je deviens stupide, je ne sais que répondre. Pardonnez-moi, je n'ai rien à vous dire. (*Elle fait mine de partir.*) Bonne nuit!

VOÏNITZKI, *lui barrant le chemin.*

Si vous saviez comme je souffre à l'idée qu'à côté de moi, dans cette maison, une autre vie s'étiole : la vôtre. Qu'attendez-vous? Quelle philosophie maudite vous arrête? Comprenez donc...

ELÉNA ANDRÉEVNA, *le regardant attentivement.*

Ivan Petrovitch, vous êtes ivre!

VOÏNITZKI

C'est possible! C'est possible!

ELÉNA ANDRÉEVNA

Où est le docteur?

VOÏNITZKI

Là, il couche chez moi... C'est possible, c'est possible... Tout est possible!

ELÉNA ANDRÉEVNA

Et vous avez encore bu aujourd'hui? Pourquoi faites-vous cela?

VOÏNITZKI

Pour me donner l'illusion de vivre. Ne m'en empêchez pas, Hélène!

ELÉNA ANDRÉEVNA

Avant, vous ne buviez jamais, vous n'étiez pas aussi bavard... Allez vous coucher! Vous m'ennuyez.

VOÏNITZKI, *se penchant sur la main d'Eléna.*

Ma chérie... Mon adorable!

ELÉNA ANDRÉEVNA, *irritée.*

Laissez-moi! C'est dégoûtant, à la fin.

Elle sort.

VOÏNITZKI, *seul.*

Elle est partie... *(Un temps.)* Il y a dix ans, je la rencontrais parfois chez ma pauvre sœur. Elle avait alors dix-sept ans, et moi trente-sept. Pourquoi ne suis-je pas tombé amoureux d'elle à cette époque? Pourquoi ne l'ai-je pas demandée en mariage? C'était si simple! Aujourd'hui, elle serait ma femme. Oui... L'orage nous aurait réveillés, tous les deux. Elle aurait eu peur du tonnerre, je l'aurais serrée dans mes bras, j'aurais murmuré : « Ne crains rien, je suis là... » Oh! quelle vision délicieuse, j'en ris de bonheur... Mon Dieu, tout s'embrouille dans ma tête... Pourquoi suis-je vieux? Pourquoi ne veut-elle pas me comprendre? Sa rhétorique, sa morale timorée, ses pensées absurdes et paresseuses sur le monde qui va périr, tout cela m'est odieux. *(Un temps.)* Oh! comme j'ai été trompé! Ce professeur, cet être lamentable, perclus de goutte, il

a été mon idole! Pour lui, j'ai travaillé comme un bœuf.
Sonia et moi, quel mal on s'est donné pour cette propriété! Comme de vrais koulaks, nous avons fait com-
merce de tout : d'huile, de pois, de fromage blanc. Nous
nous sommes privés de manger pour amasser des milliers de roubles, sou par sou, et les lui envoyer! J'étais
fier de lui et de son savoir, je ne vivais, ne respirais que
par lui. Et maintenant? Mon Dieu! Le voilà en retraite,
on peut faire le bilan de sa vie. Qu'en reste-t-il? Rien.
Pas une page! Il est parfaitement inconnu, c'est une
nullité! Une bulle de savon! J'ai été trompé... Je le vois
aujourd'hui! Bêtement trompé...

> *Entre Astrov ; il est en veston, mais sans gilet,
> sans cravate, un peu éméché. Teleguine le suit, por-
> tant une guitare.*

ASTROV

Allez, joue!

TELEGUINE

Mais tout le monde dort.

ASTROV

Joue! *(Teleguine joue en sourdine. A Voïnitzki :)* Tu
es seul ici? Pas de dames?

> *Les mains aux hanches, il chantonne doucement :*

Danse, mon izba, mon poële, danse,
N'a plus de lit, le patron!

C'est l'orage qui m'a réveillé. Une pluie formidable. Quelle heure est-il?

VOÏNITZKI

Le diable le sait!

ASTROV

Tout à l'heure, j'ai cru entendre la voix d'Eléna
Andréevna.

VOÏNITZKI

Elle sort d'ici.

ASTROV

Une femme splendide! *(Il examine les fioles sur la
table.)* Des médicaments. Quelle collection d'ordon-
nances! De Kharkov, de Moscou, de Toula. Il embête
toutes les villes avec sa goutte. Est-il vraiment malade?
Ou fait-il semblant?

VOÏNITZKI

Il est malade.

Un temps.

ASTROV

Pourquoi es-tu si triste aujourd'hui? Tu plains le
professeur ou quoi?

VOÏNITZKI

Laisse-moi tranquille.

ASTROV

Ou bien es-tu amoureux de madame « la professeur »?

VOÏNITZKI

Elle est mon amie.

ASTROV

Déjà?

VOÏNITZKI

Qu'est-ce que ça veut dire : déjà?

ASTROV

Une femme ne peut devenir l'amie d'un homme qu'après avoir été une camarade, puis une maîtresse.

VOÏNITZKI

C'est une philosophie bien vulgaire.

ASTROV

Comment? Ah! oui... Il faut l'avouer, je deviens vulgaire. D'ailleurs, j'ai bu, comme tu peux voir. Je me soûle d'habitude une fois par mois, ça me rend impertinent et insolent à l'excès. Alors, rien ne me fait peur. Je m'attaque aux opérations les plus difficiles, et je les réussis parfaitement. J'échafaude les projets d'avenir les plus vastes, je ne suis plus un pauvre original, je rends à l'humanité des services énormes... énormes! Je possède même mon propre système philosophique et vous autres, mon vieux, vous n'êtes plus à mes yeux que des insectes... des microbes. *(A Teleguine :)* Joue, Gaufrette!

TELEGUINE

Mon petit ami, je ne demanderais pas mieux que de te faire plaisir, mais comprends donc, tout le monde dort!

ASTROV

Joue! *(Teleguine joue en sourdine.)* Il faut boire un coup.
Viens, je crois qu'il reste du cognac. Et à l'aube, nous
irons chez moi. Ça vous va-t'y? J'ai un infirmier qui ne
dit jamais : « ça vous va? », mais : « ça vous va-t'y? »
Un sacré gredin, d'ailleurs! Alors, ça vous va-t'y?
(Voyant Sonia qui entre :) Excusez-moi, je n'ai pas de
cravate!

Il se sauve ; Teleguine le suit.

SONIA

Et toi, oncle Vania, tu as encore bu avec le docteur.
Vous faites une belle paire de larrons tous les deux!
Lui, c'est dans ses habitudes, mais toi, qu'est-ce qui te
prend? Est-ce de ton âge?

VOÏNITZKI

Quel rapport avec l'âge? Quand la vie réelle nous
échappe, on vit de mirages. C'est tout de même mieux
que rien.

SONIA

Les foins ne sont pas encore rentrés, il pleut tous
les jours, tout est pourri, et toi, tu t'occupes de mirages. Tu délaisses complètement la propriété, j'ai tout
sur le dos, je n'en peux plus. *(Effrayée :)* Oncle Vania,
tu as les larmes aux yeux!

VOÏNITZKI

Quelles larmes? Ce n'est rien... des bêtises. Tu viens
de me regarder comme le faisait ta pauvre mère. Ma
petite... *(Il lui baise avidement les mains et le visage.)* Oh!

ma sœur... ma sœur chérie... où est-elle maintenant?
Si elle savait! Ah! si elle savait!

SONIA

Quoi? Si elle savait quoi, mon oncle?

VOÏNITZKI

J'ai le cœur lourd... J'ai mal. Ce n'est rien... Plus
tard. Je m'en vais...

Il sort.

SONIA, *frappant à une porte.*

Mikhaïl Lvovitch? Vous ne dormez pas? Venez
un instant.

ASTROV, *derrière la porte.*

J'arrive! *(Il paraît peu après; il a mis son gilet et sa
cravate.)* Qu'y a-t-il pour votre service?

SONIA

Buvez, si cela ne vous dégoûte pas; mais ne faites
pas boire mon oncle, je vous en supplie. C'est très mauvais pour lui.

ASTROV

C'est bien. Nous ne boirons plus. *(Un temps.)* Je
pars tout de suite. C'est une affaire entendue. Le temps
d'atteler, il fera jour.

SONIA

Il pleut. Attendez donc le matin.

ASTROV

L'orage passe à côté, nous n'en verrons que la queue. Je vais rentrer. Mais je vous en prie, ne m'appelez plus chez votre père. Je lui dis : la goutte, il me répond : le rhumatisme. Je lui demande de rester couché, il veut être assis. Et aujourd'hui, il a même refusé de me parler.

SONIA

Il est trop gâté. *(Elle cherche dans le buffet.)* Voulez-vous manger quelque chose?

ASTROV

Ma foi, pourquoi pas?

SONIA

J'aime bien casser la croûte, la nuit. Il doit rester quelque chose dans le buffet. On dit que mon père a eu beaucoup de succès auprès des femmes, elles l'ont gâté. Tenez, voilà du fromage.

Ils mangent tous les deux debout près du buffet.

ASTROV

Je n'ai rien mangé aujourd'hui, je n'ai fait que boire. Votre père a un caractère difficile. *(Il sort une bouteille du buffet.)* Vous permettez? *(Il boit un petit verre.)* Nous sommes seuls, je peux vous parler franchement. Vous savez, il me semble que je ne pourrais pas vivre un seul mois dans votre maison. Cette atmosphère m'étoufferait. Votre père qui ne songe qu'à sa goutte et à ses livres, votre oncle Vania avec son cafard, votre grand-mère, votre belle-mère enfin...

SONIA

Eh bien, quoi, ma belle-mère?

ASTROV

Dans l'être humain, tout devrait être beau : son
visage, et ses habits et son âme et ses pensées. Elle
est belle, certes, mais... elle ne fait que manger, dormir, se promener, nous charmer par sa beauté. Aucune
obligation, les autres travaillent pour elle... Ce n'est
pas vrai? Et une vie oisive est nécessairement impure.
(Un temps.) Il est bien possible que je sois trop sévère.
Je suis mécontent de la vie, comme votre oncle, nous
sommes de vieux grincheux, tous les deux.

SONIA

Vous êtes mécontent de la vie?

ASTROV

D'une manière générale, j'aime la vie, mais c'est
notre vie provinciale, la vie russe de tous les jours
que je déteste, que je méprise de tout mon cœur. Quant
à moi-même, à ma vie privée, Dieu sait qu'elle ne cache
rien de bon. Vous savez, quand on marche en pleine
nuit à travers la forêt, il suffit de voir une lumière briller
au loin, pour oublier la fatigue, l'obscurité, les branches épineuses qui vous fouettent le visage... Vous
n'ignorez pas que moi, je travaille comme personne
dans notre district, le sort m'accable continuellement,
il m'arrive de souffrir d'une manière intolérable, mais
rien, rien, aucune lumière dans le lointain. Je n'attends
plus rien, je n'aime pas les hommes... Depuis longtemps
je n'aime plus personne.

SONIA

Personne?

ASTROV

Personne. Une certaine tendresse, oui, pour votre
nounou, elle éveille en moi de vieux souvenirs. Les
paysans se ressemblent tous, ils sont incultes, sales;
quant à nos intellectuels, pas moyen de m'entendre
avec eux. Ils me lassent. Tous nos braves amis ont des
pensées et des sentiments mesquins, ils ne voient pas
plus loin que le bout de leur nez. Bref, ils sont tout
simplement bêtes. Et ceux qui sont un peu plus intelligents, qui ont plus d'envergure, sont rongés par
l'analyse et l'introspection... Ils ne cessent de geindre, de
détester, d'inventer de folles calomnies; ils abordent
chacun de biais, le regardent de travers, et proclament :
« Oh! C'est un psychopathe! » ou encore : « Quel phraseur! » Et s'ils ne savent quelle étiquette coller à mon
front, ils disent : «C'est un homme étrange, fort étrange! »
J'aime la forêt : voilà qui est bizarre; je ne mange pas
de viande : autre bizarrerie. Il n'y a plus rien de spon-
tané, de pur, de libre dans leurs relations, ni dans leur
amour de la nature. Non, il n'y a plus rien.

Il veut boire encore.

SONIA, *retenant sa main.*

Non, je vous en prie, je vous en supplie, ne buvez
plus!

ASTROV

Pourquoi?

SONIA

Cela ne vous va pas du tout! Vous avez de la dis-
tinction, une voix si douce... Et de tous ceux que je

connais, vous êtes certainement le plus beau. Pourquoi
voulez-vous ressembler à ces gens ordinaires qui ne
font que boire et jouer aux cartes? Oh! ne le faites pas,
je vous en supplie! Vous dites vous-même qu'au lieu
de créer, les hommes ne savent que détruire ce que le
ciel leur a donné. Alors, pourquoi, pourquoi vous
détruire vous-même? Il ne faut pas, je vous en prie, je
vous en conjure!

ASTROV, *lui tendant la main.*

Je ne boirai plus.

SONIA

Donnez-moi votre parole.

ASTROV

Parole d'honneur!

SONIA, *lui serrant vigoureusement la main.*

Merci!

ASTROV

Baste! Me voilà dégrisé. Vous voyez, je suis sobre,
et je le resterai jusqu'à la fin de mes jours. *(Il consulte
sa montre.)* Donc, je continue. Comme je vous l'ai dit :
mon temps est fini; il est trop tard pour moi... J'ai
vieilli, je me suis surmené, je deviens vulgaire; mes
sentiments se sont émoussés, et je me crois incapable
d'un attachement quelconque... Je n'aime personne...
et je ne pourrai plus aimer. Seule la beauté m'émeut
encore. Elle seule ne me laisse pas indifférent. Il me
semble que si Eléna Andréevna en avait envie, elle

pourrait me faire perdre la tête en un seul jour. Mais
ce ne serait pas de l'amour, ce ne serait pas un attachement...

> *Il tressaille et se cache les yeux de la main.*

SONIA

Qu'avez-vous?

ASTROV

Peu importe... Pendant le Carême, un de mes malades
est mort sous le chloroforme.

SONIA

Il serait temps de l'oublier. *(Un temps.)* Dites-moi,
Mikhaïl Lvovitch... Si j'avais une amie, ou une sœur
cadette, et si vous appreniez qu'elle... mettons, qu'elle
vous aime, que feriez-vous?

ASTROV, *haussant les épaules.*

Je ne sais pas. Rien, sans doute. Je lui ferais comprendre que je ne peux pas l'aimer... que j'ai d'autres soucis.
Bon, si je veux rentrer, il est grand temps de me mettre
en route. Au revoir, chère amie; nous risquerions de
bavarder jusqu'au matin. *(Il lui serre la main.)* Je passerai
par le salon, si vous permettez; j'ai peur que votre
oncle ne me retienne.

> *Il sort.*

SONIA, *seule.*

Il ne m'a rien dit... Son âme et son cœur me restent fermés, mais pourquoi suis-je si heureuse? *(Elle
rit de bonheur.)* Je lui ai dit : « Vous êtes distingué et

noble, vous avez une voix si douce »... Était-ce mala-
droit? Sa voix vibre et caresse... je crois la sentir encore
dans l'air. Mais lorsque je lui ai parlé de ma sœur cadette,
il n'a rien compris. *(Elle se tord les bras.)* Oh! qu'il est
affreux d'être laide! Que c'est affreux! Je sais que je ne
suis pas jolie, je le sais, je le sais! L'autre dimanche, en
sortant de l'église, j'ai entendu des gens parler de moi;
une femme disait : « Elle est bonne et généreuse, quel
dommage qu'elle soit si laide... » Si laide...

Entre Eléna Andréevna.

ELÉNA ANDRÉEVNA, *ouvrant la fenêtre.*

L'orage est passé. Comme l'air est bon! *(Un temps.)*
Où est le docteur?

SONIA

Parti.

Un temps.

ELÉNA ANDRÉEVNA

Sophie!

SONIA

Oui.

ELÉNA ANDRÉEVNA

Jusqu'à quand me bouderez-vous? Nous n'avons
rien à nous reprocher. Pourquoi être ennemies? Finissons-en...

SONIA

Je le voulais, moi aussi... *(Elle entoure Eléna de ses
bras.)* Assez d'être fâchées.

ELÉNA ANDRÉEVNA

Voilà, c'est parfait.

Toutes les deux sont émues.

SONIA

Papa est couché?

ELÉNA ANDRÉEVNA

Non, il est assis, au salon. Nous ne nous parlons plus depuis des semaines, Dieu sait pourquoi... *(Voyant le buffet ouvert :)* Qu'est-ce que c'est?

SONIA

Mikhaïl Lvovitch a soupé ici.

ELÉNA ANDRÉEVNA

Il y a même du vin... Buvons, et tutoyons-nous...

SONIA

Je veux bien.

ELÉNA ANDRÉEVNA

Dans le même verre... *(Elle verse du vin.)* Cela vaut mieux. Alors, on se dit « tu »?

SONIA

Mais oui! *(Elles boivent et s'embrassent.)* Il y a bien longtemps que je voulais faire la paix avec toi, mais j'avais honte...

Elle pleure.

ELÉNA ANDRÉEVNA

Mais pourquoi pleures-tu?

SONIA

Ce n'est rien.

ELÉNA ANDRÉEVNA

Voyons, assez, assez... *(Elle pleure.)* Petite sotte, tu m'as fait pleurer, moi aussi... *(Un temps.)* Tu m'en voulais parce que tu croyais que j'avais épousé ton père par intérêt... Si tu crois aux serments, alors je te jure que je me suis mariée avec lui par amour! J'ai été séduite par son grand savoir, par sa célébrité. Ce n'était pas vraiment de l'amour, mais un sentiment artificiel. Pourtant il me semblait l'aimer pour de bon. Et toi, depuis le jour de notre mariage, tu me poursuis de ton regard pénétrant, soupçonneux.

SONIA

Eh bien, la paix, la paix. Oublions tout cela.

ELÉNA ANDRÉEVNA

Il ne faut pas regarder les gens ainsi, cela ne te va pas. Il faut avoir confiance en tout le monde, ou alors la vie devient impossible.

Un temps.

SONIA

Dis-moi, en toute franchise, comme à une amie... Es-tu heureuse?

ELÉNA ANDRÉEVNA

Non.

SONIA

Je le savais. Encore une question, réponds-moi
sincèrement : aurais-tu voulu avoir un mari jeune?

ELÉNA ANDRÉEVNA

Quelle petite fille tu fais! Bien sûr que je l'aurais
voulu. *(Elle rit.)* Eh bien, pose-moi d'autres questions.

SONIA

Est-ce que le docteur te plaît?

ELÉNA ANDRÉEVNA

Oui, beaucoup.

SONIA, *riant.*

J'ai l'air bête... non? Voilà, il est parti, et j'entends
encore sa voix, le bruit de ses pas, et quand je regarde la
vitre obscure, je crois distinguer son visage... Laisse-moi
m'expliquer... Mais je ne peux pas parler si fort, j'ai
honte... Viens dans ma chambre, nous causerons. Tu
me trouves sotte, hein? Avoue-le... Parle-moi de lui...

ELÉNA ANDRÉEVNA

Que veux-tu que je te dise?

SONIA

Il est intelligent... Il sait tout; il peut tout faire...
Il soigne les malades, il plante des arbres...

ELÉNA ANDRÉEVNA

Comme s'il s'agissait de forêts ou de médecine!...
Comprends donc, ma chère, il a du talent. Sais-tu

ce que cela veut dire? Le talent, c'est la hardiesse,
l'esprit libre, les idées larges. Quand il a planté un
arbrisseau, il se demande ce qu'il sera devenu dans
mille ans; il rêve déjà du bonheur de l'humanité. De
tels hommes sont rares, il faut les aimer... Il boit de la
vodka, il lui arrive d'être un peu grossier, quelle importance? En Russie, un homme de talent ne peut pas être
irréprochable. Pense un peu à la vie de ce docteur!
A la boue profonde des chemins, au froid, aux tempêtes
de neige, aux distances énormes, au peuple vulgaire
et sauvage, à la misère qui règne, aux maladies! Celui
qui travaille dans ces conditions, qui mène la lutte,
jour après jour, comment pourrait-il, vers la quarantaine, se conserver sobre et propret?... *(Elle embrasse
Sonia.)* Je te souhaite de tout mon cœur du bonheur, tu
le mérites!... *(Elle se lève.)* Quant à moi, je ne suis qu'un
personnage épisodique, ennuyeux... Dans la musique,
dans la maison de mon mari, dans toutes les histoires
d'amour, bref, partout, je n'ai joué qu'un rôle épisodique. A vrai dire, Sonia, si l'on y réfléchit, je suis très,
très malheureuse! *(Émue, elle arpente la scène.)* Il n'y
a pas de bonheur pour moi en ce monde! Non! Pourquoi ris-tu?

SONIA *rit, en se couvrant le visage.*

Je suis heureuse! Si heureuse!

ELÉNA ANDRÉEVNA

Je voudrais jouer du piano. Je jouerais avec plaisir...

SONIA

Joue! *(Elle l'enlace.)* Je ne pourrai pas dormir!
Joue!

ELÉNA ANDRÉEVNA

Attends. Ton père ne dort pas. Quand il est malade, la musique l'irrite. Va lui demander! S'il veut bien, je jouerai. Va!

SONIA

Tout de suite.

Elle sort. On entend les claquettes du veilleur de nuit.

ELÉNA ANDRÉEVNA

Il y a longtemps que je n'ai plus joué. Je vais jouer et pleurer, pleurer comme une sotte. *(Par la fenêtre :)* C'est toi qui frappes comme ça, Efime?

LA VOIX DU VEILLEUR

Eh oui!

ELÉNA ANDRÉEVNA

Ne frappe plus, Monsieur n'est pas bien.

LA VOIX DU VEILLEUR

Je m'en vais. *(Il siffle les chiens :)* Allons, Jouk, Petit, Jouk!

Un temps.

SONIA, *revenant.*

Interdit!

ACTE III

*Un salon dans la maison de Sérébriakov. Trois portes :
à gauche, à droite, au milieu. C'est l'après-midi.
Voïnitzki et Sonia sont assis, Eléna Andréevna arpente
la scène, pensive.*

VOÏNITZKI

Le Herr Professor a daigné exprimer le désir de
nous voir tous réunis ici, à une heure. *(Il regarde sa
montre.)* Une heure moins le quart. Il veut communiquer
un message à l'humanité.

ELÉNA ANDRÉEVNA

Sans doute une affaire quelconque!

VOÏNITZKI

Quelle affaire? En a-t-il? Il n'écrit que des sornettes, ne sait que ronchonner, être jaloux, quoi de
plus?

SONIA, *avec reproche.*

Oncle Vania!

VOÏNITZKI

C'est bon, c'est bon, je m'excuse. *(Désignant Eléna Andréevna :)* Admirez-la : en marchant, elle vacille de paresse. C'est vraiment joli! Très joli!

ELÉNA ANDRÉEVNA

Et vous, c'est du matin au soir que vous ronchonnez. Vous n'en avez pas assez, non? *(D'une voix lasse :)* Je meurs d'ennui, je ne sais plus où me mettre...

SONIA, *haussant les épaules.*

Ici, ce n'est pas le travail qui manque! Avec un peu de bonne volonté...

ELÉNA ANDRÉEVNA

Par exemple?

SONIA

Tu pourrais t'occuper de la propriété, enseigner, soigner les malades, que sais-je? Quand vous n'étiez pas là, papa et toi, nous allions nous-mêmes au marché, avec oncle Vania, pour vendre de la farine.

ELÉNA ANDRÉEVNA

J'en serais bien incapable. D'ailleurs, ça ne m'intéresse pas. Dans les romans à thèse, oui, on instruit, on soigne les paysans. Comment s'y mettre de but en blanc?

SONIA

Eh bien moi, je ne comprends pas qu'on n'aille pas instruire le peuple. Attends un peu, tu t'y feras, toi aussi! *(Elle l'enlace.)* Ne t'ennuie pas, ma chérie. *(Elle rit.)* Tu t'ennuies, tu erres comme une âme en peine.

La paresse et l'oisiveté, c'est contagieux! Regarde-nous : oncle Vania ne fait plus rien, il te suit comme une ombre; moi, j'ai tout laissé en plan pour venir bavarder avec toi. Ça se gagne, la paresse! Quant au docteur Mikhaïl Lvovitch, qui ne venait ici qu'une fois par mois, et encore, il fallait le supplier, il est là tous les jours, il oublie ses forêts et sa médecine. Il faut croire que tu es une sorcière!

VOÏNITZKI

Pourquoi languissez-vous? *(Avec vivacité :)* Voyons, ma chère, ma splendide, soyez raisonnable! Du sang de sirène coule dans vos veines, soyez donc une sirène! Une seule fois dans votre vie, laissez-vous aller sans contrainte, amourachez-vous éperdument de je ne sais quel génie des eaux, et plongez, la tête la première, pour que le Herr Professor et nous autres en restions là, bouche bée!

ELÉNA ANDRÉEVNA, *avec colère.*

Laissez-moi tranquille! C'est trop cruel!

Elle fait mine de partir.

VOÏNITZKI, *la retenant.*

Voyons, voyons, ma joie, je vous demande pardon... Toutes mes excuses. *(Il lui baise la main.)* Faisons la paix.

ELÉNA ANDRÉEVNA

Avouez que même un ange perdrait patience.

VOÏNITZKI

En signe de paix et de réconciliation, je vais vous offrir un bouquet de roses... Je l'ai préparé pour vous,

ce matin... Des roses d'automne, des roses charmantes
et tristes...

Il sort.

SONIA

Des roses d'automne, des roses charmantes et tristes...
Toutes les deux regardent par la fenêtre.

ELÉNA ANDRÉEVNA

Déjà septembre! Que nous réserve l'hiver? *(Un
temps.)* Où est le docteur?

SONIA

Dans la chambre d'oncle Vania. Il écrit je ne sais
quoi. Je suis contente que mon oncle soit sorti, j'ai à
te parler.

ELÉNA ANDRÉEVNA

De quoi?

SONIA

De quoi?
Elle appuie sa tête contre la poitrine d'Eléna.

ELÉNA ANDRÉEVNA

Eh bien, voyons, voyons. *(Elle lui caresse les cheveux.)*
Eh bien?

SONIA

Je ne suis pas jolie.

ELÉNA ANDRÉEVNA

Tu as des cheveux magnifiques.

SONIA

Non! *(Elle se retourne pour se regarder dans la glace.)*
Non! A une femme laide, on dit toujours : « Quels beaux
yeux vous avez, quels beaux cheveux!... » Je l'aime depuis
six ans, je l'aime plus que je n'aimais ma mère; à chaque
instant je crois l'entendre, je sens sa main qui presse la
mienne; je regarde la porte, j'attends, il me semble
qu'il va entrer... Et tu vois, maintenant, je viens sans
cesse te parler de lui. Il est ici tous les jours, mais il
ne me regarde pas, il ne me voit pas... Oh! quelle
souffrance! Je n'ai pas d'espoir, non, pas le moindre!
(Avec désespoir :) Oh! mon Dieu, donnez-moi des
forces... J'ai prié toute la nuit... Souvent je m'approche
de lui, je lui parle, je le regarde dans les yeux... Je n'ai
plus de fierté, je ne me maîtrise plus... Hier, je n'ai pas
pu faire autrement, j'ai avoué mon amour à oncle Vania...
Tous les domestiques savent que je l'aime. Tout le
monde le sait.

ELÉNA ANDRÉEVNA

Et lui?

SONIA

Non. Il ne me remarque même pas.

ELÉNA ANDRÉEVNA, *elle réfléchit.*

Quel homme étrange... Écoute! Veux-tu que je
lui parle? Je serais très prudente, je ne ferais que des
allusions... *(Un temps.)* C'est agaçant, cette incertitude.
Alors, tu permets? *(Sonia acquiesce de la tête.)* Bon.
T'aime-t-il, oui ou non? Il ne sera pas difficile de le
savoir. N'aie crainte, ma chérie, ne te trouble pas. Je
l'interrogerai si adroitement qu'il ne s'apercevra de

rien. Oui ou non? C'est tout ce que nous voulons savoir. *(Un temps.)* Si c'est non, qu'il ne vienne plus ici. D'accord? *(Sonia acquiesce de la tête.)* On souffre moins quand on ne voit pas celui qu'on aime. Inutile de faire traîner les choses : nous allons l'interroger sans tarder. Il avait l'intention de me montrer ses dessins... Va lui dire que je veux le voir.

SONIA, *très émue*.

Tu ne me cacheras rien?

ELÉNA ANDRÉEVNA

Mais non, bien sûr. Je trouve que la vérité, quelle qu'elle soit, est moins terrible que l'incertitude. Aie confiance en moi, ma chérie.

SONIA

Oui... Oui... Je lui dirai que tu veux voir ses dessins... *(Elle fait quelques pas et s'arrête à la porte.)* Non, le doute est préférable... On garde au moins un espoir...

ELÉNA ANDRÉEVNA

Que dis-tu?

SONIA

Rien.

Elle sort.

ELÉNA ANDRÉEVNA, *seule*.

C'est affreux de connaître le secret d'un autre et de ne pas pouvoir l'aider. *(Elle réfléchit.)* Il n'est pas amoureux d'elle, c'est évident, mais pourquoi ne l'épouserait-il pas? Elle n'est pas jolie, mais pour un médecin de

campagne de son âge, elle ferait une parfaite épouse.
Elle est fort intelligente, et si bonne, si pure... Non,
ce n'est pas ça, ce n'est pas ça... *(Un temps.)* Comme je
comprends cette pauvre petite! Ici, dans ce terrible
ennui, où les êtres humains sont autant de taches gri-
sâtres, où l'on n'entend que des paroles banales, où
l'on ne fait que manger, boire, dormir, de temps en
temps, il apparaît, lui, si différent des autres... Beau,
original, passionnant : le clair de lune qui dissipe les
ténèbres. Comment ne pas céder au charme d'un tel
homme? Comment ne pas s'oublier? Moi-même, n'en
suis-je pas un peu amoureuse? C'est vrai, sans lui, je
m'ennuie, et voilà, je ne peux m'empêcher de sourire
quand j'y pense... Cet oncle Vania a dit qu'il y a du sang
de sirène dans mes veines. « Une seule fois dans votre
vie, laissez-vous aller. » Eh bien, oui, pourquoi pas?
M'envoler d'ici, comme un oiseau libre, loin de vous
tous, de vos physionomies somnolentes, de vos propos
insipides, oublier jusqu'à votre existence! Mais je suis
craintive, timide, j'aurais trop de remords... Voilà, il
vient ici tous les jours, je devine pourquoi, et déjà je me
sens coupable, prête à tomber à genoux devant Sonia,
à lui demander pardon, à pleurer...

ASTROV *entre avec un cartogramme.*

Bonjour! *(Il lui serre la main.)* Vous désirez voir ma
peinture?

ELÉNA ANDRÉEVNA

Hier, vous m'avez promis de me montrer votre
travail... Vous avez un moment?

ASTROV

Oh! bien sûr. *(Il étend le cartogramme sur une table
et le fixe avec des punaises.)* Où êtes-vous née?

ELÉNA ANDRÉEVNA

A Pétersbourg.

ASTROV

Et où avez-vous fait vos études?

ELÉNA ANDRÉEVNA

Au Conservatoire.

ASTROV

Alors ça ne vous intéressera peut-être pas.

ELÉNA ANDRÉEVNA

Pourquoi? Je connais peu la campagne, c'est vrai,
mais j'ai beaucoup lu.

ASTROV

Dans cette maison, j'ai une table de travail... dans
la chambre d'Ivan Petrovitch. Quand je me sens complètement abruti par la fatigue, j'abandonne tout et j'accours
pour m'amuser avec ça pendant une heure ou deux...
Ivan Petrovitch et Sophie Alexandrovna font leurs
comptes, et moi, près d'eux, je peinturlure bien tranquillement; il fait bon, le grillon chante dans un coin...
Mais ce plaisir, je ne me l'accorde que rarement, une fois
par mois... *(Montrant le cartogramme :)* Maintenant,
veuillez regarder. Voici notre district tel qu'il était
il y a cinquante ans. Le vert foncé et le vert clair, ce
sont les forêts; elles occupaient jadis la moitié de la
surface. Là où le vert est strié de rouge, on rencontrait
des élans, et des chevreuils... J'indique dans ce tableau
la flore et la faune. Dans ce lac, il y avait des cygnes, des

oies, des canards; d'après ce que disent les vieux, les
oiseaux de toute espèce y abondaient; innombrables,
il y en avait des nuées. Outre les bourgades et les villages,
vous voyez, éparpillés çà et là, des hameaux, des habi-
tations isolées, des ermitages de vieux croyants, des
moulins à eau... Et beaucoup de bêtes à cornes, de
chevaux; c'est la couleur bleue. Par exemple, tenez,
dans ce coin, où le bleu domine : il y avait des troupeaux
entiers de chevaux, chaque paysan en possédait trois,
au moins. *(Un temps.)* Voyons maintenant plus bas :
c'est notre district tel qu'il était il y a vingt-cinq ans.
Les forêts n'occupent plus que le tiers de la superficie.
Les chevreuils ont disparu, mais il y a encore des élans.
Le bleu et le vert ont pâli, etc., etc. Passons à la troisième
partie : ceci représente le district de nos jours. Encore
un peu de vert, mais par petites taches; plus d'élans,
plus de cygnes, plus de coqs de bruyère... Quant aux
hameaux, maisons isolées, ermitages ou moulins, plus
aucune trace. En somme, nous avons ici le tableau
d'une déchéance progressive et indubitable, qui n'a
plus que dix ou quinze ans devant elle pour devenir
totale. Vous me direz que c'est l'influence de la civili-
sation, que les anciennes formes de vie doivent fata-
lement faire place à des formes nouvelles. Oui, je serais
d'accord, si on remplaçait ces forêts par des chaussées,
des voies ferrées, si l'on voyait surgir des usines, des
fabriques, des écoles, alors oui, le peuple irait mieux,
il serait plus riche, plus intelligent. Mais voilà, rien de
semblable! Rien de changé dans ce district. Toujours
les mêmes marais, des nuées de moustiques, pas plus
de routes, et la misère, la fièvre typhoïde, la diphtérie
et des incendies... La lutte pour la vie, au-delà des forces
humaines, voilà la raison. Cette dégradation, c'est
l'effet de l'inertie, de l'ignorance, de l'absence totale
de compréhension; pour sauver ce qui lui reste de vie,

pour sauvegarder ses enfants, l'homme affamé, malade, transi de froid, s'accroche instinctivement à tout ce qui peut apaiser sa faim, à tout ce qui peut le réchauffer, et il détruit tout autour de lui, sans penser au lendemain. On a presque tout détruit, mais qu'a-t-on créé de nouveau? *(D'un ton froid :)* J'ai l'impression que tout cela ne vous intéresse guère.

ELÉNA ANDRÉEVNA

Je m'y connais si peu...

ASTROV

Il ne s'agit pas de s'y connaître; cela ne vous intéresse pas, tout simplement.

ELÉNA ANDRÉEVNA

A vrai dire, je pensais à autre chose. Pardonnez-moi. Il faut que je vous fasse subir un petit interrogatoire, je suis troublée, je ne sais par où commencer.

ASTROV

Un interrogatoire?

ELÉNA ANDRÉEVNA

Oui... mais d'un caractère assez anodin. Asseyons-nous. *(Ils s'assoient.)* Il s'agit d'une jeune personne. Nous en parlerons en gens honnêtes, en camarades, sans détours. Ce que nous allons dire, nous l'oublierons aussitôt. D'accord?

ASTROV

D'accord.

ELÉNA ANDRÉEVNA

Il s'agit de ma belle-fille, de Sonia. Est-ce qu'elle
vous plaît?

ASTROV

Oui, j'ai de l'estime pour elle.

ELÉNA ANDRÉEVNA

Vous plaît-elle comme femme?

ASTROV, *après un petit silence.*

Non.

ELÉNA ANDRÉEVNA

Encore deux ou trois mots, et ce sera fini. Vous
n'avez rien remarqué?

ASTROV

Rien.

ELÉNA ANDRÉEVNA, *lui prenant la main.*

Vous ne l'aimez pas, je le lis dans vos yeux... Elle
souffre... Comprenez-le, et... cessez de venir ici.

ASTROV, *se levant.*

Mon temps est passé... D'ailleurs, je n'ai pas la tête
à cela... *(Haussant les épaules :)* Pas le temps...

Il est visiblement gêné.

ELÉNA ANDRÉEVNA

Ouf! Quelle conversation désagréable! Je suis
éreintée, comme si j'avais traîné mille kilos. Dieu merci,

c'est fini. Oublions tout cela, comme si nous n'avions jamais parlé de rien, et... partez. Vous êtes intelligent, vous comprendrez... *(Un temps.)* J'en ai la tête en feu.

ASTROV

Si vous me l'aviez appris un ou deux mois plus tôt, j'y aurais peut-être réfléchi, mais maintenant... *(Il hausse les épaules.)* Évidemment, si elle souffre... Mais cet interrogatoire, pourquoi? Voilà ce que je ne comprends pas. *(Il la regarde droit dans les yeux et la menace du doigt.)* Vous êtes une fine mouche.

ELÉNA ANDRÉEVNA

Qu'est-ce que cela veut dire?

ASTROV, *riant.*

Une fine mouche! Sonia souffre, bon, d'accord, mais à quoi rime votre interrogatoire, hein? *(L'empêchant de parler, avec vivacité :)* Permettez! Ne prenez pas cet air étonné, vous savez parfaitement pourquoi je viens ici tous les jours... Pourquoi et pour qui, oui, vous le savez parfaitement... Ma petite bête fauve, ne me regardez pas ainsi, on ne trompe pas un vieux singe...

ELÉNA ANDRÉEVNA, *stupéfaite.*

Bête fauve? Je ne comprends pas.

ASTROV

Petite fouine, belle, soyeuse! Il vous faut des victimes. Voilà un mois que je ne fais plus rien, j'ai tout laissé en plan, je vous cherche partout, avidement, et vous en êtes ravie! Eh bien, je suis vaincu, vous le saviez, à quoi bon ces questions? *(Il croise les mains sur la poitrine et baisse la tête.)* Je me rends. Allez-y, dévorez-moi!

ELÉNA ANDRÉEVNA

Vous êtes fou!

ASTROV, *riant les dents serrées.*

Seriez-vous timide?

ELÉNA ANDRÉEVNA

Oh! je suis meilleure, plus propre que vous ne le croyez, je vous le jure!

Elle veut partir.

ASTROV, *lui barrant le chemin.*

Je partirai aujourd'hui, je ne reviendrai plus, mais... *(Il lui prend la main, jette un regard alentour.)* Où nous reverrons-nous? Parlez vite : où? Dépêchez-vous, quelqu'un pourrait venir... *(Avec passion :)* Oh! elle est merveilleuse, splendide... Un seul baiser... Si je pouvais embrasser vos cheveux parfumés...

ELÉNA ANDRÉEVNA

Je vous jure...

ASTROV, *l'empêchant de parler.*

Pourquoi jurer? Pas de serments! Pas de paroles inutiles! Oh! qu'elle est belle... Quelles mains!

Il lui baise les mains.

ELÉNA ANDRÉEVNA

Mais enfin... Assez... Allez-vous-en... *(Retirant ses mains :)* Vous perdez la tête.

ASTROV

Dites-moi, dites, où allons-nous nous rencontrer demain? *(Il la prend par la taille.)* Tu vois bien, c'est inévitable, il faut que nous nous revoyions.

> *Il l'embrasse ; à ce moment, entre Voïnitzki avec un bouquet de roses ; il s'arrête à la porte.*

ELÉNA ANDRÉEVNA, *qui ne voit pas Voïnitzki.*

Ayez pitié... Laissez-moi. *(Elle appuie sa tête contre la poitrine d'Astrov.)* Non!

> *Elle veut partir.*

ASTROV, *la retenant par la taille.*

Viens demain à la maison forestière... vers deux heures... Oui? Oui? Tu viendras?

ELÉNA ANDRÉEVNA, *remarquant la présence de Voïnitzki.*

Laissez-moi! *(Elle va vers la fenêtre, extrêmement troublée.)* C'est affreux!

VOÏNITZKI, *posant son bouquet sur une chaise ; très ému, il s'essuie le visage et le cou avec un mouchoir.*

Ce n'est rien... Non... Ce n'est rien.

ASTROV, *d'un air boudeur.*

Très estimé Ivan Petrovitch, il fait assez beau aujourd'hui. Ce matin, il faisait gris, on pouvait craindre la

pluie, mais le soleil s'est enfin montré. A vrai dire,
nous avons un automne magnifique... Le blé pousse
bien. *(Il roule son cartogramme.)* Un seul ennui : les jours
raccourcissent.

Il sort.

ELÉNA ANDRÉEVNA, *s'approchant vivement de Voïnitzki.*

Vous ferez votre possible, vous userez de toute
votre influence pour que mon mari et moi nous partions
d'ici aujourd'hui même! Vous m'entendez? Aujourd'hui
même!

VOÏNITZKI, *s'essuyant le visage.*

Hein? Oui... C'est bon. Hélène, j'ai tout vu...

ELÉNA ANDRÉEVNA, *nerveuse.*

Vous m'entendez? Je veux partir aujourd'hui!

Entrent Sérébriakov, Sonia, Teleguine et Marina.

TELEGUINE

Moi-même, Votre Excellence, je ne me sens pas
très bien. Deux jours que ça ne va pas! C'est surtout la
tête...

SÉRÉBRIAKOV

Où sont donc les autres? Je n'aime pas cette maison.
Un véritable labyrinthe. Vingt-six énormes pièces,
chacun s'en va de son côté, jamais on ne peut trouver
personne. *(Il sonne.)* Veuillez demander à Maria Vassilievna et à Eléna Andréevna de venir ici.

ELÉNA ANDRÉEVNA

Je suis là.

SÉRÉBRIAKOV

Mesdames et messieurs, asseyez-vous, je vous prie.

SONIA, *s'approchant d'Eléna, demande avec impatience.*
Qu'a-t-il dit?

ELÉNA ANDRÉEVNA

Plus tard.

SONIA

Tu trembles? Tu es émue? *(Elle la dévisage fixement.)*
Je comprends... Il a dit qu'il ne reviendrait plus... oui?
(Un temps.) Réponds-moi : c'est ça?

Eléna Andréevna acquiesce de la tête.

SÉRÉBRIAKOV, *à Teleguine.*

Va encore pour la mauvaise santé, on s'y fait, mais
ce que je ne peux pas digérer, c'est ce mode de vie à la
campagne. J'ai l'impression d'avoir échoué sur une
planète inconnue. Prenez place, mes amis, je vous en
prie. Sonia! *(Sonia ne l'entend pas, elle reste debout, baissant
tristement la tête.)* Sonia! *(Un temps.)* Elle ne m'entend
pas. *(A Marina :)* Toi aussi, nounou, assieds-toi.
(La nounou s'assoit et se met à tricoter un bas.) Eh bien,
mesdames et messieurs, accrochez, si j'ose dire, vos
oreilles au clou de l'attention.

Il rit.

VOÏNITZKI, *nerveux.*

Peut-être suis-je inutile ici? Je peux partir?

SÉRÉBRIAKOV

Au contraire, j'ai surtout besoin de toi.

VOÏNITZKI

Que me voulez-vous?

SÉRÉBRIAKOV

Vous... Pourquoi te fâches-tu? *(Un temps.)* Si j'ai
des torts envers toi, je te prie de m'excuser.

VOÏNITZKI

Ne prends pas ce ton. Voyons ton affaire. Qu'est-ce
que tu nous veux?

Entre Maria Vassilievna.

SÉRÉBRIAKOV

Voilà maman. Je commence, mesdames et messieurs.
(Un temps.) Je vous ai fait venir, mes amis, pour vous
annoncer qu'un inspecteur général arrive dans nos
parages [1]. Mais trêve de plaisanterie. Il s'agit d'une affaire
sérieuse. Je vous ai réunis, mes amis, pour vous demander aide et conseil. Connaissant votre amabilité coutumière, j'espère les obtenir. Je suis un homme de science,
un rat de bibliothèque, je n'ai jamais rien compris à la
vie pratique. Je ne peux me passer de l'avis de gens
compétents, c'est pourquoi je m'adresse à toi, Ivan
Petrovitch, à vous, Ilia Iliitch, à vous, maman... *Manet
omnes una nox*, cela veut dire que nous dépendons tous
de la volonté divine. Je suis vieux et malade et je considère qu'il est temps de mettre de l'ordre dans mes
affaires, dans la mesure où elles concernent ma famille.
Ma vie est finie, il n'est pas question de moi, mais j'ai
une femme qui est jeune, une fille à marier. Continuer à

---

1. Citation de la pièce de Gogol, *Le Revizor*. (N. d. T.)

vivre ici, impossible. Nous ne sommes pas faits pour la campagne. D'autre part, nous ne pouvons vivre en ville avec le seul revenu de cette propriété. Si l'on vendait la forêt, par exemple, ce ne serait là qu'une mesure extraordinaire, à laquelle on ne saurait recourir tous les ans. Il s'agit donc de trouver un moyen qui nous garantirait un revenu régulier, plus ou moins fixe. Je viens de trouver ce moyen, et j'ai l'honneur de vous le soumettre. Laissant de côté les détails, je ne m'en tiendrai qu'aux traits essentiels. Notre propriété ne nous rapporte, bon an mal an, que deux pour cent de revenu. Je propose de la vendre. Si l'on convertit en titres l'argent de la vente, nous toucherons de quatre à cinq pour cent. Je pense qu'il y aura même un excédent, qui nous permettra d'acheter une petite datcha [1] en Finlande.

VOÏNITZKI

Permets... J'ai dû mal entendre. Répète ce que tu viens de dire.

SÉRÉBRIAKOV

Convertir l'argent en titres de rente et, s'il y a un excédent, acheter une datcha en Finlande.

VOÏNITZKI

Il ne s'agit pas de Finlande... Tu as encore dit autre chose.

SÉRÉBRIAKOV

Je propose de vendre cette propriété.

---

1. Maison de campagne. *(N. d. T.)*

VOÏNITZKI

C'est cela. Tu vendras la propriété... Parfait, c'est une riche idée... Et que deviendrons-nous, moi, ma vieille mère, et Sonia?

SÉRÉBRIAKOV

On y pensera en temps voulu. On ne peut pas résoudre toutes les questions à la fois.

VOÏNITZKI

Attends un peu... Il faut croire que jusqu'à présent je n'ai pas eu le moindre bon sens. J'avais la bêtise de croire que cette propriété appartenait à Sonia. Mon père avait acheté cette propriété pour la donner en dot à ma sœur. Jusqu'à présent j'étais naïf, je n'interprétais pas les lois à la turque, je me figurais que depuis le décès de ma sœur, cette propriété était à Sonia.

SÉRÉBRIAKOV

Mais oui, la propriété est à Sonia. Qui dit le contraire? Je ne la vendrai pas sans son assentiment. D'ailleurs, je le fais pour son bien.

VOÏNITZKI

C'est incroyable, incroyable! Ou bien je suis devenu fou... ou bien... ou bien...

MARIA VASSILIEVNA

Jean, ne contredis pas Alexandre! Crois-moi, il sait mieux que toi ce qu'il faut faire.

VOÏNITZKI

Non, donnez-moi de l'eau! *(Il boit de l'eau.)* Continuez, dites ce que vous voudrez! Ce que vous voudrez!

SÉRÉBRIAKOV

Pourquoi te mettre dans cet état? Je ne te comprends pas. Je ne prétends pas que mon projet soit idéal. Si tout le monde le trouve mauvais, je n'insisterai pas.

Un temps.

TELEGUINE, *confus.*

Moi, Votre Excellence, je ressens pour la science non seulement de la vénération, mais aussi un sentiment de parenté. Le frère de la femme de mon frère Grigory, Monsieur Constantin Gavrilovitch Novosselov, que vous connaissez peut-être, était maître de conférences...

VOÏNITZKI

Attends, Gaufrette, nous parlons affaire. Attends, tu parleras après... *(A Sérébriakov :)* Tu n'as qu'à l'interroger, lui. C'est son oncle qui nous a vendu la propriété...

SÉRÉBRIAKOV

Que veux-tu que je lui demande? Pour quoi faire?

VOÏNITZKI

A l'époque, cette propriété a été achetée pour quatre-vingt-quinze mille roubles. Mon père n'en avait payé que soixante-dix, il restait donc vingt-cinq mille roubles de dettes. Maintenant, écoutez-moi bien! On n'aurait pas pu acheter cette propriété si je n'avais renoncé à ma part d'héritage en faveur de ma sœur que j'aimais tendrement. Mais ce n'est pas tout. Pendant dix ans, j'ai travaillé comme un bœuf, et j'ai fini par payer la dette...

SÉRÉBRIAKOV

Je regrette d'avoir abordé ce sujet.

VOÏNITZKI

Cette propriété n'est libre de dettes, elle n'est en bon état que grâce à mes efforts personnels. Et maintenant que je suis vieux, on voudrait m'en chasser à coups de pied!

SÉRÉBRIAKOV

Je ne comprends pas où tu veux en venir.

VOÏNITZKI

Pendant vingt-cinq ans, j'ai géré cette propriété, j'ai travaillé, je t'ai envoyé de l'argent, comme le régisseur le plus consciencieux, et jamais tu n'as songé à me dire merci! Pendant tout ce temps, dans ma jeunesse comme aujourd'hui, je recevais de toi cinq cents roubles par an, un salaire de misère! et jamais tu n'as songé à m'augmenter d'un seul rouble!

SÉRÉBRIAKOV

Mais est-ce que je savais, Ivan Petrovitch? Je ne suis pas un homme pratique, je n'y comprends rien. Tu n'avais qu'à augmenter ton salaire toi-même, selon tes besoins.

VOÏNITZKI

Bien sûr, pourquoi n'ai-je pas volé? Pourquoi ne me méprisez-vous pas tous de ne pas avoir été un voleur? Cela aurait été juste, et je ne serais pas un gueux aujourd'hui.

MARIA VASSILIEVNA, *avec sévérité.*

Jean!

TELEGUINE

Vania, mon petit ami, il ne faut pas, il ne faut pas. Pourquoi gâcher les bonnes relations? J'en tremble... *(Il l'embrasse.)* Assez!

VOÏNITZKI

Pendant vingt-cinq ans, avec ma mère que voilà, je suis resté entre quatre murs, comme une taupe... Tous nos sentiments, toutes nos pensées étaient pour toi. Dans la journée nous parlions de toi, de tes travaux, nous étions fiers de toi, nous prononcions ton nom avec vénération. Et toutes nos nuits, nous les gâchions à lire des revues et des livres qu'aujourd'hui je méprise profondément!

TELEGUINE

Assez, Vania, assez... Je n'en peux plus...

SÉRÉBRIAKOV, *avec colère.*

Je ne comprends pas ce que tu me veux!

VOÏNITZKI

Tu étais pour nous un être supérieur, nous connaissions tes articles par cœur... Mais maintenant mes yeux

se sont ouverts! Je vois tout! Tu écris sur l'art, mais tu
n'y comprends rien! Tous tes travaux, que j'aimais tant,
ne valent pas un sou. Tu nous as trompés!

SÉRÉBRIAKOV

Enfin, mes amis, calmez-le! Ou je m'en vais!

ELÉNA ANDRÉEVNA

Ivan Petrovitch! Vous allez vous taire! Je l'exige!
Vous m'entendez?

VOÏNITZKI

Je ne me tairai pas! *(Barrant le chemin à Sérébriakov :)*
Attends, je n'ai pas fini! Tu as gâché ma vie! Je n'ai pas
vécu! Par ta faute, j'ai perdu, j'ai détruit les meilleures
années de ma vie! Tu es mon pire ennemi!

TELEGUINE

Je n'en peux plus... Je n'en peux plus... Je m'en vais...
Très ému, il sort.

SÉRÉBRIAKOV

Que me veux-tu? Et de quel droit me parles-tu sur
ce ton? Si cette propriété est à toi, garde-la, je n'en ai
pas besoin.

ELÉNA ANDRÉEVNA

Je quitte cet enfer, tout de suite! *(Elle crie.)* Je ne
peux plus le supporter!

VOÏNITZKI

Ma vie est fichue! J'ai du talent, je suis intelligent et
hardi!... Si j'avais vécu normalement, je serais devenu

un Schopenhauer, un Dostoïevski... Je divague... Je deviens fou... Mère, je suis au désespoir! Mère!

MARIA VASSILIEVNA, *avec sévérité.*

Écoute Alexandre!

SONIA, *s'agenouillant devant la nounou et se serrant contre elle.*

Ma petite nounou! Ma petite nounou!

VOÏNITZKI

Maman! Que dois-je faire? Non, ne me dites rien. Je le sais très bien! *(A Sérébriakov :)* Tu te souviendras de moi!

> *Il sort par la porte du milieu. Maria Vassilievna le suit.*

SÉRÉBRIAKOV

A la fin, mes amis, qu'est-ce que cela veut dire? Débarrassez-moi de ce fou! Il habite là *(montrant la porte du milieu)*, presque à côté de moi. Qu'il aille vivre au village, ou dans une aile de la maison, sinon c'est moi qui déménagerai, mais ça ne peut pas durer...

ELÉNA ANDRÉEVNA

Nous allons quitter cette maison aujourd'hui. Il faut donner des ordres, immédiatement!

SÉRÉBRIAKOV

C'est la dernière des nullités!

SONIA, *à genoux, se tourne vers son père, parle*
nerveusement, avec des larmes dans sa voix.

Il faut être charitable, papa! Oncle Vania et moi,
nous sommes si malheureux! *(Contenant son désespoir :)*
Il faut être charitable! Rappelle-toi quand tu étais plus
jeune, oncle Vania et grand-mère traduisaient des livres
pour toi, recopiaient tes papiers... toutes les nuits,
toutes les nuits! Nous avons travaillé sans répit, oncle
Vania et moi, nous n'osions pas dépenser un kopeck
de trop, tout l'argent était pour toi... Nous n'étions pas
des bouches inutiles. Non, ce n'est pas ça que je voulais
dire, mais tu dois nous comprendre, papa! Il faut être
charitable!

ELÉNA ANDRÉEVNA, *très émue, à son mari.*

Au nom du Ciel, Alexandre, explique-toi avec lui...
Je t'en supplie!

SÉRÉBRIAKOV

C'est bon, je vais m'expliquer... Je ne l'accuse pas,
je ne suis pas fâché, mais convenez que sa conduite
est pour le moins étrange. C'est entendu, je vais aller
le trouver.

Il sort par la porte du milieu.

ELÉNA ANDRÉEVNA, *très émue.*

Parle-lui gentiment, essaie de le calmer...

Elle le suit.

SONIA, *se serrant contre la nounou.*

Ma nounou! Ma nounou!

MARINA

Ce n'est rien, ma petite. Ça cacarde, comme des oies, et puis ça se calme! Ça cacarde, et ça se calme.

SONIA

Ma nounou!

MARINA, *lui caressant les cheveux.*

Tu trembles, comme s'il faisait grand froid! Voyons, voyons, petite orpheline, Dieu est miséricordieux! Tu vas boire un peu de tilleul, ou une infusion de framboise, et ça passera... Ne t'inquiète pas, petite orpheline... *(Elle regarde la porte du milieu et dit avec colère :)* Ah! ces oies... ces oies... quelle folie...

> *Derrière la scène éclate un coup de feu. Cri d'Eléna Andréevna. Sonia tressaille.*

MARINA

Ah! que la peste...

SÉRÉBRIAKOV, *accourant et vacillant d'effroi.*

Retenez-le! Retenez-le! Il est devenu fou!

ELÉNA ANDRÉEVNA *essaie de retenir Voïnitzki sur le seuil et tente de lui arracher le revolver.*

Donnez-le! Donnez, vous m'entendez!

VOÏNITZKI

Laissez-moi, Hélène! Laissez-moi! *(Il la repousse, arrive en courant, et cherche des yeux Sérébriakov.)* Où est-il? Ah! le voilà! *(Il tire.)* Pan! Pan! *(Un temps.)* Je l'ai raté? Encore raté? *(Avec colère :)* Ah! que le diable, le diable... le diable m'emporte!

> *Il jette violemment le revolver et s'affale sur une chaise, visiblement exténué. Le professeur est bouleversé. Eléna Andréevna s'appuie contre le mur, elle se trouve mal.*

ELÉNA ANDRÉEVNA

Emmenez-moi d'ici! Emmenez-moi, tuez-moi... Je ne peux plus rester ici.

VOÏNITZKI, *désespéré.*

Oh! qu'ai-je fait! Qu'ai-je fait!

SONIA, *à voix basse.*

Nounou! Ma nounou!

ACTE IV

Une grande pièce qui sert de chambre à Ivan Petrovitch, en même temps que de bureau. Près de la fenêtre, sur une grande table, des livres de comptabilité et des papiers. Un bureau, des armoires, une balance. A côté, une petite table, pour Astrov; sur cette table un attirail de peinture, des couleurs et un carton. Dans une cage, un merle. Au mur, une carte de l'Afrique, qui ne sert manifestement à rien. Un énorme divan, recouvert de toile cirée. A gauche, une porte donnant accès aux pièces intérieures, à droite, une autre porte s'ouvrant sur l'antichambre. Devant cette porte, un paillasson, pour que les paysans ne salissent pas le plancher. Soir d'automne. Silence.

Teleguine et Marina, assis l'un en face de l'autre, dévident un écheveau de laine.

TELEGUINE

Dépêchez-vous, Marina Timoféevna; on va bientôt nous appeler pour les adieux. Ils ont déjà donné l'ordre d'amener les chevaux.

MARINA, *essayant d'accélérer son mouvement.*

C'est presque fini.

TELEGUINE

Ils partent pour Kharkov. C'est là qu'ils vont s'établir.

MARINA

Tant mieux!

TELEGUINE

Ils ont eu une de ces peurs!... Eléna Andréevna surtout : « Je ne resterai pas une heure de plus ici », qu'elle a dit. « Je ne veux pas... partons, partons vite! Nous resterons à Kharkov, le temps de faire le point, et nous enverrons chercher nos affaires plus tard »... Ils partent sans bagages. Il était donc écrit, Marina Timoféevna, qu'ils ne devaient pas rester ici. Le sort ne le voulait pas.

MARINA

Cela vaut mieux. Quel bruit, tantôt, et ces coups de feu, quelle honte!

TELEGUINE

Oui, un sujet digne du pinceau d'Aïvazovski [1].

MARINA

On n'osait même plus les regarder. *(Un temps.)* Nous allons reprendre nos habitudes. Le thé à sept heures du matin, le dîner à midi, le soir on se mettra à table pour souper. Tout comme il se doit, comme chez les braves gens... les chrétiens. *(Avec un soupir :)* Il y a longtemps que je n'ai pas mangé de nouilles, pauvre pécheresse que je suis.

1. Peintre russe. *(N. d. T.)*

TELEGUINE

Oui, il y a bien longtemps qu'on n'a pas fait de nouilles à la maison... *(Un temps.)* Bien longtemps... Ce matin, Marina Timoféevna, je suis passé par le village, et l'épicier a crié dans mon dos : « Hé toi, espèce de pique-assiette! » C'était bien pénible d'entendre ça...

MARINA

N'y fais pas attention, mon petit père. Nous sommes tous les pique-assiette du Bon Dieu. Que ce soit toi, ou Sonia, ou Ivan Petrovitch, personne ne reste sans rien faire, ici, chacun travaille! Où est Sonia?

TELEGUINE

Au jardin, avec le docteur. Ils cherchent Ivan Petrovitch. Ils ont peur qu'il n'attente à ses jours.

MARINA

Et son pistolet, où est-il?

TELEGUINE, *baissant la voix.*

Je l'ai caché dans la cave.

MARINA, *avec un sourire ironique.*

Quel péché!

Entrent, venant de la cour, Voïnitzki et Astrov.

VOÏNITZKI

Laisse-moi. *(A Marina et Teleguine :)* Allez-vous-en d'ici, laissez-moi seul, ne serait-ce qu'une heure! Je ne peux pas supporter cette surveillance!

TÉLÉGUINE

Tout de suite, Vania.

Il sort sur la pointe des pieds.

MARINA

Comme une oie : et je te cacarde, et je te cacarde!

Elle ramasse ses écheveaux de laine, et sort.

VOÏNITZKI

Laisse-moi.

ASTROV

Avec le plus grand plaisir, il y a longtemps que je devrais être parti, mais je te le répète, rends-moi ce que tu m'as pris, je ne m'en irai pas avant.

VOÏNITZKI

Je ne t'ai rien pris.

ASTROV

Je te parle sérieusement; ne me retiens pas. Il est grand temps que je parte.

VOÏNITZKI

Je ne t'ai rien pris du tout.

Ils s'assoient.

ASTROV

Vraiment? Tant pis, j'attendrai encore un peu, mais après, tu voudras bien m'excuser, je serai obligé d'em-

ployer la force. Nous allons te ligoter et te fouiller. Je
te parle très sérieusement.

VOÏNITZKI

Comme tu voudras. *(Un temps.)* Quel imbécile j'ai
fait! Tirer deux fois, et le rater à chaque coup! Je ne
me le pardonnerai jamais.

ASTROV

Si tu tenais tant à jouer du revolver, tu n'avais qu'à
te loger une balle dans la tête.

VOÏNITZKI, *haussant les épaules.*

C'est étrange! J'ai commis un attentat, et on ne
m'arrête pas, on ne me livre pas à la justice. Visiblement,
on me croit fou. *(Il rit méchamment.)* Je suis fou, mais
ils ne sont pas fous, ceux qui sous le masque d'un
professeur, d'un sorcier savant cachent leur manque de
talent, leur esprit borné, leur cœur effroyablement dur!
Elles ne sont pas folles, celles qui épousent des vieillards pour les tromper aux yeux de tous! Je t'ai vu, oui,
je t'ai vu l'embrasser!

ASTROV

Parfaitement, je l'ai embrassée. Et voilà pour toi!

Il lui fait un pied de nez.

VOÏNITZKI, *regardant la porte.*

Non, bien folle est la terre qui vous porte!

ASTROV

Tu dis des bêtises.

VOÏNITZKI

Et alors? Ne suis-je pas fou? Un faible d'esprit a le droit de dire des bêtises.

ASTROV

Vieille rengaine! Tu n'es pas fou, tu n'es qu'un original. Une sorte de pitre. J'ai pensé autrefois, moi aussi, que tous les originaux étaient des malades, des êtres anormaux, mais je suis prêt à croire qu'il est normal d'être étrange. Tu es comme les autres.

VOÏNITZKI, *cachant son visage dans ses mains.*

J'ai honte! Si tu savais comme j'ai honte! C'est aigu, c'est pire que n'importe quelle douleur. *(Désespéré :)* C'est au-dessus de mes forces! *(Il se penche vers la table :)* Que faire? Que faire?

ASTROV

Rien.

VOÏNITZKI

Donne-moi quelque chose, donne... que j'oublie! Oh mon Dieu!... J'ai quarante-sept ans, supposons que je vive jusqu'à soixante, il me reste encore treize ans. C'est long! Comment vivrai-je pendant treize ans? Que faire, comment les remplir? Oh! comprends-moi *(il serre convulsivement la main d'Astrov)*, comprends-moi! Si l'on pouvait seulement passer le reste de sa vie d'une autre manière! Se réveiller, par une belle et douce matinée, et savoir que tout va recommencer, que le passé est oublié... *(Il pleure.)* Une vie nouvelle... Dis-moi, comment m'y prendre... par où commencer?

ASTROV, *avec dépit.*

Fiche-moi la paix! De quelle vie nouvelle parles-tu? Notre situation, la tienne comme la mienne, est désespérée.

VOÏNITZKI

Vraiment?

ASTROV

J'en suis persuadé.

VOÏNITZKI

Donne-moi quelque chose... *(Il montre son cœur.)* Ça me brûle, là.

ASTROV, *criant, en colère.*

Assez! *(Se radoucissant :)* Ceux qui vivront après nous, dans cent ou deux cents ans, et qui nous mépriseront d'avoir si bêtement gâché nos vies, ceux-là trouveront peut-être le secret du bonheur. Quant à nous... A nous, il ne reste qu'un seul espoir. Celui d'avoir des rêves dans nos cercueils, des rêves peut-être agréables. *(Il soupire.)* Hé oui, mon vieux! Dans tout le district, il n'y avait que deux hommes intelligents et honnêtes : toi et moi. Il n'a pas fallu plus de dix ans pour que cette vie de tous les jours, cette chiennerie, nous engloutisse : elle nous a empoisonné le sang de ses émanations fétides, et voilà, nous sommes devenus aussi vulgaires que les autres. *(Vivement :)* Mais n'essaie pas de m'endormir. Rends-moi ce que tu m'as pris.

VOÏNITZKI

Je ne t'ai rien pris.

ASTROV

Dans ma trousse, un flacon de morphine. *(Un temps.)*
Écoute, si tu veux te tuer à tout prix, va dans la forêt,
et fais-toi sauter la cervelle. Mais rends-moi la morphine,
sinon il y aura des papotages, des soupçons, on croira
que c'est moi qui te l'ai donnée... Bien assez embêtant
de penser que je devrai faire ton autopsie... Crois-tu
que ce sera agréable?

Entre Sonia.

VOÏNITZKI

Laisse-moi tranquille!

ASTROV, *à Sonia.*

Sophie Alexandrovna, votre oncle a chipé un flacon
de morphine dans ma trousse, et il ne veut pas le rendre.
Dites-lui que... ce n'est pas très malin, à la fin. Je n'ai
pas de temps à perdre, je dois partir.

SONIA

Oncle Vania, tu as pris de la morphine?

Un temps.

ASTROV

Il l'a prise. J'en suis absolument sûr.

SONIA

Rends-la. Pourquoi veux-tu nous faire peur? *(Affectueusement :)* Rends-la, oncle Vania! Je suis peut-être
aussi malheureuse que toi, mais je ne me laisse pas aller
au désespoir. J'endure, et je vais endurer mon malheur,
jusqu'à ce que ma vie s'achève d'elle-même... Prends

patience, toi aussi... *(Un temps.)* Rends la morphine!
(Elle lui baise les mains.) Mon cher, mon gentil oncle,
rends-la! *(Elle pleure.)* Tu es bon, tu auras pitié de
nous, tu feras ce que nous te demandons. Patience,
mon oncle! patience!

VOÏNITZKI, *prenant un flacon dans le tiroir de la table
et le rendant à Astrov.*

C'est bon, le voilà. *(A Sonia :)* Mais il faut tout de
suite se mettre au travail, sinon je ne pourrai pas... je
ne pourrai pas...

SONIA

Oui, oui, il faut travailler. Dès qu'ils seront partis,
nous nous y remettrons... *(D'un geste nerveux, elle feuillette les papiers qui sont sur la table.)* Nous sommes tellement en retard...

ASTROV *met le flacon dans sa trousse,
et serre les courroies.*

Et maintenant, on peut se mettre en route.

ELÉNA ANDRÉEVNA, *entrant.*

Vous êtes ici, Ivan Petrovitch? Allez trouver
Alexandre! Il veut vous parler.

SONIA

Va, oncle Vania. *(Elle prend le bras de Voïnitzki.)*
Viens. Papa et toi, vous devez faire la paix, c'est indis-
pensable.

Sonia et Voïnitzki sortent.

ELÉNA ANDRÉEVNA

Je pars. *(Elle tend la main à Astrov.)* Adieu.

ASTROV

Déjà?

ELÉNA ANDRÉEVNA

Les chevaux sont attelés.

ASTROV

Adieu.

ELÉNA ANDRÉEVNA

Vous m'avez promis de vous en aller aujourd'hui.

ASTROV

Je n'ai pas oublié ma promesse. Je pars à l'instant.
Vous avez eu peur? *(Il lui prend la main.)* C'était donc
si effrayant?

ELÉNA ANDRÉEVNA

Oui.

ASTROV

Et si vous restiez? Hein? Demain, à la maison forestière?...

ELÉNA ANDRÉEVNA

Non... C'est décidé... C'est justement pour cela
que j'ai le courage de vous regarder en face... Je veux

vous demander une chose : ayez une meilleure opinion
de moi. Je voudrais que vous m'estimiez.

ASTROV

Bah! *(Geste d'impatience.)* Restez donc, je vous
en prie. Avouez-le, vous n'avez rien à faire en ce monde,
votre vie n'a aucun but, rien n'occupe votre attention;
aussi bien, tôt ou tard, vous allez céder à un sentiment,
c'est inévitable. Alors il vaudrait mieux que cela n'arrive
pas à Kharkov, ou à Koursk, mais ici, au sein de la
nature. Au moins, ce serait poétique, l'automne est si
beau... Il y a une maison forestière, de vieux domaines
qui tombent en ruine, dans le goût de Tourgueniev...

ELÉNA ANDRÉEVNA

Comme vous êtes drôle... Je vous en veux... mais je
penserai à vous avec plaisir. Vous êtes un homme
intéressant, original. Sans doute ne nous reverrons-
nous jamais, alors pourquoi le cacher ? J'ai été amoureuse
de vous. Eh bien, échangeons une poignée de main, et
quittons-nous bons amis. Ne gardez pas de moi un
mauvais souvenir.

ASTROV, *lui serrant la main.*

C'est bon, partez... *(Songeur :)* Vous paraissez bonne,
sympathique, mais il y a en vous je ne sais quoi d'étrange.
Depuis que vous êtes ici avec votre mari, tous ceux qui
travaillaient, s'affairaient, créaient quelque chose, eh
bien, ils ont tout abandonné pour ne plus s'occuper,
pendant cet été, que de la goutte de votre mari, et de
votre personne. Tous les deux, vous nous avez passé
votre oisiveté. Je suis tombé amoureux de vous, voilà
un mois que je n'ai rien fait, et pendant ce temps des

hommes ont souffert, et dans mes forêts, dans mes pépinières, les moujiks ont fait paître leur bétail... Bref, vous et votre mari, vous apportez partout la destruction... Je plaisante, bien sûr, et pourtant, c'est étrange... je suis persuadé que si vous restiez ici, tout finirait par un formidable désastre. Moi, je n'en sortirais pas vivant, et vous... non sans dommage! Eh bien, partez! *Finita la comedia.*

ELÉNA ANDRÉEVNA, *prenant un crayon sur la table et le cachant vivement.*

J'emporte ce crayon en souvenir de vous.

ASTROV

Comme c'est étrange... Nous nous connaissions... et brusquement, sans savoir pourquoi, nous devons nous séparer pour toujours... Ainsi vont les choses en ce monde... Puisque nous sommes seuls et que l'oncle Vania n'est pas encore entré avec son bouquet, permettez-moi de vous embrasser... En guise d'adieu... Vous voulez bien? *(Il l'embrasse sur la joue.)* Voilà... C'est parfait.

ELÉNA ANDRÉEVNA

Je vous souhaite beaucoup de chance. *(Elle regarde alentour.)* Tant pis, pour une fois dans la vie! *(Elle se jette dans ses bras; ils se séparent très vite.)* Il faut partir.

ASTROV

Partez vite. Si la voiture est prête, ne tardez pas.

ELÉNA ANDRÉEVNA

Je crois qu'on vient.

Ils écoutent.

ASTROV

Finita !

> *Entrent Sérébriakov, Voïnitzki, Maria Vassilievna
> avec un livre, Teleguine, et Sonia.*

SÉRÉBRIAKOV, *à Voïnitzki.*

Honni soit qui rappelle le passé. Depuis ce qui est
arrivé, pendant ces quelques heures, j'ai tant souffert,
tant réfléchi, qu'il me semble que je pourrais écrire
tout un traité, pour l'édification de la postérité, sur la
meilleure manière de vivre. J'accepte volontiers tes
excuses, et je te présente les miennes. Adieu!

> *Il embrasse trois fois Voïnitzki.*

VOÏNITZKI

Tu recevras régulièrement la même somme qu'aupa-
ravant. Tout sera comme par le passé.

> *Eléna Andréevna embrasse Sonia.*

SÉRÉBRIAKOV, *baisant la main de Maria Vassilievna.*

Maman...

MARIA VASSILIEVNA, *l'embrassant.*

Faites-vous faire une nouvelle photographie,
Alexandre, et envoyez-la-moi. Vous savez combien
vous m'êtes cher.

TELEGUINE

Adieu, Votre Excellence. Ne nous oubliez pas.

SÉRÉBRIAKOV, *embrassant sa fille.*

Adieu! Adieu tout le monde! *(Serrant la main d'As-trov :)* Merci de votre bonne compagnie... Je respecte vos idées, votre enthousiasme, vos élans, mais permettez au vieillard que je suis d'ajouter une simple remarque à ces adieux : il faut travailler, mes amis! Il faut tra-vailler! *(Il salue tout le monde.)* Bonne chance à tous!

Il sort accompagné de Maria Vassilievna et de Sonia.

VOÏNITZKI, *baisant passionnément la main d'Eléna Andréevna.*

Adieu... Pardonnez-moi. Nous ne nous reverrons plus jamais.

ELÉNA ANDRÉEVNA, *émue.*

Adieu, mon cher ami.

Elle l'embrasse dans les cheveux, et sort.

ASTROV

Dis, Gaufrette, veux-tu demander que l'on fasse avancer ma voiture, par la même occasion?

TELEGUINE

Bien, mon petit ami.

Il sort. Voïnitzki et Astrov restent seuls.

ASTROV, *rassemblant ses couleurs, éparpillées sur la table, et les rangeant dans sa valise.*

Et toi, tu ne vas pas assister à leur départ?

VOÏNITZKI

Non! Qu'ils partent, mais moi... je ne peux pas...
J'ai le cœur trop lourd. Trouver quelque chose à faire,
vite! Travailler, il faut travailler!

> *Il fouille dans les papiers qui sont sur la table. Un
> temps. On entend un bruit de grelots.*

ASTROV

Les voilà partis. J'imagine la joie du professeur.
Mille chevaux ne le ramèneraient pas ici.

MARINA, *entrant.*

Ils sont partis.

> *Elle s'assied et se remet à tricoter son bas.*

SONIA, *entrant.*

Ils sont partis. *(Elle s'essuie les yeux.)* Que Dieu les
protège! *(A son oncle :)* Et maintenant, oncle Vania,
au travail.

VOÏNITZKI

Travaillons, travaillons...

SONIA

Il y a bien longtemps que nous ne nous sommes
assis à cette table, tous les deux! *(Elle allume une lampe
sur la table.)* Il n'y a plus d'encre, je crois. *(Elle prend
l'encrier, va à l'armoire, verse de l'encre.)* Et moi, je suis
triste de les voir partir.

MARIA VASSILIEVNA, *entrant lentement.*

Partis!

> *Elle s'assoit et se plonge dans une lecture.*

SONIA *s'assoit à la table et feuillette un livre de comptabilité.*

Avant tout, oncle Vania, il faut faire les factures. Nous sommes tellement en retard! Aujourd'hui encore, on est venu les réclamer. Partageons-nous le travail.

VOÏNITZKI, *écrivant.*

Facture... à Monsieur...

Tous deux écrivent en silence.

MARINA, *bâillant*

J'ai envie de faire dodo...

ASTROV

Quel calme! Les plumes grincent, le grillon chante. Il fait bon, ici, c'est agréable... On n'a plus envie de partir. *(On entend un bruit de grelots.)* Voilà mes chevaux... Mes amis, il ne me reste plus qu'à prendre congé de vous, de ma petite table, et en route!

Il range ses cartogrammes dans sa serviette.

MARINA

Pourquoi te presser? Reste encore un peu.

ASTROV

Impossible.

VOÏNITZKI, *écrivant.*

« Il reste à régler deux roubles soixante-quinze... »

Entre l'ouvrier.

L'OUVRIER

Mikhaïl Lvovitch, les chevaux vous attendent.

ASTROV

Je sais. *(Lui tendant sa trousse de médecin, sa valise et sa serviette :)* Tiens, prends ça. Attention, ne froisse pas les papiers.

L'OUVRIER

A vos ordres.

Il sort.

ASTROV

Eh bien...

Il s'apprête à faire ses adieux.

SONIA

Mais quand nous reverrons-nous?

ASTROV

Pas avant l'été, je pense. En hiver, ce ne sera guère possible... Bien sûr, s'il vous arrivait quoi que ce soit, faites-moi signe, je viendrai tout de suite... *(Il serre les mains de Voïnitzki et de Sonia.)* Merci de votre hospitalité, de votre gentillesse... bref, de tout. *(Il se dirige vers Marina et l'embrasse dans les cheveux.)* Adieu, ma vieille.

MARINA

Tu ne vas pas partir sans prendre du thé?

ASTROV

Je n'en veux pas, nounou.

MARINA

Et de la vodka... tu n'en veux pas?

ASTROV, *hésitant.*

Bah! *(Marina sort. Un temps.)* Mon cheval de renfort s'est mis à boiter, je me demande pourquoi. J'ai remarqué ça hier, quand Petrouchka le menait à l'abreuvoir.

VOÏNITZKI

Il faut le ferrer.

ASTROV

Oui, je vais m'arrêter chez le forgeron, au village de Rojdestvenny. Pas moyen d'y couper. *(Il s'approche de la carte de l'Afrique et la regarde.)* Et dire que dans cette Afrique, en ce moment, il doit faire une chaleur infernale!

VOÏNITZKI

Oui, c'est probable.

MARINA *revient avec un plateau sur lequel sont posés un petit verre de vodka et un morceau de pain.*

Sers-toi! *(Astrov vide le petit verre.)* A ta santé, mon petit père! *(Le saluant profondément :)* Et du pain, tu n'en veux pas?

ASTROV

Non, ça va comme ça... Et maintenant, mille bonnes choses à tous! *(A Marina :)* Ne m'accompagne pas, nounou. Pas la peine.

Il sort. Sonia le suit, une bougie à la main. Marina s'installe dans son fauteuil.

VOÏNITZKI, *écrivant.*

« Le 2 février, livré vingt livres d'huile... Le 16 février,
encore vingt livres d'huile... du gruau de sarrasin... »

> *Un temps.*
> *On entend un bruit de grelots.*

MARINA

Le voilà parti.

SONIA, *revenant et posant la bougie sur la table.*

Il est parti...

VOÏNITZKI, *faisant des comptes à l'aide d'un boulier et
inscrivant.*

Cela nous fait quinze... et vingt-cinq...

> *Sonia s'assoit et se remet au travail.*

MARINA, *bâillant.*

Pauvres pécheurs que nous sommes...

> *Teleguine entre sur la pointe des pieds, s'assoit près
> de la porte, et accorde doucement sa guitare.*

VOÏNITZKI, *à Sonia, lui caressant les cheveux.*

Mon enfant, comme je souffre! Oh, si tu savais
comme je souffre!

SONIA

Qu'y faire! Nous devons vivre. *(Un temps.)* Nous
allons vivre, oncle Vania. Passer une longue suite de
jours, de soirées interminables, supporter patiemment

les épreuves que le sort nous réserve. Nous travaillerons
pour les autres, maintenant et jusqu'à la mort, sans
connaître de repos, et quand notre heure viendra,
nous partirons sans murmure, et nous dirons dans
l'autre monde que nous avons souffert, que nous avons
été malheureux, et Dieu aura pitié de nous. Et alors,
mon oncle, mon cher oncle, une autre vie surgira,
radieuse, belle, parfaite, et nous nous réjouirons, nous
penserons à nos souffrances présentes avec un sourire
attendri, et nous nous reposerons. Je le crois, mon oncle,
je le crois ardemment, passionnément... *(Elle s'age-*
nouille devant lui et pose sa tête sur les mains de son oncle ;
d'une voix lasse :) Nous nous reposerons. *(Teleguine*
joue doucement de la guitare.) Nous nous reposerons !
Nous entendrons la voix des anges, nous verrons le ciel
rempli de diamants, le mal terrestre et toutes nos peines
se fondront dans la miséricorde qui régnera dans le
monde, et notre vie sera calme et tendre, douce comme
une caresse... Je le crois, je le crois... *(Elle essuie avec*
son mouchoir les larmes de son oncle.) Mon pauvre, mon
pauvre oncle Vania, tu pleures. Tu n'as pas connu de
joie dans ta vie, mais patience, oncle Vania, patience...
Nous nous reposerons... *(Elle l'enlace.)* Nous nous reposerons ! *(On entend les claquettes du veilleur de nuit. Teleguin*
joue en 'sourdine. Maria Vassilievna écrit dans les marges
de sa brochure, Marina tricote son bas.) Nous nous reposerons !

La Cerisaie

COMÉDIE EN QUATRE ACTES

PERSONNAGES

LIOUBOV ANDRÉEVNA RANEVSKAÏA, *propriétaire foncière*

ANIA, *sa fille, dix-sept ans.*

VARIA, *sa fille adoptive, vingt-quatre ans.*

LÉONIDE ANDRÉEVITCH GAEV, *son frère.*

ERMOLAÏ ALEXÉEVITCH LOPAKHINE, *marchand.*

PIOTR SERGUÉEVITCH TROFIMOV, *étudiant.*

BORIS BORISOVITCH SIMÉONOV-PICHTCHIK, *propriétaire foncier.*

CHARLOTTE IVANOVNA, *gouvernante.*

SEMIONE PANTELÉEVITCH EPIKHODOV, *commis.*

DOUNIACHA, *femme de chambre.*

FIRS, *valet de chambre, quatre-vingt-sept ans.*

YACHA, *jeune valet.*

UN PASSANT.

LE CHEF DE GARE.

UN EMPLOYÉ DES POSTES.

INVITÉS, DOMESTIQUES.

L'action se passe dans la propriété de L. A. Ranevskaïa.

ACTE PREMIER

Une chambre qu'on continue d'appeler la « chambre des enfants ». L'une des portes mène à la chambre d'Ania. C'est l'aube; le soleil va bientôt se lever. Le mois de mai, les cerisiers sont déjà en fleur, mais dehors il fait froid; gelée blanche. Les fenêtres sont fermées.

Entrent Douniacha, portant une bougie, et Lopakhine, un livre à la main.

LOPAKHINE

Le train est arrivé, Dieu merci. Quelle heure est-il?

DOUNIACHA

Bientôt deux heures. *(Soufflant sur la bougie :)* Il fait déjà clair.

LOPAKHINE

Mais combien de retard a-t-il donc, ce train? Au moins deux heures. *(Il bâille et s'étire.)* Et moi, non, quel imbécile! Venir exprès ici, pour aller les chercher à la gare, et m'endormir... Je me suis endormi dans ce fauteuil. C'est agaçant... Tu aurais dû me réveiller, toi.

DOUNIACHA

Je vous croyais parti. *(Elle tend l'oreille :)* Les voilà, je crois qu'ils arrivent.

LOPAKHINE, *prêtant l'oreille.*

Non... Il faut retirer les bagages, faire ceci et cela... *(Un temps.)* Lioubov Andréevna vient de passer cinq ans à l'étranger, comment est-elle, aujourd'hui? Je me le demande... C'est quelqu'un de bien. Un être simple, facile à vivre. Je me souviens, un jour, oh! je devais avoir dans les quinze ans, mon père tenait une épicerie dans le village, eh bien, il m'a envoyé un coup de poing en pleine figure, et j'ai saigné du nez... Nous étions venus ici tous les deux, je ne sais plus pourquoi, et il était soûl. Alors Lioubov Andréevna, je m'en souviens comme si c'était d'hier, elle était encore jeunette, toute mince, elle m'a conduit au lavabo, là dans cette chambre. « Ne pleure pas, qu'elle m'a dit, mon petit moujik, d'ici tes noces, ce sera oublié... » *(Un temps.)* Petit moujik... C'est vrai, mon père était un simple moujik, mais moi je porte un gilet blanc, des chaussures jaunes... Un cochon dans un salon... Je suis riche, il n'y a que ça de changé, j'ai beaucoup d'argent, mais si on regarde de près, si on y réfléchit, je ne suis qu'un moujik, rien de plus. *(Il feuillette son livre.)* Voilà, j'ai lu ce livre, et je n'y ai rien compris, je me suis endormi dessus.

Un temps.

DOUNIACHA

Les chiens, eux, n'ont pas dormi de la nuit. Ils sentent l'arrivée des maîtres.

LOPAKHINE

Mais qu'est-ce qui t'arrive, Douniacha?

DOUNIACHA

J'ai les mains qui tremblent. Je vais m'évanouir.

LOPAKHINE

Tu es bien trop douillette, Douniacha. Tu t'habilles comme une demoiselle, et cette coiffure... Ce n'est pas bien. A chacun sa place.

> *Entre Epikhodov portant un bouquet. Il est en veston, ses bottes bien cirées craquent à chaque pas. En entrant, il laisse tomber son bouquet.*

EPIKHODOV

Voilà, c'est le jardinier qui l'envoie, il dit qu'il faut le mettre dans la salle à manger.

> *Il donne le bouquet à Douniacha.*

LOPAKHINE

Tu m'apporteras du kvass [1].

DOUNIACHA

Bien, monsieur.

EPIKHODOV

Il gèle. Trois degrés au-dessous de zéro, et les cerisiers sont en fleur. *(Soupirant :)* Je ne peux pas me faire à notre climat. Non, vraiment. Ce n'est pas un climat favorable. Et puis, permettez-moi d'ajouter ici, Ermolaï Alexéevitch : avant-hier, je me suis acheté une paire de bottes, et voilà qu'elles craquent, sauf votre respect, il y a de quoi devenir fou. Avec quoi les graisser ?

---

1. Boisson fermentée. *(N. d.T.)*

LOPAKHINE

Fiche-moi la paix. Tu m'ennuies.

EPIKHODOV

Tous les jours un nouveau malheur! Mais je ne me plains pas, j'y suis habitué, j'en souris même. *(Entre Douniacha apportant du kvass à Lopakhine.)* Je m'en vais. *(Il se heurte à une chaise, qui tombe.)* Et voilà... *(Presque triomphant :)* Vous voyez bien, quelle affaire, passez-moi l'expression. C'en est même extraordinaire.

Il sort.

DOUNIACHA

Je vous avouerai, Ermolaï Alexéevitch, qu'Epikhodov m'a demandée en mariage.

LOPAKHINE

Tiens!

DOUNIACHA

Je ne sais que lui dire. C'est un homme tranquille, seulement parfois, quand il se met à parler, on n'y comprend rien. Il cause bien, c'est touchant et tout, mais incompréhensible. Moi, il ne me déplaît pas. Il m'aime à la folie. C'est un malchanceux, tous les jours il lui arrive quelque chose. Même qu'ici, pour le taquiner, on l'appelle « vingt-deux malheurs ».

LOPAKHINE, *prêtant l'oreille.*

Les voilà... Ils arrivent, je crois...

DOUNIACHA

Les voilà. Mais qu'est-ce que j'ai... Je me sens toute froide.

LOPAKHINE

En effet, ce sont eux. Allons à leur rencontre. Est-ce qu'elle va seulement me reconnaître? Cinq ans qu'on s'est quitté...

DOUNIACHA, *très émue.*

Je vais m'évanouir... Oh! je vais m'évanouir!

> *On entend deux voitures arriver devant la maison. Lopakhine et Douniacha sortent vivement. La scène est vide. Du bruit dans les pièces voisines. Firs, qui était allé à la gare, traverse rapidement la scène, en s'appuyant sur une canne. Il porte une livrée à l'ancienne mode et un chapeau genre haut-de-forme. Il parle tout seul mais on ne distingue rien de ce qu'il dit. Derrière la scène, le bruit s'amplifie. Une voix :* « Passons par ici. » *Entrent Lioubov Andréevna, Ania et Charlotte, tenant un chien en laisse; elles portent des costumes de voyage; Varia, en manteau, un foulard sur la tête; Gaev, Siméonov-Pichtchik, Lopakhine, Douniacha, portant un balluchon et un parapluie, des domestiques chargés de bagages, tous traversent la scène.*

ANIA

Passons par ici. Tu te souviens de cette chambre, maman?

LIOUBOV ANDRÉEVNA, *joyeusement, à travers ses larmes.*

La chambre des enfants!

VARIA

Qu'il fait froid! J'ai les mains gelées. Ma petite maman, vos chambres, la blanche et la violette, sont comme vous les avez laissées.

LIOUBOV ANDRÉEVNA

La chambre des enfants, ma chère, ma délicieuse chambre! C'est ici que je couchais quand j'étais petite... (*Elle pleure.*) Et je suis encore comme une enfant... (*Elle embrasse son frère, puis Varia, puis encore son frère.*) Varia est toujours la même, elle a l'air d'une nonne. Et Douniacha, je l'ai bien reconnue...

Elle embrasse Douniacha.

GAEV

Le train a eu deux heures de retard. Hein! Quel désordre!

CHARLOTTE, *à Pichtchik.*

Mon chien mange aussi des noisettes.

PICHTCHIK

Pas croyable.

Tous sortent, sauf Ania et Douniacha.

DOUNIACHA

Nous vous attendions avec tant d'impatience...

Elle débarrasse Ania de son manteau et de son chapeau.

ANIA

Je n'ai pas fermé l'œil pendant ces quatre nuits de voyage... et maintenant je suis gelée...

DOUNIACHA

Vous êtes partie pendant le Carême, il neigeait alors, il faisait froid, et maintenant? Ma chérie. (*Elle rit, et l'embrasse.*) Je vous attends depuis si longtemps, ma joie, ma petite lumière... Il faut que je vous dise quelque chose, tout de suite...

ANIA, *lasse.*

Une histoire, encore...

DOUNIACHA

Après la Semaine Sainte, Epikhodov, le commis, m'a demandée en mariage...

ANIA

Tu racontes toujours la même chose... (*Arrangeant sa coiffure :*) J'ai perdu toutes mes épingles à cheveux.

Elle chancelle de fatigue.

DOUNIACHA

Je ne sais vraiment pas quoi faire. Il m'aime, il m'aime si fort.

ANIA, *regardant par la porte de sa chambre, avec tendresse.*

Ma chambre, mes fenêtres, comme si je n'étais jamais partie d'ici. Je suis à la maison. Demain je me lèverai, je courrai dans le jardin... Oh! si seulement je pouvais dormir! Impossible de dormir pendant le voyage, j'étais trop inquiète.

DOUNIACHA

Piotr Serguéevitch est arrivé avant-hier.

ANIA, *joyeuse.*

Pétia!

DOUNIACHA

Il dort dans la maison des bains, c'est là qu'il s'est installé. J'ai peur de déranger, qu'il dit. *(Elle tire une montre de sa poche.)* Il faudrait le réveiller, mais Varvara Mikhaïlovna l'a défendu. Ne le réveille pas, qu'elle m'a dit.

Entre Varia, un trousseau de clefs à la ceinture.

VARIA

Douniacha, fais vite du café. Petite maman en demande.

DOUNIACHA

Tout de suite.

Elle sort.

VARIA

Dieu merci, vous voilà revenus. Tu es de nouveau à la maison. *(Caressant Ania :)* Ma mignonne est revenue! Ma jolie est revenue!

ANIA

Ce que j'ai pu endurer!

VARIA

Je m'en doute.

ANIA

Je suis partie pendant la Semaine sainte, il faisait froid. Pendant tout le voyage Charlotte n'a pas cessé de bavarder, de faire des tours de prestidigitation. Pourquoi m'as-tu collé cette Charlotte?

VARIA

Tu ne pouvais tout de même pas voyager toute seule, ma mignonne. A dix-sept ans!

ANIA

Nous arrivons à Paris. Il fait froid. Il neige. Mon français est abominable. Maman habite au cinquième, je monte, je trouve des Français, des dames, un vieux curé avec son bréviaire, c'est plein de fumée de tabac, c'est triste... J'ai eu soudain tellement pitié de maman, j'ai pris sa tête, je l'ai serrée dans mes mains, je ne pouvais plus la lâcher. Et après, maman m'a caressée, elle a pleuré...

VARIA, *à travers les larmes.*

Ne dis plus rien, ne dis plus rien.

ANIA

Elle avait déjà vendu sa villa près de Menton, il ne lui restait plus rien, rien du tout. A moi non plus, pas un kopeck, nous avions à peine de quoi rentrer. Et maman qui ne se rend compte de rien! Dans les buffets de gare, elle demandait ce qu'il y avait de plus cher, et donnait un rouble de pourboire à chaque garçon. Charlotte en faisait autant. Et Yacha aussi, il réclamait des portions entières pour lui, c'était affreux, tout simplement. C'est que maman a un valet de chambre, Yacha; elle l'a amené ici.

VARIA

Je l'ai vu, ce gredin.

ANIA

Et ici, comment cela s'est-il arrangé? Avez-vous payé les intérêts?

VARIA

Penses-tu!

ANIA

Mon Dieu, mon Dieu.

VARIA

En août, la propriété sera vendue...

ANIA

Mon Dieu...

LOPAKHINE, *passant sa tête par la porte et bêlant.*

Mé-é-é...

Il retire sa tête.

VARIA, *à travers les larmes.*

Si je pouvais lui en flanquer une...

Elle tend le poing vers la porte.

ANIA, *enlaçant Varia, à mi-voix.*

Varia, est-ce qu'il t'a demandée en mariage? *(Varia fait un signe négatif.)* Mais puisqu'il t'aime... Pourquoi ne vous expliquez-vous pas, qu'attendez-vous?

VARIA

Moi je pense que ça ne donnera jamais rien. Il a trop à faire, pas le temps de penser à moi... Il ne me remarque

même pas. Tant pis... il m'est si pénible de le voir...
Tout le monde parle de notre mariage, tous me félicitent,
mais en réalité il n'y a rien, c'est comme un rêve...
(Changeant de ton :) Ta broche, on dirait une abeille.

ANIA, *tristement.*

C'est maman qui l'a achetée. *(Elle va vers sa chambre,
et gaiement, comme une enfant :)* Et à Paris, je suis montée
en ballon!

VARIA

Ma mignonne est revenue! Ma jolie est revenue!
*(Douniacha, qui a déjà apporté une cafetière, fait du café.
Varia est près de la porte.)* Moi, ma mignonne, je travaille toute la journée dans la propriété, et je rêve, je
rêve. Si l'on pouvait te faire épouser un homme très
riche, alors je serais tranquille, je visiterais des monas-
tères, j'irais à Kiev, à Moscou, je marcherais sans arrêt,
de pèlerinage en pèlerinage... Quelle béatitude!

ANIA

Les oiseaux chantent dans le jardin. Quelle heure
est-il?

VARIA

Bientôt trois heures. Il est temps de te coucher, ma
mignonne. *(Entrant dans la chambre d'Ania :)* Quelle
béatitude!

> *Entre Yacha portant un plaid et un petit sac de voyage.*

YACHA, *traversant la scène, demande très poliment.*

On peut passer par ici?

DOUNIACHA

On ne vous reconnaît plus, Yacha. Comme vous avez changé, loin d'ici!

YACHA

Hum... Mais qui êtes-vous?

DOUNIACHA

Quand vous êtes parti, j'étais grande comme ça. *(Geste de la main.)* Je suis Douniacha, la fille de Fédor Kozodoïev. Vous ne vous souvenez pas de moi?

YACHA

Hum... Fraîche comme un concombre!

Il jette un regard autour de lui et étreint Douniacha, qui pousse un cri et laisse tomber une soucoupe. Yacha se sauve.

VARIA, *à la porte, mécontente.*

Qu'est-ce qu'il y a encore?

DOUNIACHA, *larmoyante.*

J'ai cassé une soucoupe...

VARIA

Ça porte bonheur.

ANIA, *sortant de sa chambre.*

Il faut prévenir maman : Pétia est ici.

VARIA

J'ai défendu qu'on le réveille.

ANIA, *rêveuse.*

Il y a six ans que mon père est mort; un mois plus tard, mon frère Gricha, un beau petit garçon de sept ans, s'est noyé dans la rivière. Maman n'a pas pu supporter cela, elle est partie, partie sans regarder en arrière... *(Tressaillant :)* Comme je la comprends. Si elle savait! *(Un temps.)* Pétia Trofimov était le précepteur de Gricha, il pourrait réveiller des souvenirs...

> *Entre Firs, en veston et gilet blanc.*

FIRS, *allant vers la cafetière, l'air soucieux.*

Madame prendra son café ici... *(Mettant des gants blancs :)* Le café est prêt? *(A Douniacha, sévèrement :)* Dis donc, toi! Et la crème?

DOUNIACHA

Ah mon Dieu!

> *Elle sort précipitamment*

FIRS, *s'affairant autour de la table.*

Espèce d'empotée... *(Marmonnant :)* Madame est revenue de Paris... Dans le temps, Monsieur y allait, lui aussi, à Paris... dans sa voiture à chevaux.

> *Il rit.*

VARIA

Qu'est-ce qui te fait rire, Firs?

FIRS

Vous dites, mademoiselle? *(Joyeux :)* Ma maîtresse est revenue! Je n'ai pas attendu pour rien. Je peux bien mourir, maintenant...

Il pleure de joie.

Entrent Lioubov Andréevna, Gaev et Siméonov-Pichtchik; ce dernier porte un long veston, serré à la taille, en drap fin, et une culotte bouffante. En entrant, Gaev mime le jeu de billard avec son buste et ses bras.

LIOUBOV ANDRÉEVNA

Comment dit-on encore? Attends... Le jaune dans le coin. Le doublet au centre.

GAEV

Bille en tête! Dire que nous avons dormi tous les deux dans cette pièce, ma sœur, et voilà que j'ai cinquante et un ans, aussi étrange que cela paraisse...

LOPAKHINE

Oui, le temps passe.

GAEV

Quoi?

LOPAKHINE

Je dis : le temps passe.

GAEV

Ça sent le patchouli ici.

ANIA

Je vais me coucher. Bonne nuit, maman.

Elle embrasse sa mère.

LIOUBOV ANDRÉEVNA

Ma petite fille adorée. *(Elle lui baise les mains.)* **Tu** es contente d'être à la maison? Moi, je n'arrive pas à y croire.

ANIA

Adieu, mon oncle.

GAEV, *lui baisant les mains et le visage.*

Que Dieu te garde. Comme tu ressembles à ta mère! A son âge, Liouba, tu étais exactement comme elle.

Ania serre la main de Lopakhine et de Pichtchik, sort et ferme la porte derrière elle.

LIOUBOV ANDRÉEVNA

Elle est tellement fatiguée.

PICHTCHIK

C'est un voyage bien long.

VARIA, *à Lopakhine et Pichtchik.*

Eh bien, messieurs, presque trois heures; il serait temps de vous retirer.

LIOUBOV ANDRÉEVNA, *riant.*

Tu n'as pas changé, Varia. *(Elle l'attire à elle et l'embrasse.)* Laisse-moi finir mon café et nous nous en irons tous. *(Firs glisse un coussin sous ses pieds.)* Merci, mon ami. Je me suis habituée au café. J'en prends jour et nuit. Merci, mon petit vieux.

Elle embrasse Firs.

VARIA

Je vais voir si toutes vos affaires sont là.

Elle sort.

LIOUBOV ANDRÉEVNA

Est-ce vraiment moi qui suis ici? *(Elle rit.)* J'ai envie de sauter, de faire la folle. *(Elle se cache le visage.)* Et si ce n'était qu'un rêve? Dieu le sait : j'aime ma patrie, je l'aime tendrement, j'étais incapable de regarder par la fenêtre du wagon, je ne faisais que pleurer. *(A travers les larmes :)* Il faut tout de même finir ce café. Merci, Firs, merci, mon petit vieux. Je suis si heureuse que tu sois encore en vie.

FIRS

Avant-hier.

GAEV

Il est dur d'oreille.

LOPAKHINE

Quel ennui de devoir partir à cinq heures pour Kharkov. Quel ennui! Je voudrais vous regarder encore, vous parler... Vous êtes toujours aussi merveilleuse.

PICHTCHIK, *haletant.*

Elle a même embelli... Et cette toilette parisienne... Vogue la galère!

LOPAKHINE

Votre Léonide Andréevitch que voilà, dit que je suis un goujat, un koulak, mais je m'en fiche totalement. Qu'on dise de moi ce qu'on voudra. Je ne désire qu'une

chose, c'est que vous me gardiez votre confiance, et
que vos yeux merveilleux, vos yeux émouvants, me
regardent comme autrefois. Seigneur miséricordieux!
Mon père était le serf de votre grand-père et de votre
père, mais vous, vous personnellement, vous avez tant
fait pour moi que j'ai oublié tout le reste, je vous aime
comme si vous étiez de ma famille... et plus encore.

LIOUBOV ANDRÉEVNA

Je ne peux pas rester en place, c'est impossible. *(Elle
saute sur ses pieds et arpente la pièce, très émue.)* Je ne
survivrai pas à cette joie... Moquez-vous de moi, je suis
stupide... Ma petite armoire chérie... *(Elle embrasse
l'armoire.)* Ma petite table...

GAEV

Nounou est morte en ton absence.

LIOUBOV ANDRÉEVNA *se rassoit et boit son café.*

Oui, paix à son âme. On me l'a écrit.

GAEV

Anastase est mort aussi. Et Pierre le Borgne m'a quitté,
il est maintenant en ville, chez le commissaire de police.
Il sort une boîte de sa poche et suce un caramel.

PICHTCHIK

Dachenka, ma fille... vous salue...

LOPAKHINE

Je voudrais vous dire des choses très agréables, qui
vous réjouissent. *(Consultant sa montre :)* Mais je pars
à l'instant, pas le temps de bavarder... deux ou trois
mots seulement. Vous le savez déjà, votre Cerisaie sera

vendue pour dettes, la vente est fixée au vingt-deux
août, mais ne vous inquiétez de rien, chère amie, dormez en paix. Il y a une solution. Voici mon projet. Je
réclame toute votre attention. Votre propriété est située
à vingt verstes seulement de la ville, n'est-ce pas, le
chemin de fer passe tout près, eh bien, lotissez la Cerisaie et le terrain qui longe la rivière, louez ces lots
aux estivants, et c'est pour vous, au bas mot, vingt-
cinq mille roubles de revenu annuel.

GAEV

Quelles bêtises, excusez-moi.

LOPAKHINE

Demandez-leur au minimum vingt-cinq roubles de
loyer annuel par déciatine, et si vous vous dépêchez
de mettre l'annonce, je vous le garantis par tout ce
que vous voudrez, vous n'aurez plus un lopin de terre
disponible à l'automne, tout y aura passé. Bref, je vous
félicite, vous voilà sauvés. La situation ici est ravissante,
la rivière est profonde. Naturellement, il faudra arran-
ger tout cela, nettoyer... ainsi, par exemple, démolir
tous les vieux bâtiments, cette maison qui ne vaut plus
rien... abattre la vieille cerisaie...

LIOUBOV ANDRÉEVNA

Abattre la cerisaie? Excusez-moi, mon cher, mais
vous n'y comprenez rien. S'il y a quelque chose d'intéressant, voire de remarquable dans notre district, c'est
uniquement la cerisaie.

LOPAKHINE

Elle n'est remarquable que par ses dimensions. Elle
ne donne de fruits qu'une fois tous les deux ans, et

encore on ne sait que faire des cerises, personne n'en achète.

GAEV

Même dans le Dictionnaire Encyclopédique il est question de ce jardin.

LOPAKHINE, *consultant sa montre.*

Si nous ne trouvons rien et n'aboutissons à rien, votre cerisaie et toute la propriété seront vendues aux enchères le vingt-deux août. Décidez-vous! Je vous jure qu'il n'y a pas d'autre solution. Il n'y en a pas et il n'y en a pas.

FIRS

Dans le temps, il y a quarante ou cinquante ans de cela, la cerise, on la faisait sécher, macérer, mariner, on en faisait de la confiture et quelquefois...

GAEV

Tais-toi, Firs.

FIRS

Quelquefois, la cerise séchée, on en envoyait de pleins chariots à Moscou, à Kharkov. De l'argent à la pelle! Et la cerise alors, elle était douce, juteuse, sucrée, parfumée... On connaissait un procédé...

LIOUBOV ANDRÉEVNA

Eh bien, ce procédé?

FIRS

On l'a oublié. Personne ne s'en souvient.

PICHTCHIK

Et à Paris? Comment était-ce? Avez-vous mangé des grenouilles?

LIOUBOV ANDRÉEVNA

J'ai mangé des crocodiles.

PICHTCHIK

Pas croyable...

LOPAKHINE

Jusqu'à présent, on ne voyait à la campagne que des seigneurs et des moujiks, mais voilà que les estivants ont fait leur apparition. Aujourd'hui, toutes les villes, même les plus insignifiantes, sont entourées de *datchas*. Et l'on peut prévoir que d'ici une vingtaine d'années, l'estivant va se multiplier d'une façon extraordinaire. Il ne fait encore que boire du thé sur sa terrasse, mais il se peut qu'il veuille cultiver un jour son bout de terrain, et alors votre cerisaie deviendra heureuse, riche, magnifique...

GAEV, *indigné.*

Quelles bêtises!

Entrent Varia et Yacha.

VARIA

Il est arrivé deux télégrammes pour vous, petite maman. (*Elle prend une clef à son trousseau et ouvre la vieille armoire qui fait entendre un tintement.*) Les voilà.

LIOUBOV ANDRÉEVNA

C'est de Paris. (*Elle déchire les télégrammes sans les lire.*) Paris, c'est fini...

GAEV

Sais-tu l'âge de cette armoire, Liouba? Il y a huit
jours, j'ai ouvert le tiroir d'en bas, et j'y ai vu une
date gravée à l'intérieur. L'armoire a cent ans, exactement. Qu'en dis-tu? Hein? On pourrait fêter son jubilé.
Ce n'est qu'un objet inanimé, mais il s'agit tout de même
d'une bibliothèque...

PICHTCHIK, *étonné.*

Cent ans. Pas croyable...

GAEV

Oui... Ça, c'est un meuble. *(Tâtant l'armoire :)* Chère
et très estimée armoire! Je te salue, toi, dont depuis
plus d'un siècle, l'existence est orientée vers les idéaux
lumineux du bien et de la justice. Ton appel silencieux
au travail fécond n'a pas failli depuis cent ans *(à travers
des larmes)*, soutenant, dans les générations de notre
famille, le courage, la foi en un avenir meilleur, implan-
tant dans nos cœurs le sens du bien et de la conscience
sociale.

Un temps.

LOPAKHINE

Oui...

LIOUBOV ANDRÉEVNA

Tu es toujours le même, Lionia.

GAEV, *un peu confus.*

La bille à droite, par la bande. Je tape au centre.

LOPAKHINE, *consultant sa montre.*

Eh bien, il est temps de partir.

YACHA, *présentant des médicaments à Lioubov Andréevna.*

C'est peut-être l'heure de prendre vos pilules, madame?

PICHTCHIK

Ne prenez pas de médicaments, ma bonne amie, c'est
du pareil au même... Donnez-les-moi, très estimée. *(Il
vide la boîte de pilules dans sa main, souffle dessus, les avale,
et boit du kvass.)* Et voilà...

LIOUBOV ANDRÉEVNA, *effrayée.*

Mais vous êtes fou!

PICHTCHIK

Avalées! Toutes.

LOPAKHINE

Quel goinfre!

Tous rient.

FIRS

Quand Monsieur est venu chez nous pendant la
Semaine sainte, il a mangé un demi-seau de concombres
à lui tout seul...

Il marmonne.

LIOUBOV ANDRÉEVNA

Que dit-il?

VARIA

Il marmonne comme ça depuis trois ans. Nous y
sommes habitués.

YACHA

C'est l'âge.

Charlotte Ivanovna, en robe blanche, très maigre, la taille étroitement serrée, un lorgnon à la ceinture, traverse la scène.

LOPAKHINE

Excusez-moi, Charlotte Ivanovna, je ne vous ai pas encore saluée.

Il veut lui baiser la main.

CHARLOTTE, *retirant sa main.*

Si on vous accorde la main, vous exigerez le coude, puis l'épaule...

LOPAKHINE

Bon, je n'ai pas de chance aujourd'hui. *(Tous rient.)* Charlotte Ivanovna, montrez-nous un de vos tours.

LIOUBOV ANDRÉEVNA

Un tour, Charlotte!

CHARLOTTE

Non. Je vais me coucher.

Elle sort.

LOPAKHINE

Nous nous reverrons dans trois semaines. *(Il baise la main de Lioubov Andréevna.)* En attendant, adieu, il est temps. *(A Gaev :)* Au revoir. *(Il embrasse Pichtchik.)* Au revoir. *(Il serre la main de Varia, de Firs et de Yacha.)* Pas la moindre envie de partir. *(A Lioubov*

Andréevna :) Quand vous aurez réfléchi et pris une décision, faites-moi signe. Je vous trouverai bien cinquante
mille roubles. Pensez-y sérieusement.

VARIA, *en colère.*

Mais partez donc, à la fin!

LOPAKHINE

Je m'en vais, je m'en vais...

Il sort.

GAEV

Quel goujat! Oh mais, pardon, Varia va l'épouser,
c'est son petit fiancé.

VARIA

Pourquoi dire des choses inutiles, mon oncle?

LIOUBOV ANDRÉEVNA

Mais, Varia, je serais très heureuse, moi. C'est un
homme bien.

PICHTCHIK

Rendons-lui cette justice, c'est un homme... très
digne. Et ma Dachenka dit aussi que... elle dit toutes
sortes de choses. *(Il ronfle, mais se réveille aussitôt.)* Tout
de même, très estimée, voulez-vous me prêter... deux
cent quarante roubles...

VARIA, *effrayée.*

Non, non, il n'y a pas d'argent.

LIOUBOV ANDRÉEVNA

C'est vrai, je n'en ai pas.

PICHTCHIK

Vous en trouverez bien. *(Il rit.)* Je ne perds jamais
l'espoir. Parfois, je me dis, c'est fichu, je suis perdu,
et puis voilà, le chemin de fer traverse mes terres...
et l'on me verse de l'argent. N'importe quoi peut arriver... du jour au lendemain. Ma Dachenka peut gagner
deux cent mille roubles... elle a pris un billet.

LIOUBOV ANDRÉEVNA

J'ai fini mon café... on peut aller se reposer.

FIRS, *brossant le pantalon de Gaev, sévèrement.*

Vous vous êtes encore trompé de pantalon. Rien à
faire avec vous !

VARIA, *à voix basse.*

Ania dort. *(Elle ouvre la fenêtre sans bruit.)* Le soleil
s'est levé, il ne fait pas froid. Regardez, petite maman,
quels beaux arbres ! Mon Dieu, cet air ! Et les sanson-
nets qui chantent.

GAEV, *ouvrant l'autre fenêtre.*

Le jardin est tout blanc. Tu n'as pas oublié, Liouba ?
Cette longue allée, qui s'étend devant nous, droite, toute
droite, comme une courroie tendue, elle brille au clair
de lune. Tu t'en souviens ? Tu ne l'as pas oubliée ?

LIOUBOV ANDRÉEVNA, *regardant par la fenêtre.*

O mon enfance ! O ma pureté ! C'est dans cette
chambre que je dormais, d'ici que je regardais le jar-

din, le bonheur se réveillait avec moi tous les matins, et le jardin était alors exactement pareil, rien n'a changé... *(Elle rit de joie.)* Blanc, tout blanc. O mon jardin! Après un automne sombre et maussade, après un hiver glacé, te voilà jeune à nouveau, plein de bonheur, les anges célestes ne t'ont pas abandonné... Oh! arracher cette lourde pierre de ma poitrine, de mes épaules, oublier mon passé!

GAEV

Oui, et le jardin sera vendu pour dettes, aussi étrange que cela paraisse...

LIOUBOV ANDRÉEVNA

Regardez, notre pauvre mère qui marche dans le jardin, en robe blanche. *(Elle rit de joie.)* C'est elle.

GAEV

Où?

VARIA

Qu'avez-vous, ma petite maman?

LIOUBOV ANDRÉEVNA

Il n'y a personne. Je me suis trompée. A droite, sur le chemin de la tonnelle, il y a un petit arbre blanc, il est penché, on dirait une femme... *(Entre Trofimov, vêtu d'un uniforme usé d'étudiant; il porte des lunettes.)* Quel jardin étonnant! Des masses blanches de fleurs, le ciel bleu...

TROFIMOV

Lioubov Andréevna! *(Elle se retourne.)* Je ne veux que vous saluer, je me retire immédiatement. *(Il lui*

baise la main avec ferveur.) On m'avait ordonné d'attendre
jusqu'au matin, mais je n'ai pu y tenir...

> *Lioubov Andréevna le regarde étonnée.*

VARIA, *à travers des larmes.*

C'est Pétia Trofimov...

TROFIMOV

Pétia Trofimov, l'ancien précepteur de votre fils.
Ai-je donc changé à ce point?

> *Lioubov Andréevna l'embrasse et pleure doucement.*

GAEV, *troublé.*

Voyons, voyons, Liouba.

VARIA, *pleurant.*

Je vous avais bien dit, Pétia, d'attendre jusqu'à
demain.

LIOUBOV ANDRÉEVNA, *pleurant.*

Mon Gricha... mon petit garçon... Gricha... mon
fils...

VARIA

Que faire, ma petite maman? C'est la volonté de Dieu.

TROFIMOV, *affectueusement, à travers des larmes.*

C'est fini, assez...

LIOUBOV ANDRÉEVNA

Mon petit garçon qui est mort... qui s'est noyé...
Pourquoi tout cela? Pourquoi, mon ami? *(Baissant la*

voix :) Ania dort à côté, et moi je parle fort... Je fais du bruit... Eh bien, Pétia? Mais pourquoi avez-vous donc tellement enlaidi? Tellement vieilli?

TROFIMOV

Dans le train, une bonne femme m'a traité de barine pelé.

LIOUBOV ANDRÉEVNA

Vous n'étiez alors qu'un gamin, un gentil petit étudiant, et maintenant, ces cheveux rares, ces lunettes... Est-il possible que vous soyez toujours étudiant?

Elle va vers la porte.

TROFIMOV

Je serai sans doute un éternel étudiant.

LIOUBOV ANDRÉEVNA, *embrassant son frère, puis Varia.*

Et maintenant, allez vous coucher... Toi aussi, tu as vieilli, Léonide.

PICHTCHIK, *la suivant.*

Donc, on va au lit. Oh là là, ma goutte! Je vais coucher chez vous... Lioubov Andréevna, ma chère âme, si vous pouviez... demain, de bonne heure... deux cent quarante roubles...

GAEV

Il ne perd pas le nord, celui-là.

PICHTCHIK

Deux cent quarante roubles... pour payer les intérêts de l'hypothèque.

LIOUBOV ANDRÉEVNA

Je n'ai pas d'argent, mon pauvre ami.

PICHTCHIK

Je vous le rendrai, ma chère. C'est une somme insignifiante.

LIOUBOV ANDRÉEVNA

C'est bon, Léonide vous donnera ça. Donne-lui, Léonide.

GAEV

Tiens! Il peut toujours courir.

LIOUBOV ANDRÉEVNA

Que faire... Donne-lui... Puisqu'il en a besoin. Il le
rendra.

> *Lioubov Andréevna, Pichtchik et Firs sortent. Res-
> tent en scène Gaev, Varia et Yacha.*

GAEV

Ma sœur n'a pas encore perdu l'habitude de gaspiller l'argent. *(A Yacha :)* Écarte-toi, mon bon, tu sens
le poulet.

YACHA, *sourire ironique.*

Vous êtes toujours le même, Léonide Andréevitch.

GAEV

Comment? *(A Varia :)* Qu'a-t-il dit?

VARIA, *à Yacha.*

Ta mère est venue du village, elle t'attend depuis hier à l'office, elle veut te voir.

YACHA

Elle ne m'intéresse pas.

VARIA

Yacha, tu n'as pas honte?

YACHA

Quelle importance! Elle pourrait aussi bien venir demain.

Il sort.

VARIA

Notre petite maman est restée la même, elle n'a pas changé du tout. Si on la laissait faire, elle donnerait tout ce qu'elle a.

GAEV

Oui... *(Un temps.)* Si, pour guérir une maladie, on propose beaucoup de remèdes, cela veut dire que la maladie est incurable. Moi je pense, je me creuse le cerveau, j'imagine une ribambelle de remèdes, en réalité, cela veut dire : pas un seul. Il serait bon de toucher un héritage, de marier notre Ania avec un homme très riche, d'aller à Jaroslavl, et de tenter la chance auprès de notre tante la comtesse. La tante est riche, très riche.

VARIA, *pleurant.*

Si Dieu voulait nous aider...

GAEV

Ne chiale pas. Ta tante est très riche, mais elle ne
nous aime pas. Premièrement, ma sœur a épousé un
avocat qui n'était pas de la noblesse... *(Ania apparaît
à la porte)* c'est-à-dire un roturier, et sa conduite, il
faut bien le dire, n'avait rien de très vertueux. Elle est
bonne, elle est gentille, charmante, je l'aime beaucoup;
mais, on a beau chercher des circonstances atténuantes,
il y a du vice en elle, avouons-le. Cela se sent dans le
moindre de ses gestes...

VARIA, *murmurant.*

Ania est à la porte.

GAEV

Comment? *(Un temps.)* C'est drôle, quelque chose
m'est entré dans l'œil droit, je n'y vois plus clair. Jeudi
dernier, au tribunal du district...

Entre Ania.

VARIA

Mais pourquoi ne dors-tu pas, Ania?

ANIA

Impossible. Je n'arrive pas à m'endormir.

GAEV

Mon tout petit. *(Il baise les mains et le visage d'Ania.)*
Mon enfant... *(A travers des larmes :)* Tu n'es pas ma
nièce, tu es mon ange, tu es tout pour moi. Crois-moi,
crois-moi...

ANIA

Je te crois, mon oncle. Tout le monde t'aime et t'estime... mais, mon cher oncle, tu devrais te taire, te taire, tu comprends. Qu'est-ce que tu viens encore de dire de maman, de ta sœur ? Et pourquoi le disais-tu ?

GAEV

Oui, oui... *(Il se couvre le visage avec la main d'Ania.)* En effet, c'est affreux. Mon Dieu, mon Dieu, aidez-moi ! Et aujourd'hui encore, ce discours devant l'armoire... c'était d'un bête. Et je ne m'en suis rendu compte que quand j'ai eu fini.

VARIA

C'est vrai, mon petit oncle, vous feriez mieux de vous taire. Taisez-vous, un point c'est tout.

ANIA

Si tu ne dis rien, tu seras toi-même beaucoup plus tranquille.

GAEV

Je me tais. *(Il baise les mains d'Ania et de Varia.)* Je me tais. Un mot seulement au sujet de l'affaire. Voilà, jeudi dernier, j'étais au tribunal du district, nous étions toute une bande, on a bavardé, ceci, cela, eh bien, il est sûrement possible d'emprunter de l'argent contre des traites, afin de payer les intérêts à la banque.

VARIA

Si Dieu voulait nous aider !

GAEV

J'y retourne mardi, j'en reparlerai. *(A Varia :)* Ne chiale pas. *(A Ania :)* Ta maman verra Lopakhine, il ne

refusera pas de l'aider, j'en suis sûr... Et toi, dès que
tu seras reposée, tu partiras pour Jaroslavl, chez ta
grand-mère, la comtesse. Ainsi nous attaquerons sur
trois fronts différents, et notre affaire sera dans le sac.
Nous payerons les intérêts, foi de Gaev... *(Il met un
caramel dans sa bouche.)* Je te jure sur mon honneur, sur
tout ce que tu voudras, la propriété ne sera pas vendue.
(Avec agitation :) Je le jure par ma félicité! Voici ma
main. Traite-moi de mauvais homme, d'homme sans
cœur, si je permets la vente aux enchères. Je le jure par
mon être tout entier!

ANIA, *rassurée, heureuse.*

Que tu es bon, mon oncle, que tu es intelligent!
Je suis tranquille maintenant. Tranquille! Je suis heureuse.

Entre Firs.

FIRS, *avec reproche.*

Léonide Andréevitch, vous n'avez pas honte? Quand
est-ce que vous allez vous coucher?

GAEV

J'y vais, j'y vais. Tu peux t'en aller, Firs, je me
déshabillerai tout seul. Eh bien, mes petites, il faut
faire dodo... la suite à demain, maintenant, au lit. *(Il
embrasse Ania et Varia.)* Je suis un homme des années
quatre-vingt... On ne dit pas de bien de cette époque,
mais je peux l'affirmer, mes opinions ne m'ont pas
rendu la vie facile. Et ce n'est pas pour rien qu'il m'aime,
le moujik. C'est qu'il faut le connaître, le moujik.
Il faut savoir de quel côté...

ANIA

Tu recommences, mon oncle.

VARIA

Vous feriez mieux de vous taire, petit oncle.

FIRS, *fâché.*

Léonide Andréevitch!

GAEV

Je viens, je viens... Allez vous coucher. Par la bande,
au milieu!

Il sort, Firs trottine derrière lui.

ANIA

Maintenant je suis tranquille. Je n'ai pas envie d'aller
à Jaroslavl, je n'aime pas ma grand-mère, mais ça ne
fait rien, je suis tranquille. Grâce à mon oncle.

Elle s'assoit.

VARIA

Il faut aller se coucher. Moi j'y vais. Au fait, en
ton absence, nous avons eu des ennuis. Tu sais, dans
l'ancien office, il n'y a plus que les vieux domestiques
qui habitent là, Efimiouchka, Polia, Eustignéi, et Karp.
Ils ont pris l'habitude de laisser des vagabonds coucher
chez eux. Bon, moi je ne dis rien. Puis un jour j'apprends
qu'on fait courir le bruit que j'ai donné l'ordre de ne
les nourrir qu'avec des pois chiches. Par ladrerie, tu
comprends... C'est Eustignéi qui raconte ça. C'est bon,
je me dis. Si c'est comme ça, vous allez voir. Je fais
venir Eustignéi, je lui dis : espèce d'imbécile que tu es...

(Elle regarde Ania.) Anetchka! *(Un temps.)* Elle s'est
endormie. Viens dans ton petit lit. *(Elle la conduit.)*
Ma mignonne s'est endormie. Viens...

> *Elles vont vers la porte.*
> *Dans le lointain, un berger joue du chalumeau.*
> *Trofimov traverse la scène; voyant Ania et Varia,*
> *il s'arrête.*

VARIA

Chut... Elle dort... Viens, ma chérie.

ANIA, à voix basse, presque en rêve.

Je suis si fatiguée... toutes ces clochettes... Oncle...
chéri... et maman et l'oncle...

VARIA

Viens, mon petit, viens...

> *Elles rentrent dans la chambre d'Ania.*

TROFIMOV, attendri.

Mon soleil! Mon printemps!

ACTE II

Un champ. Une vieille chapelle penchée, depuis longtemps désaffectée. A côté, un puits, de grosses pierres — probablement des pierres tombales — un vieux banc. On voit la route qui mène à la propriété de Gaev. A l'écart, quelques sombres peupliers : là commence la cerisaie. Plus loin, une rangée de poteaux télégraphiques. Tout à fait au fond, on devine une grande ville qui n'est visible que par temps très clair. Le soleil est sur le point de se coucher. Charlotte, Yacha et Douniacha sont assis sur le banc. Epikhodov, debout, joue de la guitare. Tous ont l'air rêveur. Charlotte, coiffée d'une vieille casquette, a retiré un fusil de son épaule et arrange une boucle de la courroie.

CHARLOTTE, *songeuse.*

Je n'ai pas de vrai passeport, j'ignore mon âge, il me semble que je suis toujours jeunette. Quand j'étais petite, mon père et ma mère allaient d'une foire à une autre, et donnaient des représentations, de très bonnes représentations. Et moi, je faisais des sauts périlleux, toutes sortes de choses. Après la mort de papa et de maman, une dame allemande m'a recueillie, c'est elle qui m'a élevée. Bon. J'ai grandi, je me suis placée

comme gouvernante. Mais d'où je viens et qui je suis?
je ne sais pas. Qui étaient mes parents? Est-ce qu'ils
étaient seulement mariés? *(Elle sort de sa poche un
concombre et le mange.)* Je n'en sais rien. *(Un temps.)*
J'aurais tellement envie de parler, mais avec qui? Je
n'ai personne.

EPIKHODOV *chante en jouant de la guitare.*

« Je me moque des splendeurs de ce monde, des
amis comme des ennemis... » C'est bien agréable de
jouer de la mandoline!

DOUNIACHA

C'est une guitare, pas une mandoline.
         *Elle se mire dans une petite glace et se poudre le
    visage.*

EPIKHODOV

Pour l'insensé qui meurt d'amour, c'est une mandoline... *(Il chantonne :)* « Pourvu qu'un amour réciproque
réchauffe mon cœur esseulé... »
                                      Yacha chantonne aussi.

CHARLOTTE

Ce qu'ils peuvent chanter mal, ces gens-là! Fi! On
dirait des chacals.

DOUNIACHA, *à Yacha.*

Quelle chance tout de même d'avoir été à l'étranger!

YACHA

En effet. Je partage entièrement votre avis.
                          Il bâille, puis allume un cigare.

EPIKHODOV

C'est évident. A l'étranger, tout est au poil depuis longtemps.

YACHA

Dame!

EPIKHODOV

Je suis un homme évolué, je lis des bouquins remarquables, et cependant je n'arrive pas à saisir la direction de mes pensées; qu'est-ce que je veux, au juste : vivre, ou me faire sauter la cervelle? Enfin, j'ai toujours un revolver sur moi. Que voilà...

Il montre un revolver.

CHARLOTTE

J'ai fini. Maintenant, je m'en vais. *(Elle remet le fusil sur son épaule.)* Tu es un homme très intelligent, Epikhodov, et très redoutable; les femmes doivent t'adorer. Brr! *(Elle fait quelques pas.)* Tous ces savants sont tellement bêtes, personne à qui parler... Je suis seule, toujours seule, je n'ai personne et... qui suis-je, pourquoi suis-je ici?... Je n'en sais rien.

Elle sort, sans se presser.

EPIKHODOV

A vrai dire, et sans aller plus loin, en ce qui me concerne, je dois reconnaître que le sort me traite sans pitié : un petit bateau en pleine tempête. Admettons que je me trompe, mais alors, par exemple, je vous demande pourquoi, ce matin, au réveil, j'aperçois une formidable araignée sur ma poitrine... Grande comme ça. *(Il montre des deux mains.)* Ou bien, j'ai soif, je

prends un verre de kvass, et qu'est-ce que j'y trouve,
quelque chose d'affreux, dans le genre cafard. *(Un
temps.)* Avez-vous lu Buckle? *(Un temps.)* Je voudrais
vous dire deux mots, Avdotia Fédorovna, si cela ne vous
dérange pas trop.

DOUNIACHA

Allez-y.

EPIKHODOV

Je voudrais vous parler en tête à tête...

Un soupir.

DOUNIACHA, *confuse.*

C'est bon... mais apportez-moi d'abord ma petite
cape... Vous la trouverez près de l'armoire... Il fait un
peu humide ici...

EPIKHODOV

Très bien... J'y vais. Maintenant, je sais ce qu'il me
reste à faire avec mon revolver.

Il prend sa guitare et sort en jouant doucement.

YACHA

Vingt-deux malheurs! Quel homme stupide, entre
nous soit dit.

Il bâille.

DOUNIACHA

Pourvu qu'il ne se tue pas, Dieu nous en préserve!
(Un temps.) Je suis devenue si anxieuse, un rien m'affole.
J'étais toute petite quand les maîtres m'ont prise chez
eux, j'ai perdu l'habitude de la vie ordinaire; regardez

mes mains, elles sont blanches, blanches comme celles d'une demoiselle. Je suis devenue si sensible, si délicate, tout m'effraie... J'ai tellement peur! Et si vous me trompez, Yacha, je ne sais pas jusqu'où mes nerfs pourront tenir...

YACHA, *l'embrassant.*

Mon petit concombre! Bien sûr, une jeune fille ne doit pas perdre la tête; ce que je déteste par-dessus tout, c'est qu'une fille se conduise mal.

DOUNIACHA

Je vous aime passionnément, vous êtes instruit, vous pouvez parler de tout...

Un temps.

YACHA, *bâillant.*

Eh oui... A mon avis, si une fille est amoureuse, c'est qu'elle n'a pas de moralité. *(Un temps.)* Bien agréable de fumer un cigare au grand air... *(Il prête l'oreille.)* Quelqu'un vient... Ce sont les maîtres. *(Douniacha l'embrasse avec effusion.)* Rentrez à la maison, comme si vous veniez de prendre un bain dans la rivière, sans quoi ils pourraient croire que nous avions rendez-vous ici. J'ai horreur de ça.

DOUNIACHA, *toussotant.*

Ce cigare m'a donné un mal de tête...

*Elle sort. Yacha reste seul, assis près de la chapelle.
Entrent Lioubov Andréevna, Gaev et Lopakhine.*

LOPAKHINE

Il faut prendre une décision — le temps presse. C'est pourtant bien simple : voulez-vous lotir votre

terrain, oui ou non? Vous n'avez qu'un mot à dire :
oui ou non? Un seul mot!

LIOUBOV ANDRÉEVNA

Mais qui est-ce qui fume des cigares aussi dégoûtants,
ici?

Elle s'assoit.

GAEV

Depuis qu'on a construit un chemin de fer, c'est
devenu bien pratique. *(Il s'assoit.)* On s'est promené en
ville, on a déjeuné... Je carambole en trois bandes! Je
voudrais bien rentrer pour faire une partie de billard...

LIOUBOV ANDRÉEVNA

Tu as le temps.

LOPAKHINE

Un mot, un seul! *(Suppliant :)* Mais donnez-moi donc
une réponse!

GAEV, *bâillant.*

Quoi?

LIOUBOV ANDRÉEVNA, *regardant son porte-monnaie.*

Hier, j'étais pleine d'argent, et voilà, il ne me reste
presque plus rien. Ma pauvre Varia fait des économies,
elle ne nous sert que des soupes au lait, les vieux n'ont
que des pois chiches, à la cuisine, et moi, je gaspille,
je gaspille... *(Elle laisse tomber son porte-monnaie, des
ièces d'or roulent par terre.)* Et les voilà qui roulent...

Elle est agacée.

YACHA

Permettez, madame, je vais les ramasser.

Il ramasse les pièces.

LIOUBOV ANDRÉEVNA

Oui, Yacha, vous seriez gentil. Pourquoi suis-je allée à ce déjeuner?... Quel vilain restaurant, et sa musique, ses nappes qui sentent le savon... Mais pourquoi tant boire, Lénia? Et tant manger? Et tant parler? Tu en as encore fait des discours, et bien mal à propos... Les années 70, la littérature décadente... Et devant qui? Des garçons de restaurant...

LOPAKHINE

Oui.

GAEV, *avec un geste de résignation.*

Je suis incorrigible, c'est évident. (*A Yacha, avec irritation :*) Enfin, as-tu fini de tourner sans arrêt autour de moi?

YACHA, *riant.*

Je ne peux pas entendre votre voix sans rire.

GAEV, *à sa sœur.*

Ce sera moi ou lui...

LIOUBOV ANDRÉEVNA

Allez-vous-en, Yacha. Partez...

YACHA, *rendant son porte-monnaie à Lioubov Andréevna.*

Je m'en vais à l'instant. (*Réprimant son envie de rire avec peine :*) A l'instant...

Il sort.

LOPAKHINE

C'est ce richard de Deriganov qui a l'intention d'acheter votre propriété. Il paraît qu'il va, en personne,
assister à la vente.

LIOUBOV ANDRÉEVNA

Comment le savez-vous?

LOPAKHINE

On en parle en ville.

GAEV

Notre tante de Jaroslavl a promis de nous envoyer
de l'argent, mais quand? et combien? Nous n'en savons
rien.

LOPAKHINE

Oui, combien? Cent mille? Deux cent mille?

LIOUBOV ANDRÉEVNA

Pensez-vous! Dix ou quinze mille, ce serait déjà
beau.

LOPAKHINE

Excusez-moi, mes amis, mais je vous avoue que je
n'ai jamais rencontré de gens aussi légers, aussi peu
pratiques, aussi étranges que vous. On vous dit pourtant en langage clair que votre propriété sera vendue,
mais on a l'impression que vous ne comprenez pas.

LIOUBOV ANDRÉEVNA

Que faut-il faire? Quoi? Dites-le-nous.

LOPAKHINE

Je me tue à vous le dire, je vous le répète tous les jours. Il faut louer à bail votre cerisaie et vos terres, les lotir pour des datchas, il faut le faire sans tarder, le plus rapidement possible. La vente aux enchères est imminente! Comprenez-moi donc! Dès que vous aurez pris cette décision, on vous prêtera autant d'argent qu'il vous plaira, et vous serez sauvés.

LIOUBOV ANDRÉEVNA

Mais des datchas, et des estivants — c'est tellement vulgaire, excusez-moi.

GAEV

Je partage entièrement ton avis.

LOPAKHINE

Je vais éclater en sanglots, ou crier, ou m'évanouir! Je n'en peux plus! Vous m'avez épuisé! *(A Gaev :)* Espèce de chiffe!

GAEV

Quoi?

LOPAKHINE

Espèce de chiffe!

Il veut partir.

LIOUBOV ANDRÉEVNA, *effrayée.*

Non, mon cher ami, ne partez pas, restez, je vous en prie. Peut-être trouverons-nous une solution.

LOPAKHINE

La mienne est la seule!

LIOUBOV ANDRÉEVNA

Ne partez pas, je vous en prie. Avec vous, c'est tout
de même moins triste... *(Un temps.)* J'appréhende tout
le temps quelque chose, comme si la maison allait
s'effondrer...

GAEV, *plongé dans une profonde rêverie.*

Bille en tête... bien allongé...

LIOUBOV ANDRÉEVNA

Que de péchés nous avons commis...

LOPAKHINE

Les vôtres ne sont pas bien terribles...

GAEV, *mettant un bonbon dans sa bouche.*

On prétend que toute ma fortune est partie en bonbons...

Il rit.

LIOUBOV ANDRÉEVNA

O mes péchés... J'ai toujours gaspillé l'argent sans
retenue, comme une folle, et j'ai épousé un homme qui
ne savait que faire des dettes. C'est le champagne qui a
tué mon mari, il s'enivrait à un point... et moi, par malheur, je suis tombée amoureuse d'un autre, je suis
devenue sa maîtresse, et juste à ce moment, c'était le
premier châtiment, un véritable coup de massue, mon
petit garçon s'est noyé, ici... dans cette rivière, et je suis
partie à l'étranger, partie pour toujours, pour ne jamais
revenir, ne plus revoir cette rivière... Je me suis enfuie,

les yeux fermés, sans savoir ce que je faisais, et *lui* m'a suivie... Impitoyable, brutal... J'avais acheté une villa près de Menton, il est tombé malade là-bas, et pendant trois ans, je n'ai pas connu de repos, ni jour ni nuit. Il m'avait épuisée, je n'avais plus d'âme. L'année dernière, on a vendu ma villa pour dettes, je suis partie à Paris, et là, il m'a dépouillée de tout, il m'a abandonnée, pour aller avec une autre... J'ai voulu m'empoisonner. C'était si bête, si honteux... Puis, la brusque nostalgie de la Russie, ma patrie, de ma petite fille... *(Elle essuie ses larmes.)* Seigneur, Seigneur, sois miséricordieux, pardonne-moi mes péchés! Ne me punis plus! *(Elle tire un télégramme de sa poche.)* J'ai reçu ce télégramme de Paris, aujourd'hui. Il me demande pardon, me supplie de revenir... *(Elle déchire le télégramme.)* Tiens, de la musique quelque part...

Elle tend l'oreille

GAEV

C'est notre fameux orchestre juif. Tu te souviens? Quatre violons, une flûte et une contrebasse.

LIOUBOV ANDRÉEVNA

Il existe toujours? Il faudrait le faire venir, un soir, organiser une petite fête...

LOPAKHINE, *prêtant l'oreille.*

On n'entend plus rien... *(Chantonnant doucement :)* « Pour de l'argent un Allemand ferait un Français d'un Russe. » *(Il rit.)* Hier, au théâtre, j'ai vu une pièce d'un drôle...

LIOUBOV ANDRÉEVNA

Je parierais le contraire. Au lieu d'aller au théâtre, vous feriez mieux de vous regarder plus souvent vous-même. Comme votre vie à tous est monotone, que de paroles inutiles...

LOPAKHINE

Ça oui, c'est vrai. Il faut bien l'avouer, nous menons une vie stupide. *(Un temps.)* Mon papa était un moujik, un crétin, il ne comprenait rien à rien, ne m'apprenait rien, ne faisait que me battre quand il était sôul, avec un bâton. Au fond, moi aussi, je ne suis qu'un imbécile, qu'un crétin, comme lui. Je n'ai jamais rien appris, j'ai une vilaine écriture, oui, j'écris comme un cochon, à en avoir honte.

LIOUBOV ANDRÉEVNA

Vous devriez vous marier, mon ami.

LOPAKHINE

Oui... certainement.

LIOUBOV ANDRÉEVNA

Épousez donc votre Varia. C'est une brave fille.

LOPAKHINE

Oui.

LIOUBOV ANDRÉEVNA

Elle est d'origine modeste, elle travaille du matin au soir, et surtout, elle vous aime. Et elle vous plaît aussi, depuis longtemps.

LOPAKHINE

Eh bien? Je ne dis pas non... C'est une brave fille.

Un temps.

GAEV

On m'offre une situation dans une banque. Six mille roubles par an. Tu le savais?

LIOUBOV ANDRÉEVNA

Qu'est-ce que tu vas chercher là? Tiens-toi donc tranquille.

Entre Firs portant un manteau.

FIRS, *à Gaev.*

Veuillez mettre votre manteau, monsieur. Il fait humide.

GAEV, *mettant le manteau.*

Tu m'embêtes, mon vieux.

FIRS

Allons, allons! Déjà ce matin, vous êtes parti sans me prévenir.

Il examine attentivement Gaev.

LIOUBOV ANDRÉEVNA

Comme tu as vieilli, Firs!

FIRS

Pardon, madame?

LOPAKHINE

On te dit que tu as beaucoup vieilli.

FIRS

C'est que je vis depuis longtemps. Votre papa n'était pas encore né, qu'on voulait déjà me marier... *(Il rit.)* Et lorsqu'on nous a libérés, nous autres, j'étais déjà premier valet de chambre. Je n'ai pas voulu de liberté, moi, je suis resté avec mes maîtres... *(Un temps.)* Je me rappelle, ils étaient tous heureux, et de quoi? Ils n'en savaient rien eux-mêmes.

LOPAKHINE

C'était très bien, avant. On pouvait au moins fouet-ter les moujiks.

FIRS, *qui n'a pas entendu.*

C'est sûr. Le moujik était attaché au maître, le maître au moujik. Maintenant chacun va de son côté, on n'y comprend plus rien.

GAEV

Tais-toi, Firs. Demain, il faut que j'aille en ville. On m'a promis de me présenter à un général, qui pourrait nous avancer de l'argent contre une traite.

LOPAKHINE

Il n'en sortira rien. Et vous ne pourrez pas payer les intérêts, soyez-en sûr.

LIOUBOV ANDRÉEVNA

Il a le délire. Ce général n'existe pas.

Entrent Trofimov, Ania et Varia.

GAEV

Voilà notre monde qui arrive.

ANIA

Maman est là...

LIOUBOV ANDRÉEVNA, *avec tendresse.*

Viens ici, viens... Mes chéries... *(Elle embrasse Ania et Varia.)* Si vous saviez combien je vous aime toutes les deux. Asseyez-vous près de moi; voilà, comme ça.

Tous s'assoient.

LOPAKHINE

Notre éternel étudiant ne quitte pas les demoiselles.

TROFIMOV

Ça ne vous regarde pas.

LOPAKHINE

Bientôt cinquante ans, et toujours étudiant.

TROFIMOV

Cessez vos plaisanteries stupides.

LOPAKHINE

Mais pourquoi te fâches-tu, espèce d'original ?

TROFIMOV

Tu n'as qu'à me laisser en paix.

LOPAKHINE, *riant.*

Permettez-moi de vous poser une question : que pensez-vous de moi ?

TROFIMOV

Voilà ce que je pense, Ermolaï Alexéevitch : vous êtes un homme riche, bientôt vous serez millionnaire. Du point de vue du métabolisme, une bête de proie qui

dévore tout ce qu'elle trouve sur son chemin, est utile;
donc, toi aussi, tu as ton utilité.

Rires.

VARIA

Pétia, parlez-nous plutôt des planètes.

LIOUBOV ANDRÉEVNA

Non, reprenons notre conversation d'hier.

TROFIMOV

De quoi parlions-nous?

GAEV

De l'homme orgueilleux.

TROFIMOV

Oui, sans aboutir à rien. Dans votre conception de
l'homme orgueilleux, il y a un côté mystique. Vous
n'avez peut-être pas tort, mais si on raisonne simplement sans chercher midi à quatorze heures, que signifie cet orgueil, quel en est le sens? Physiologiquement,
l'homme est assez mal organisé, et dans l'immense
majorité des cas, il est brutal, inintelligent, et profondément malheureux. Alors assez de nous admirer nous-
mêmes. Nous ferions mieux de travailler.

GAEV

De toute façon, il faudra bien mourir.

TROFIMOV

Qui sait? Et qu'est-ce que ça veut dire : mourir?
L'homme possède peut-être une centaine de sens, nous

n'en connaissons que cinq, qui périssent avec lui, mais
les quatre-vingt-quinze autres restent vivants.

LIOUBOV ANDRÉEVNA.

Que vous êtes intelligent, Pétia!...

LOPAKHINE, *ironique.*

C'en est effrayant!

TROFIMOV

L'humanité va de l'avant, perfectionnant ses forces.
Tout ce qui, aujourd'hui, lui paraît inaccessible, lui
paraîtra un jour simple et clair, seulement voilà, il faut
travailler, il faut aider de toutes nos forces ceux qui
cherchent la vérité. Chez nous, en Russie, ceux qui travaillent sont encore trop peu nombreux. L'immense
majorité de cette intelligentsia que je connais ne cherche rien, ne fait rien, elle est encore inapte au travail.
Ils se croient des intellectuels, mais ils tutoient leurs
domestiques, traitent les paysans comme des bêtes;
ils n'apprennent rien, ne lisent pas de livres sérieux,
ne fichent absolument rien, se contentent de parler
de la science et que comprennent-ils à l'art?... Pourtant,
chez tous, quel air grave, quelle expression sévère,
ils ne traitent que de questions importantes, se piquent
de philosophie, pendant que, sous leur nez, les ouvriers
sont abominablement nourris, et couchent sans oreiller,
à trente, à quarante dans une pièce; partout, c'est plein
de punaises, c'est la puanteur, l'humidité, et quelle
saleté morale! Il est clair que toutes ces belles paroles
ne servent qu'à leurrer tout le monde. Montrez-moi
donc ces crèches dont on parle tant, montrez-moi ces
salles de lecture. On ne les trouve que dans les romans;

en réalité, elles n'existent pas. Ce qui existe, c'est la
saleté, la vulgarité, la routine asiatique. Je n'aime
pas ces physionomies graves, elles me font peur, et je
crains les conversations sérieuses. Nous ferions mieux
de nous taire!

LOPAKHINE

Moi, vous savez, je me lève avant cinq heures du
matin, je travaille jusqu'au soir, je manie pas mal d'argent, le mien comme celui des autres. Eh bien, je peux
juger les gens qui nous entourent. Il suffit d'entreprendre un travail quelconque pour se rendre compte à
quel point les gens honnêtes et convenables sont rares
parmi nous. Parfois, quand je n'arrive pas à m'endormir, je me dis : « Seigneur, tu nous as donné des forêts
immenses, des champs sans limites, les horizons les
plus profonds du monde, et nous qui vivons ici, nous
devrions être des géants... »

LIOUBOV ANDRÉEVNA

Et pour quoi faire, des géants? Dans les contes de
fées, c'est très bien, mais dans la vie, ils feraient peur.
*(Epikhodov passe à l'arrière-plan en jouant de la guitare.
Rêveuse :)* Voilà Epikhodov qui passe...

ANIA, *rêveuse.*

Voilà Epikhodov qui passe...

GAEV

Le soleil s'est couché, mes amis.

TROFIMOV

Oui.

GAEV, *à mi-voix, comme s'il récitait.*

O divine nature, tu brilles d'un éclat éternel, belle et indifférente, toi que nous appelons notre mère, en toi sont réunies la vie et la mort, tu vivifies et tu détruis...

VARIA, *suppliante.*

Mon petit oncle!

ANIA

Mon oncle, encore!

TROFIMOV

Envoyez plutôt votre bille en doublé.

GAEV

Je me tais, je me tais...

Tous se taisent, pensifs. Un grand calme. On n'entend que le marmonnement confus de Firs. Tout à coup un bruit lointain, comme venant du ciel : le son d'une corde rompue. Peu à peu, il disparaît, tristement.

LIOUBOV ANDRÉEVNA

Qu'est-ce que c'est?

LOPAKHINE

Je ne sais pas. Peut-être une benne qui s'est détachée, quelque part, dans les mines. Très loin d'ici.

GAEV

Ou peut-être un oiseau... dans le genre cigogne.

TROFIMOV

Ou une chouette.

LIOUBOV ANDRÉEVNA, *frissonnant*.

Je ne sais pas pourquoi... c'est bien désagréable.

Un temps.

FIRS

Avant le malheur, c'était pareil : la chouette criait, et le samovar n'arrêtait pas de bourdonner.

GAEV

Avant quel malheur?

FIRS

Avant l'affranchissement des serfs.

Un temps.

LIOUBOV ANDRÉEVNA

Il est temps de rentrer, mes amis, la nuit tombe. (*A Ania :)* Tu as les larmes aux yeux... Qu'as-tu, ma petite?

Elle la serre dans ses bras.

ANIA

Rien, maman. Rien du tout.

TROFIMOV

Quelqu'un vient par ici.

Apparaît un passant vêtu d'un pardessus, coiffé d'une casquette blanche défraîchie. Il est un peu éméché.

LE PASSANT

Puis-je vous demander si on passe par ici pour aller directement à la gare?

GAEV

Oui, oui. Vous n'avez qu'à suivre ce chemin.

LE PASSANT

Je vous remercie de tout cœur. *(Il toussote.)* Quel temps magnifique... *(Récitant :)* « Mon frère, mon pauvre frère souffrant... va à la Volga où les gémissements... » *(A Varia :)* Mademoiselle, voudriez-vous donner une trentaine de kopecks à un Russe affamé...

Varia, effrayée, pousse un cri.

LOPAKHINE, *fâché.*

Il y a des limites à l'insolence.

LIOUBOV ANDRÉEVNA, *éperdue.*

Tenez... voilà pour vous... *(Elle cherche dans son porte-monnaie.)* Je n'ai pas de petite monnaie... ça ne fait rien, prenez cette pièce d'or...

LE PASSANT

Je vous remercie de tout cœur.

Il sort. Rires.

VARIA, *effrayée.*

Je m'en vais... Je m'en vais... Oh, ma petite maman, à la maison, les domestiques n'ont rien à manger, et vous, vous lui donnez une pièce d'or!...

LIOUBOV ANDRÉEVNA

Que veux-tu... Je suis trop bête. En rentrant, je te donnerai tout ce qui me reste. Ermolaï Alexéevitch, vous m'en avancerez encore, n'est-ce pas?

LOPAKHINE

À vos ordres.

LIOUBOV ANDRÉEVNA

Partons, mes amis, il est temps. A propos, Varia, en ton absence, nous t'avons presque mariée. Félicitations.

VARIA, *à travers les larmes.*

Ce n'est pas un sujet de plaisanterie, maman.

LOPAKHINE

Ophélie, entre au couvent...

GAEV

Voilà que mes mains tremblent : il y a longtemps que je n'ai pas joué au billard.

LOPAKHINE

Ophélie, ô nymphe, ne m'oublie pas dans tes prières!

LIOUBOV ANDRÉEVNA

Venez, mes amis! C'est bientôt l'heure du souper.

VARIA

Il m'a fait peur. J'ai des palpitations.

LOPAKHINE

Mesdames et messieurs, je vous rappelle que le vingt-deux août, la Cerisaie sera vendue aux enchères. Pensez-y! Pensez-y!...

Tous sortent, sauf Trofimov et Ania.

ANIA, *riant.*

Brave passant! Il a effrayé Varia, nous voilà seuls.

TROFIMOV

Varia a peur que nous tombions amoureux l'un de l'autre, c'est pourquoi elle ne nous quitte pas d'une semelle, du matin au soir. Elle a l'esprit trop étroit pour comprendre que nous sommes au-dessus de l'amour. Éviter tout ce qui est mesquin et illusoire, tout ce qui nous empêche d'être libres et heureux, voilà le but et le sens de notre vie. En avant! Nous sommes irrésistiblement attirés vers l'étoile lumineuse qui brille dans le lointain. En avant! Pas de retardataires, camarades!

ANIA, *joignant les mains.*

Comme vous parlez bien! *(Un temps.)* Il fait merveilleusement bon aujourd'hui.

TROFIMOV

Oui, le temps est superbe.

ANIA

Qu'avez-vous fait de moi, Pétia? Pourquoi ai-je cessé d'aimer la Cerisaie comme avant? Je l'aimais si tendrement, il me semblait qu'il n'y avait pas sur la terre d'endroit plus beau que notre jardin.

TROFIMOV

Toute la Russie est notre jardin. La terre est grande
et belle, on y trouve beaucoup d'endroits merveilleux.
(Un temps.) Songez-y, Ania : votre grand-père, votre
arrière-grand-père, tous vos ancêtres, possédaient des
esclaves, des âmes vivantes. Est-il possible que dans
chaque cerise, dans chaque feuille, dans chaque branche
de ce jardin, vous ne sentiez pas les êtres humains
qui vous regardent, que vous n'entendiez pas leur
voix ?... Posséder des êtres humains, mais cela vous a
transformés tous, aussi bien ceux qui ont vécu jadis
que ceux qui vivent ici aujourd'hui; ainsi votre mère,
votre oncle, vous-même, vous ne vous rendez pas
compte que vous êtes des débiteurs, que vous vivez aux
dépens de ceux à qui vous ne permettez pas de dépasser
le seuil de votre vestibule... Nous sommes en retard,
au moins de deux cents ans, nous n'avons encore
rien acquis, nous ne sommes même pas capables de
juger notre passé, nous ne savons que philosopher, que
nous plaindre de l'ennui, que boire de la vodka. Il est
clair, pourtant, que pour vivre dans le présent il faut
d'abord liquider notre passé, le racheter, et ce n'est
possible que par la souffrance, par un travail extraordinaire, incessant. Comprenez-le donc, Ania.

ANIA

La maison que nous habitons ne nous appartient plus
depuis longtemps, et je la quitterai, je vous en donne
ma parole.

TROFIMOV

Si vous détenez les clefs du ménage, jetez-les dans un
puits et partez. Soyez libre comme le vent.

ANIA, *enthousiaste.*

Comme vous avez bien dit cela !

TROFIMOV

Croyez-moi, Ania, croyez-moi. Je n'ai pas trente ans,
je suis encore étudiant, mais j'ai tellement souffert !
L'hiver venu, je suis affamé, malade, anxieux, pauvre
comme un mendiant. Où le sort ne m'a-t-il pas jeté, où
n'ai-je vagabondé ? Et cependant, toujours, à tout instant, jour et nuit, mon âme a été remplie de pressentiments inexprimables. Je pressens le bonheur, Ania, je
l'aperçois déjà...

ANIA, *rêveuse.*

Voilà la lune qui se lève.

> *On entend Epikhodov jouer à la guitare la même
> chanson triste. La lune se lève. Derrière les peupliers,
> Varia cherche Ania, et appelle : « Ania ! où es-tu ? »*

TROFIMOV

Oui, la lune se lève. *(Un temps.)* Le voilà le bonheur,
il vient, il approche, de plus en plus près, je l'entends
déjà. Et si nous ne le voyons pas, si nous ne savons pas
le reconnaître, où est le mal ? D'autres le verront. *(La
voix de Varia : « Ania ! Où es-tu ? »)* Encore cette Varia !
(En colère :) C'est révoltant.

ANIA

Si nous courions à la rivière ? On y est si bien.

TROFIMOV

Allons-y.

> *Ils sortent.*
> *La voix de Varia : « Ania ! Ania ! ».*

ACTE III

Un salon séparé de l'arrière-salle par une arcade. Un lustre est allumé. Dans le vestibule, on entend jouer l'orchestre juif, dont il a été question au deuxième acte. C'est le soir. Dans la salle, on danse la farandole. La voix de Siméonov-Pichtchik : « Promenade à une paire. » Entrent au salon les couples suivants : Pichtchik et Charlotte Ivanovna, Trofimov et Lioubov Andréevna, Ania avec un fonctionnaire des postes, Varia avec le chef de gare, etc. Tout en dansant, Varia pleure doucement, et essuie ses larmes. Douniacha fait partie du dernier couple. Ils traversent tous le salon. Pichtchik crie : « Farandole, balancez », et : « les cavaliers à genoux, remerciez vos dames ».

Firs, en habit, apporte de l'eau de Seltz sur un plateau. Entrent dans le salon Pichtchik et Trofimov.

PICHTCHIK

Je suis sanguin, j'ai déjà eu deux attaques, pas facile, pour moi, de danser. Mais comme on dit : si tu tombes dans une meute, aboie ou n'aboie pas, mais frétille de la queue. Pour ce qui est de la santé, un vrai cheval. Mon défunt paternel, qui était un loustic, que Dieu ait son âme, quand il parlait de nos origines, affirmait que la lignée des Siméonov-Pichtchik descendait de ce cheval que Caligula avait introduit au Sénat... *(Il s'assied.)* Un seul ennui : pas d'argent. Chien affamé ne rêve que de viande... *(Il s'endort et ronfle, mais se réveille aussitôt.)* Moi, c'est pareil... je ne peux parler que d'argent.

TROFIMOV

C'est vrai, il y a dans votre silhouette un je ne sais quoi de chevalin.

PICHTCHIK

Et après ? Le cheval est un brave animal... un cheval, ça peut se vendre...

> *Dans la pièce voisine, on entend le bruit des billes qui s'entrechoquent. Varia apparaît dans la salle, sous l'arcade.*

TROFIMOV, *la taquinant.*

Madame Lopakhina ! Madame Lopakhina !

VARIA, *en colère.*

Le barine pelé !

TROFIMOV

Oui, je suis un barine pelé, et j'en suis fier.

VARIA, *soucieuse et amère.*

Et voilà, on a engagé des musiciens, mais comment les paiera-t-on ?

> *Elle sort.*

TROFIMOV, *à Pichtchik.*

Si l'énergie que durant toute votre existence vous
avez dépensée à chercher de l'argent pour payer des
intérêts avait été employée à autre chose, vous auriez
sans doute fini par révolutionner le monde.

PICHTCHIK

Nietzsche... le philosophe... le plus grand, le plus
célèbre... un homme d'une intelligence exceptionnelle,
dit dans ses œuvres qu'on a le droit de fabriquer de la
fausse monnaie.

TROFIMOV

Vous avez donc lu Nietzsche?

PICHTCHIK

Ben... Dachenka m'en a parlé. Et au point où j'en
suis, il ne me reste plus qu'à en fabriquer, de la fausse
monnaie... Après-demain, je dois verser trois cent dix
roubles... Je m'en suis déjà procuré cent trente... *(Il
tâte ses poches, et, inquiet :)* L'argent a disparu. Je l'ai
perdu. *(A travers des larmes :)* Où est l'argent? *(Joyeux :)*
Le voilà, sous la doublure... Je suis tout en sueur...

        Entrent Lioubov Andréevna et Charlotte.

LIOUBOV ANDRÉEVNA, *chantonnant un air de lezghinka*[1].

Pourquoi Léonide ne revient-il pas? Que peut-il faire
en ville? *(A Douniacha :)* Douniacha, allez offrir du
thé aux musiciens...

1. Danse caucasienne. *(N. d. T.)*

TROFIMOV

La vente n'aura sans doute pas eu lieu.

LIOUBOV ANDRÉEVNA

Ces musiciens sont venus bien mal à propos, et notre
fête tombe mal, aussi... Enfin, tant pis...

Elle s'assoit et chantonne doucement.

CHARLOTTE, *tendant un jeu de cartes à Pichtchik.*

Tenez, voilà un jeu de cartes, choisissez-en une.

PICHTCHIK

C'est fait.

CHARLOTTE

Maintenant, battez les cartes. Très bien. Donnez-les-
moi, ô mon cher monsieur Pichtchik. Eins, zwei, drei.
Cherchez-la, elle est dans votre poche...

PICHTCHIK, *tirant une carte de sa poche.*

Le huit de pique, parfaitement exact! *(Étonné :)* Pas
croyable!

CHARLOTTE, *tenant le jeu de carte dans sa main tendue, à
Trofimov.*

Parlez vite; quelle est la carte du dessus?

TROFIMOV

Eh bien? La dame de pique.

CHARLOTTE

Exact. *(A Pichtchik :)* Et vous? Quelle est la carte du dessus?

PICHTCHIK

L'as de cœur.

CHARLOTTE

Exact. *(Elle frappe dans ses mains, le jeu de cartes disparaît.)* Comme le temps est beau, aujourd'hui. *(Une mystérieuse voix de femme, semblant venir de dessous le plancher, lui répond : «* Mais oui, quel temps superbe. *»)* Vous êtes mon bel idéal...

La voix : « Vous aussi, madame, vous me plaisez beaucoup... »

LE CHEF DE GARE, *applaudissant.*

Bravo, madame la ventriloque.

PICHTCHIK, *étonné.*

Pas croyable! Délicieuse Charlotte Ivanovna... Je suis tout simplement amoureux de vous...

CHARLOTTE

Amoureux? *(Elle hausse les épaules.)* Est-ce que vous êtes capable d'aimer quelqu'un? Guter Mensch, aber schlechter Musikant.

TROFIMOV, *frappant Pichtchik sur l'épaule.*

Espèce de cheval, tiens...

CHARLOTTE

Je réclame toute votre attention. Encore un petit tour. *(Elle prend un plaid posé sur une chaise.)* Voici un très beau plaid, je veux le vendre. *(Elle secoue le plaid.)* Quelqu'un veut-il l'acheter?

PICHTCHIK, *étonné.*

Pas croyable!

CHARLOTTE

Eins, zwei, drei!

Elle lève rapidement le plaid, derrière lequel se tient Annia, qui fait une révérence, court vers sa mère, l'embrasse, et s'enfuit dans la salle. Enthousiasme général.

LIOUBOV ANDRÉEVNA, *applaudissant.*

Bravo, bravo!

CHARLOTTE

Un autre tour. Eins, zwei, drei.

Elle lève le plaid derrière lequel se tient Varia, qui salue l'assistance.

PICHTCHIK, *étonné.*

Pas croyable!

CHARLOTTE

Fini!

Elle jette le plaid sur Pichtchik, fait une révérence, et s'enfuit dans la salle.

PICHTCHIK, *courant après elle.*

La coquine! Hein? Hein?

Il sort.

LIOUBOV ANDRÉEVNA

Et Léonide qui ne revient toujours pas! Que fait-il en ville, si tard, cela me dépasse. Ou bien la propriété est vendue, tout est fini, ou bien la vente n'a pas eu lieu; pourquoi nous laisser si longtemps dans l'ignorance?

VARIA, *qui veut la consoler.*

C'est le petit oncle qui l'a rachetée, j'en suis sûre.

TROFIMOV, *ironique.*

Mais oui.

VARIA

Grand-mère lui a envoyé une procuration, pour qu'il l'achète à son nom, à elle, avec transfert de la dette. C'est pour Ania qu'elle a fait cela. Et Dieu va nous venir en aide, j'en suis sûre, l'oncle achètera la propriété.

LIOUBOV ANDRÉEVNA

La grand-mère de Jaroslavl n'a envoyé que quinze mille roubles pour racheter la propriété à son nom, elle n'a pas confiance en nous, mais cet argent ne suffira même pas à payer les intérêts. *(Elle se cache le visage.)* C'est mon sort qui se décide aujourd'hui, mon sort...

TROFIMOV, *taquinant Varia.*

Madame Lopakhina!

VARIA, *avec colère.*

L'éternel étudiant! Deux fois déjà qu'on vous a chassé de l'Université.

LIOUBOV ANDRÉEVNA

Mais pourquoi te fâcher, Varia? Il te taquine avec Lopakhine, et après? Épouse Lopakhine, si tu veux; c'est un homme bien, un homme intéressant. Et si tu ne le veux pas, tu es libre; personne ne te mariera de force, ma douce...

VARIA

Pour moi, c'est une question sérieuse, ma petite maman, je vous l'avoue franchement. C'est un homme bien, oui, il me plaît beaucoup.

LIOUBOV ANDRÉEVNA

Alors, épouse-le. A quoi ça rime d'attendre, je ne te comprends pas!

VARIA

Mais, ma petite maman, ce n'est tout de même pas à moi de le demander en mariage. Voilà deux ans qu'on me parle de lui, tout le monde, mais lui, il se tait, ou il plaisante. Et je le comprends. Il est en train de faire fortune, son travail l'absorbe, il n'a pas le temps de penser à moi. Si j'avais de l'argent, oh! pas beaucoup, seulement cent roubles, j'abandonnerais tout, je m'en irais bien loin. J'entrerais au couvent.

TROFIMOV

Quelle béatitude!

VARIA, *à Trofimov.*

Un étudiant devrait être intelligent. *(Avec douceur, des larmes dans la voix :)* Que vous êtes devenu laid, Pétia, que vous avez vieilli... *(A Lioubov Andréevna; elle ne pleure plus :)* Seulement voilà, ma petite maman, je ne peux pas rester sans travail. Il faut toujours que je fasse quelque chose.

Entre Yacha.

YACHA, *réprimant avec peine son envie de rire.*

Epikhodov a cassé une queue de billard!

Il sort.

VARIA

Mais que fait-il ici, cet Epikhodov? Qui lui a permis de jouer au billard? Je ne comprends pas ces gens...

Elle sort.

LIOUBOV ANDRÉEVNA

Ne la taquinez pas, Pétia; vous voyez, elle a bien assez de chagrin.

TROFIMOV

Mais pourquoi fait-elle tant de zèle, pourquoi se mêle-t-elle de ce qui ne la regarde pas? Pendant tout l'été, elle ne nous a jamais laissés tranquilles, Ania et moi. Elle avait peur qu'un roman s'ébauche entre nous. Est-ce son affaire? D'ailleurs, aucune raison de s'inquiéter; tout ce qui est vulgaire m'est odieux. Nous sommes au-dessus de l'amour.

LIOUBOV ANDRÉEVNA

Eh bien, moi, je suis sans doute au-dessous. *(Très agitée :)* Mais pourquoi Léonide ne revient-il pas? La

propriété est-elle vendue, oui ou non, c'est tout ce que
je veux savoir! Ce malheur me paraît si inconcevable
que je ne sais que penser, je perds la tête... Je serais
capable de hurler... de faire des bêtises... Sauvez-moi,
Pétia, dites quelque chose.

TROFIMOV

Que la propriété soit vendue aujourd'hui ou non,
quelle importance? Il y a longtemps que tout cela est
mort, on ne revient pas en arrière, les herbes ont envahi
le sentier. Calmez-vous, chère amie. Il ne faut plus
vous leurrer, il faut, une fois au moins dans votre vie,
regarder la vérité bien en face.

LIOUBOV ANDRÉEVNA

Quelle vérité? Vous savez distinguer la vérité du
mensonge, vous, mais moi, je ne vois rien, c'est comme
si j'étais devenue aveugle. Toutes les questions importantes, vous n'en faites qu'une bouchée, mais, mon
petit, c'est parce que vous êtes jeune, et qu'aucune de
ces questions ne vous a encore fait mal. Vous regardez
devant vous, sans crainte, mais vous ne voyez, vous
n'attendez rien d'effrayant. Vos jeunes yeux n'ont pas
encore découvert la vie. Vous êtes plus hardi, plus honnête, moins superficiel que nous autres, c'est vrai, mais
réfléchissez, soyez un peu généreux, ayez pitié de moi.
Pensez! Je suis née ici, moi, c'est ici qu'ont vécu mes
parents, mon grand-père, j'aime cette maison, ma vie
n'a plus de sens sans la Cerisaie, et s'il faut vraiment
la vendre, alors qu'on me vende, moi aussi, avec le
jardin... *(Elle étreint Trofimov et l'embrasse sur le front.)*
Rappelez-vous, mon fils s'est noyé ici... *(Elle pleure.)*
Ayez pitié de moi, vous qui êtes bon et charitable...

TROFIMOV

Vous savez bien que je suis avec vous, de tout mon cœur...

LIOUBOV ANDRÉEVNA

Ah! ce n'est pas comme ça qu'il faut le dire, pas comme ça... *(Elle sort son mouchoir, un télégramme tombe par terre.)* J'ai le cœur si lourd aujourd'hui, vous n'imaginez pas! Ici, il y a trop de bruit, je tremble, je suis toute frissonnante, mais je ne peux pas monter chez moi, j'ai trop peur de la solitude, du silence. Ne me jugez pas sévèrement, Pétia. Je vous aime comme un des miens. Je vous donnerais ma fille, tout de suite, je vous le jure, mais, mon petit, il faut travailler un peu, terminer vos études. Vous ne faites rien, vous vous abandonnez au destin qui vous ballotte par-ci, par-là, c'est tellement étrange... Est-ce que ce n'est pas vrai? Oui? Et puis, il faut faire quelque chose pour votre barbe. Qu'elle pousse convenablement... *(Elle rit.)* Vous êtes si drôle!

TROFIMOV, *il ramasse le télégramme.*

Je ne tiens pas à être un bel homme.

LIOUBOV ANDRÉEVNA

C'est un télégramme de Paris. J'en reçois tous les jours. Hier, aujourd'hui. Cet homme impossible est encore malade, encore et encore... Il me supplie de lui pardonner, de revenir, et c'est vrai, je devrais faire un saut jusqu'à Paris, rester quelque temps auprès de lui... Vous avez l'air sévère, Pétia, mais que faire, mon petit, que faire, il est malade, malheureux, il est tout seul; qui le soignera, qui l'empêchera de faire des bêtises, qui lui donnera son médicament, à l'heure prescrite? Et puis, pourquoi le cacher, ne pas l'avouer : je l'aime, c'est clair, je l'aime, je l'aime... C'est un boulet à mon cou, il m'entraînera au fond, mais je l'aime, ce boulet, je ne peux pas vivre sans lui. *(Elle serre la main de Trofimov.)* Ne pensez pas de mal de moi, Pétia, ne dites rien, taisez-vous...

TROFIMOV, *à travers des larmes.*

Pardonnez ma franchise, je vous en supplie : mais il vous a dépouillée!

LIOUBOV ANDRÉEVNA

Non, non, non, il ne faut pas parler ainsi...

Elle se bouche les oreilles.

TROFIMOV

C'est un gredin, vous êtes la seule à l'ignorer. Un petit gredin, une nullité...

LIOUBOV ANDRÉEVNA, *en colère, mais se maîtrisant.*

Vous avez vingt-six ou vingt-sept ans, mais vous raisonnez comme un potache de sixième.

TROFIMOV

Tant pis!

LIOUBOV ANDRÉEVNA

Il faut être un homme, à votre âge, il faut comprendre ceux qui aiment. Il faut aimer soi-même... tomber amoureux! *(Avec colère :)* Oui, oui et ce n'est pas de la pureté, vous n'êtes qu'un petit garçon, un type ridicule, un avorton...

TROFIMOV, *épouvanté.*

Mais qu'est-ce qu'elle dit?

LIOUBOV ANDRÉEVNA

« Je suis au-dessus de l'amour! » Vous n'êtes pas
au-dessus de l'amour, vous n'êtes tout bonnement qu'un
empoté, comme dit notre Firs. Quand je pense, à votre
âge, ne pas avoir de maîtresse!...

TROFIMOV, *épouvanté.*

C'est affreux! Mais que dit-elle? *(Il se dirige rapidement vers la salle, la tête dans les mains.)* C'est affreux...
Je n'en peux plus, je m'en vais... *(Il sort, mais revient
aussitôt.)* Tout est fini entre nous!

Il va vers le vestibule.

LIOUBOV ANDRÉEVNA, *criant derrière lui.*

Pétia, attendez! Que vous êtes drôle! C'était une plaisanterie, Pétia! *(On entend quelqu'un monter vivement
l'escalier, dans l'entrée, puis rouler en bas avec fracas. Ania
et Varia poussent des cris, mais très vite, on entend des rires.)*
Que se passe-t-il?

Ania entre en courant.

ANIA, *riant.*

Pétia est tombé dans l'escalier!

Elle se sauve.

LIOUBOV ANDRÉEVNA

Quel drôle de type, ce Pétia...

*Le chef de gare s'arrête au milieu de la salle et com-
mence à réciter* La Pécheresse *d'Alexis Tolstoï. On*

*l'écoute, mais à peine a-t-il déclamé quelques vers,
qu'une valse retentit dans l'entrée, et tous se remettent à
danser. Trofimov, Ania, Varia et Lioubov Andréevna
reviennent du vestibule.*

LIOUBOV ANDRÉEVNA

Voyons, Pétia... Voyons, cœur pur... Je vous demande
pardon... Venez danser...

> *Elle danse avec Pétia. Ania et Varia dansent. Entre
> Firs, qui pose sa canne près de la porte. Yacha appa-
> raît à son tour, il regarde danser.*

YACHA

Alors, grand-père?

FIRS

Ça ne va pas fort. Dans le temps, il en venait danser
des gens, à nos bals, des généraux, des amiraux, des
barons, et maintenant nous envoyons chercher l'employé des postes, le chef de gare, et encore, ils se font
prier. Je me sens tout faible. Le défunt maître, le grand-
père, il soignait tout le monde, n'importe quelle maladie, avec de la cire à cacheter. J'en prends tous les jours,
depuis une vingtaine d'années, si ce n'est pas plus;
c'est peut-être pour ça que je suis encore en vie.

YACHA

Tu nous embêtes, grand-père. *(Il bâille.)* Il serait
temps que tu crèves!

FIRS

Dis donc, toi... espèce d'empoté...

> *Il marmonne. Trofimov et Lioubov Andréevna
> dansent dans la salle, puis dans le salon.*

LIOUBOV ANDRÉEVNA

Merci... Je vais m'asseoir un peu. *(Elle s'assoit.)*
Fatiguée.

Entre Ania.

ANIA, *très émue.*

Tout à l'heure, à la cuisine, un homme a dit que la
Cerisaie était déjà vendue.

LIOUBOV ANDRÉEVNA

Vendue? A qui?

ANIA

Il ne l'a pas dit. Il est parti.

> *Elle danse avec Trofimov, ils passent en dansant
> dans la salle.*

YACHA

C'est un vieux qui a raconté ça. Il n'est pas d'ici.

FIRS

Et Léonide Andréitch qui ne rentre pas! Il a mis son
manteau de demi-saison, il pourrait attraper du mal.
C'est si jeune, encore!

LIOUBOV ANDRÉEVNA

Je crois que je vais mourir... Yacha, allez vite, deman-
dez à qui on a vendu la propriété.

YACHA

Mais il y a longtemps qu'il est parti, ce vieux.

Il rit.

LIOUBOV ANDRÉEVNA, *légèrement irritée.*

Eh bien, qu'avez-vous à rire? Qu'est-ce qui vous réjouit?

YACHA

Cet Epikhodov, il est d'un drôle. Quel homme stupide! Vingt-deux malheurs!

LIOUBOV ANDRÉEVNA

Firs, si l'on vend la propriété, où iras-tu?

FIRS

Où vous m'ordonnerez d'aller.

LIOUBOV ANDRÉEVNA

Pourquoi fais-tu cette tête? Tu es malade? Tu ferais mieux d'aller te coucher...

FIRS

Oui... *(Avec un sourire ironique :)* J'irai me coucher, et moi parti, qui va servir ici, qui va donner des ordres? Il n'y a que moi pour toute la maison.

YACHA, *à Lioubov Andréevna.*

Lioubov Andréevna! Permettez-moi de vous demander quelque chose. Soyez assez bonne : si vous retournez à Paris, emmenez-moi, faites-moi cette grâce. Il m'est positivement impossible de rester ici. *(Il regarde autour de lui et baisse la voix :)* A quoi sert d'en parler, vous le voyez vous-même : c'est un pays inculte, un peuple sans moralité, on s'embête ici, à la cuisine on mange abominablement, et puis il y a ce Firs qui erre partout et marmotte Dieu sait quoi. Emmenez-moi, je vous en supplie!

Entre Pichtchik.

• PICHTCHIK

M'accorderez-vous un petit tour de valse, ma toute belle?... *(Lioubov Andréevna se lève pour danser avec lui.)* Ma charmante, je vous emprunterai tout de même cent quatre-vingts petits roubles... Je vous demanderai... *(ils dansent)* cent quatre-vingts petits roubles...

Ils entrent dans la salle.

YACHA, *chantonnant doucement.*

« Comprendras-tu les tourments de mon cœur? »...

Dans la salle apparaît une silhouette en pantalon à carreaux, coiffée d'un haute-forme gris, qui agite les bras et saute. Des cris : « Bravo, Charlotte Iva-novna. »

DOUNIACHA, *s'arrêtant pour se poudrer.*

Mademoiselle m'a dit de danser, il y a beaucoup de cavaliers et peu de dames, mais moi, quand je danse, la tête me tourne, j'ai le cœur qui bat... et tout à l'heure, Firs Nicolaévitch, l'employé des postes m'a dit de telles choses que j'en ai perdu le souffle.

La musique se tait.

FIRS

Qu'est-ce qu'il t'a dit?

DOUNIACHA

Vous êtes comme une fleur, qu'il a dit.

YACHA, *bâillant.*

Quelle ignorance...

Il sort.

DOUNIACHA

Comme une fleur... Je suis une jeune fille sensible. j'aime tellement les mots tendres...

FIRS

Ça te perdra...

Entre Epikhodov.

EPIKHODOV

Vous ne voulez plus me voir, Avdotia Fédorovna... pas plus que si j'étais un insecte. *(Un soupir.)* Quelle existence!

DOUNIACHA

Que me voulez-vous?

EPIKHODOV

Bien sûr... vous avez peut-être raison... *(Un soupir.)* Pourtant, si on considère les choses d'un certain point de vue, vous m'avez mis dans un drôle d'état, si j'ose m'exprimer ainsi... excusez ma franchise. Je connais mon destin, tous les jours un nouveau malheur, je m'y suis fait depuis longtemps, je regarde mon sort avec le sourire. Vous m'avez donné votre parole, et, bien que je...

DOUNIACHA

Je vous en prie, nous en parlerons une autre fois. Pour l'instant, laissez-moi tranquille. Je suis en train de rêver.

Elle joue avec son éventail.

EPIKHODOV

Tous les jours un nouveau malheur, mais, si j'ose m'exprimer ainsi, je me contente de sourire, parfois même j'en ris.

Entre Varia, venant de la salle.

VARIA

Toujours là, Sémione ? Tu es vraiment un homme impossible. *(A Douniacha :)* Sors d'ici, Douniacha. *(A Epikhodov :)* Ou bien tu joues au billard et tu casses ta queue, ou bien tu te promènes dans le salon comme un invité.

EPIKHODOV

Vous n'avez pas le droit de me réprimander, si j'ose m'exprimer ainsi.

VARIA

Je ne te réprimande pas, je te le dis, simplement. Tu ne fais que traîner d'un endroit à l'autre, et ton travail tu le laisses en plan. Nous avons un commis, je me demande bien pour quoi faire.

EPIKHODOV, *vexé.*

Que je travaille, que je me promène, que je mange ou que je joue au billard, cela ne regarde que ceux qui y comprennent quelque chose et sont au-dessus de moi.

VARIA

Tu oses me dire cela, à moi? *(S'emportant :)* Tu oses? Ah! je ne comprends rien? Eh bien, fiche-moi le camp d'ici! A l'instant!

EPIKHODOV, *effrayé.*

Je vous prie de vous exprimer avec plus de délicatesse.

VARIA, *hors d'elle.*

Fiche le camp, tout de suite! Dehors! *(Il va vers la porte, elle le suit.)* Vingt-deux malheurs! Allez, ouste! Que je ne te revoie plus! *(Epikhodov sort. On l'entend, derrière la porte : « Je porterai plainte contre vous. »)* Ah, tu reviens? *(Elle saisit la canne oubliée par Firs.)* Arrive, approche un peu... tu vas voir... Mais viens donc, viens... Et voilà pour toi...

Elle brandit la canne; à ce moment entre Lopakhine.

LOPAKHINE

Merci infiniment.

VARIA, *fâchée et ironique.*

Toutes mes excuses!

LOPAKHINE

Ce n'est rien. Merci beaucoup de cet accueil.

VARIA

Pas de quoi. *(Elle s'éloigne, puis se retourne et lui demande avec douceur :)* Je vous ai fait mal?

LOPAKHINE

Non, ce n'est rien. Une belle bosse, voilà tout.

Des voix dans la salle.

« Lopakhine est arrivé. Ermolaï Alexéevitch. »

PICHTCHIK

On le voit enfin, on entend parler de lui... *(Il embrasse Lopakhine.)* Tu sens un peu le cognac, mon ami, mon cher cœur. Nous autres, on ne s'ennuie pas non plus.

Entre Lioubov Andréevna.

LIOUBOV ANDRÉEVNA

C'est vous, Ermolaï Alexéevitch ? Mais où étiez-vous donc ? Et Léonide ?

LOPAKHINE

Léonide Andréevitch est rentré avec moi, il arrive...

LIOUBOV ANDRÉEVNA, *émue.*

Eh bien ? La vente a eu lieu ? Mais parlez donc !

LOPAKHINE, *confus, craignant de trahir sa joie.*

La vente s'est terminée vers quatre heures... Nous avons raté le train, il a fallu attendre jusqu'à neuf heures et demie. *(Avec un gros soupir :)* Ouf ! La tête me tourne un peu...

Entre Gaev ; il a des paquets dans la main droite ; de la main gauche, il essuie ses larmes.

LIOUBOV ANDRÉEVNA

Lionia, alors ? Lionia, parle ! *(Impatiente, au bord des larmes :)* Parle vite au nom du Ciel...

GAEV *ne répond pas,*
il se contente d'un geste de résignation; à Firs, en pleurant.

Prends ça... Il y a des anchois, des harengs de Kertch...
Je n'ai rien mangé aujourd'hui... Comme j'ai souffert!
(La porte de la salle de billard est ouverte; on entend le bruit
des billes et la voix de Yacha : « Sept et dix-huit », Gaev
change d'expression, il ne pleure déjà plus.) Je suis terriblement fatigué. Tu m'aideras à me changer, Firs.

> *Il va dans sa chambre en traversant la salle; Firs*
> *le suit.*

PICHTCHIK

Alors, cette vente? Mais enfin, raconte!

LIOUBOV ANDRÉEVNA

La Cerisaie est vendue?

LOPAKHINE

Oui, elle est vendue.

LIOUBOV ANDRÉEVNA

Qui l'a achetée?

LOPAKHINE

Moi. *(Un temps. Lioubov Andréevna est atterrée, elle*
se laisserait tomber, s'il n'y avait près d'elle un fauteuil et
une table. Varia détache de sa ceinture le trousseau de clefs,
le jette au milieu du salon, et sort.) C'est moi qui l'ai achetée, oui! Attendez, mes amis, ayez pitié, tout s'embrouille
dans ma tête, je ne peux pas parler... *(Il rit.)* Voilà,
nous arrivons à la salle des Ventes, Dériganov y était
déjà. Léonide Andréitch n'avait que quinze mille, et du

premier coup, Dériganov est monté à trente mille, en plus de la dette. Tout de suite, je vois de quoi il retourne, je m'empoigne avec lui, j'offre quarante. Lui, quarante-cinq. Moi, cinquante-cinq. Il y allait par cinq mille moi par dix... Alors, plus de question. J'ai donné quatre vingt-dix mille, en plus de la dette; c'est moi qui ai gagné. La Cerisaie est maintenant à moi! A moi! *(Il éclate de rire.)* Seigneur, mon Dieu, elle est à moi, la Cerisaie! Dites-moi que je suis ivre, que je suis fou, que je rêve... *(Il trépigne.)* Ne vous moquez pas de moi! Si mon père et mon grand-père sortaient de leur tombe et voyaient cela : comment leur Ermolaï, cet Ermolaï mille fois battu, presque illettré, qui courait pieds nus en hiver, comment ce même Ermolaï vient d'acheter la plus belle propriété du monde! J'ai acheté une propriété où mon père et mon grand-père n'étaient que des esclaves, on ne leur permettait même pas d'entrer dans la cuisine... Non, je dors, ce sont des rêves, des idées, quelque chose de ténébreux qui brouille mon imagination... *(Il ramasse les clefs, et dit avec un bon sourire :)* Elle a jeté les clefs pour montrer qu'elle n'est plus la maîtresse ici... *(Il fait tinter le trousseau.)* Eh bien, soit... *(On entend les musiciens accorder leur instrument.)* Hé, les musiciens, jouez, je veux vous entendre! Venez tous voir comment Ermolaï Lopakhine va porter le coup de hache dans la Cerisaie, comment les arbres vont dégringoler! Nous allons construire des villas, et nos petits-enfants, tous nos descendants connaîtront ici une vie nouvelle... Joue, musique! *(La musique joue. Lioubov Andréevna s'est effondrée sur une chaise, elle pleure amèrement. Lopakhine, avec un reproche :)* Mais pourquoi, pourquoi ne m'avez-vous pas écouté? Ma pauvre, ma gentille, il est trop tard, maintenant... *(Avec des larmes :)* Oh, que tout cela passe vite, vite, et notre vie absurde et malheureuse, qu'elle change, vite!

PICHTCHIK, *lui prenant le bras, à mi-voix.*
Elle pleure. Allons dans la salle, laissons-la... Viens...

> *Il l'emmène dans la salle.*

LOPAKHINE

Eh là-bas! Joue plus fort, la musique! Que tout soit fait selon mon désir! *(Avec ironie :)* Le voilà, le nouveau maître, le propriétaire de la Cerisaie! *(Il heurte par mégarde une petite table, et manque de renverser des candélabres.)* J'ai de quoi payer tout cela!

> *Il sort avec Pichtchik.*
> *Il n'y a plus personne dans la salle et le salon, sauf Lioubov Andréevna qui, recroquevillée sur une chaise, pleure toujours amèrement. Ania et Trofimov entrent rapidement. Ania s'approche de sa mère et s'agenouille devant elle. Trofimov reste debout à l'entrée de la salle.*

ANIA

Maman!... Tu pleures? Ma chérie, ma bonne, ma douce maman, la plus belle... je t'aime... je te bénis. La Cerisaie est vendue, plus de Cerisaie, c'est vrai, c'est vrai, mais il ne faut pas pleurer, maman, tu as la vie devant toi, il te reste ton âme, bonne et pure... Viens avec moi, viens, ma chérie, partons d'ici! Nous planterons un nouveau jardin, plus beau que celui-ci, tu le verras, tu comprendras, et la joie, une joie calme et profonde descendra dans ton cœur, comme le soleil à l'heure du soir, et tu souriras, maman! Viens, ma chérie! Viens!...

ACTE IV

*Décor du premier acte. Plus de rideaux aux fenêtres,
ni de tableaux sur les murs; il reste quelques meubles, ras-
semblés dans un coin, comme pour une vente. Une impression
de vide. Près de la porte d'entrée, au fond de la scène, les
valises, des balluchons, etc. La porte de gauche est ouverte; de
là viennent les voix de Varia et d'Ania. Lopakhine attend,
debout. Yacha tient un plateau avec des coupes de champagne.
Dans le vestibule, Epikhodov ficelle une caisse. Dans les
coulisses, des bruits de voix : des moujiks sont venus prendre
congé des propriétaires. La voix de Gaev : « Merci mes amis,
merci. »*

YACHA

Les paysans sont venus faire leurs adieux. A mon
avis, Ermolaï Alexéitch, le peuple, il n'est pas méchant,
mais il ne comprend rien à rien.

> *Le bruit des voix s'apaise peu à peu. Lioubov
> Andréevna et Gaev pénètrent par l'entrée. Lioubov
> Andréevna ne pleure pas, mais elle est pâle, son visage
> tremble, elle est incapable de parler.*

GAEV

Tu leur as donné ta bourse, Liouba. Tu es impossible!
Impossible!

LIOUBOV ANDRÉEVNA

Je n'ai pas pu faire autrement! Je n'ai pas pu...

Ils sortent.

LOPAKHINE, *dans la direction de la porte
par laquelle ils sont sortis.*

Venez, je vous en prie. Un petit verre avant le départ.
J'ai oublié d'acheter du champagne en ville, et à la
gare, je n'ai trouvé qu'une seule bouteille. Je vous
en prie! *(Un temps.)* Alors? Vous n'en voulez pas? *(Il
revient en scène.)* Si j'avais su, je n'en aurais pas acheté.
Très bien, je m'en passerai aussi. *(Yacha pose doucement
le plateau sur une chaise.)* Au moins, bois-en, toi, Yacha.

YACHA

A la santé des voyageurs! Bonne chance à ceux qui
restent! *(Il boit.)* Je peux vous assurer que ce n'est
pas du vrai champagne.

LOPAKHINE

Huit roubles la bouteille. *(Un temps.)* Il fait un froid
de canard ici.

YACHA

On n'a pas fait de feu aujourd'hui, puisque nous
partons.

Il rit.

LOPAKHINE

Qu'est-ce qui te prend?

YACHA

Rien. La joie.

LOPAKHINE

Nous sommes en octobre, mais il y a du soleil dehors, il fait un temps calme comme en été. Excellent pour les travaux de construction. *(Il consulte sa montre en parlant en direction de la porte.)* Je vous préviens, mes amis, votre train part dans quarante-six minutes, dans une vingtaine de minutes il faudra aller à la gare. Dépêchez-vous un peu.

Trofimov, en pardessus, arrive par la porte d'entrée.

TROFIMOV

Je crois qu'il est l'heure de partir. La voiture attend. Où diable sont mes caoutchoucs? Ils ont disparu. *(En direction de la porte :)* Ania, où sont mes caoutchoucs, je ne les retrouve pas!

LOPAKHINE

Et moi, je dois aller à Kharkov, je prendrai le même train que vous. Je passerai tout l'hiver à Kharkov. Ici, j'ai perdu mon temps à traîner en votre compagnie, et je me suis épuisé à ne rien faire. Je ne peux pas rester sans travail, je ne sais plus que faire de mes bras, ils se mettent à pendre d'une drôle de manière, comme s'ils n'étaient pas à moi.

TROFIMOV

Nous allons partir tout de suite, vous pourrez reprendre vos utiles occupations.

LOPAKHINE

Viens boire un petit verre.

TROFIMOV

Non.

LOPAKHINE

Alors, comme ça, tu vas à Moscou?

TROFIMOV

Oui. Je les accompagne à la ville, et demain, c'est Moscou.

LOPAKHINE

Oui... Eh bien, les professeurs n'attendent sans doute que toi pour commencer leurs cours.

TROFIMOV

Mêle-toi de tes affaires.

LOPAKHINE

Ça fait combien de temps que tu es à l'Université?

TROFIMOV

Oh! trouve donc autre chose. C'est un peu plat et usé, comme plaisanterie. *(Il cherche ses caoutchoucs.)* Écoute, nous ne nous reverrons peut-être plus jamais, alors, en guise d'adieu, permets-moi de te donner un conseil : cesse de faire de grands gestes, tâche de perdre cette habitude. D'ailleurs, construire des datchas, penser qu'avec le temps les estivants deviendront des propriétaires, faire ces sortes de calculs, c'est de la ges-

ticulation aussi... Malgré tout, je t'aime bien, tu sais...
Tu as les doigts fins et sensibles, des doigts d'artiste,
et ton âme aussi est fine et sensible...

LOPAKHINE, *le serrant dans ses bras.*

Adieu, mon cher ami. Merci pour tout. Si tu as
besoin d'argent pour le voyage, je t'en donnerai volontiers.

TROFIMOV

Pour quoi faire? C'est inutile.

LOPAKHINE

Mais vous n'en avez pas!

TROFIMOV

Si, j'en ai. Je vous remercie. J'en ai reçu pour une
traduction. *(Inquiet :)* Pas moyen de trouver ces caoutchoucs!

VARIA, *dans l'autre pièce.*

Les voilà, vos saletés de caoutchoucs.

Elle jette la paire au milieu de la scène.

TROFIMOV

Pourquoi vous fâcher, Varia? Mais... ce ne sont pas
les miens!

LOPAKHINE

Au printemps dernier, j'ai semé mille déciatines de
pavot, rapport : quarante mille roubles de bénéfice
net. Le pavot en fleur, quel magnifique tableau! Bref,

comme je disais, rapport quarante mille, donc, si je te prête de l'argent, c'est que je le peux. Alors, à quoi bon faire le fier? Je suis un moujik... C'est en toute simplicité que je te le propose.

TROFIMOV

Ton père était un moujik, le mien était pharmacien, qu'est-ce que cela prouve? *(Lopakhine sort son portefeuille.)* Laisse ça, laisse... Tu m'en donnerais deux cent mille que je n'en voudrais pas. Je suis un homme libre. Tout ce qui vous paraît si grand, si précieux, à vous autres, riches ou misérables, n'a pas plus de sens pour moi qu'un brin de duvet qui flotte dans l'air. Je peux me passer de vous, je peux vous ignorer, je suis fort et fier. L'humanité va de l'avant vers la vérité suprême, vers le plus grand bonheur qui soit possible sur terre, et moi, je suis dans les premiers rangs.

LOPAKHINE

Et tu atteindras le but?

TROFIMOV

J'y arriverai. *(Un temps.)* J'y arriverai, ou je montrerai aux autres comment l'atteindre.

Au loin, on entend une hache frapper un tronc d'arbre.

LOPAKHINE

Eh bien, adieu, mon cher ami. Il est temps de partir. Nous jouons aux fiers, comme ça, les uns devant les autres, et la vie passe sans faire attention à nous. Quand je travaille longtemps, sans m'arrêter, mes pensées se font plus légères, et alors il me semble que je sais pour-

quoi je vis, moi aussi. Mais combien sommes-nous en
Russie, mon vieux, à savoir pourquoi on existe? Enfin
tant pis, il ne s'agit pas de cela. Il paraît que Léonide
Andréitch a accepté une place à la banque, six mille
par an... Seulement voilà, il n'y fera pas de vieux os,
il est bien trop paresseux.

ANIA, *à la porte.*

Maman vous demande de ne pas faire abattre les
arbres avant son départ.

TROFIMOV

C'est vrai, quel manque de tact...

Il s'en va par l'entrée.

LOPAKHINE

Un moment... Ces gens sont impossibles...

Il suit Trofimov.

ANIA

A-t-on envoyé Firs à l'hôpital?

YACHA

Je leur en ai parlé ce matin. Il faut croire que c'est
fait.

ANIA, *à Epikhodov qui traverse la salle.*

Semione Pantéleitch, voulez-vous demander si l'on
a bien emmené Firs à l'hôpital?

YACHA, *vexé.*

Puisque je l'ai dit à Jégor ce matin. Oh, pourquoi
demander dix fois la même chose!

EPIKHODOV

Mon opinion est définitive, ce Firs a vécu trop longtemps, il n'est plus réparable. Il doit rejoindre ses
ancêtres. Pour moi, je ne peux que l'envier. *(Il a posé
une valise sur un carton à chapeaux, qu'il écrase.)* Voilà,
naturellement, j'en étais sûr.

Il sort.

YACHA, *moqueur.*

Vingt-deux malheurs!

VARIA, *derrière la porte.*

A-t-on emmené Firs à l'hôpital?

ANIA

Oui.

VARIA

Alors pourquoi n'a-t-on pas emporté la lettre pour
le docteur?

ANIA, *elle sort.*

Il faut l'envoyer tout de suite.

VARIA, *derrière la porte.*

Où est Yacha? Dites-lui que sa mère est venue lui
dire adieu.

YACHA, *avec un geste agacé.*

Vous exaspérer, c'est tout ce qu'ils savent faire.

*Douniacha, qui s'affairait autour des valises,
s'approche de Yacha, dès qu'ils sont seuls.*

DOUNIACHA

Même pas un regard pour moi, Yacha. Et vous partez, vous m'abandonnez...

Elle se jette à son cou en pleurant.

YACHA

A quoi bon pleurer? *(Il boit du champagne.)* Dans six jours : Paris. Demain, on prend l'express, et je te file. Ni vu ni connu. J'ose à peine y croire. Vive la France! Ici, je ne suis pas à mon aise, je ne peux pas m'habituer... rien à faire. J'en ai marre de voir cette ignorance... suffit comme ça. *(Il boit du champagne.)* Pourquoi pleurez-vous? Vous n'avez qu'à vous conduire convenablement, vous ne pleurerez plus.

DOUNIACHA *se poudre le visage*
en se regardant dans une petite glace de poche.

Écrivez-moi un mot de Paris. Je vous ai tant aimé, Yacha. Tellement aimé! Je suis un être délicat, Yacha.

YACHA

On vient.

Il s'affaire autour des valises en chantonnant à mi-voix. Entrent Lioubov Andréevna, Gaev, Ania, Charlotte Ivanovna.

GAEV

Il faut se mettre en route. C'est presque l'heure. *(Regardant Yacha :)* Qui est-ce qui sent le hareng ici?

LIOUBOV ANDRÉEVNA

Encore une dizaine de minutes, et il faudra monter en voiture... *(Elle regarde autour d'elle.)* Adieu, ma chère maison, mon aïeule... L'hiver passera, et au printemps, tu n'existeras plus, on t'aura démolie... Que de choses ils ont vues, ces murs! *(Elle embrasse sa fille avec effusion.)* Mon trésor, tu rayonnes, tes yeux brillent comme deux diamants. Tu es contente? Très contente?

ANIA

Très contente. Une vie nouvelle commence, maman.

GAEV, *gaiement.*

En effet, maintenant, tout va bien. Comme nous étions émus, comme nous avons souffert, avant la vente de la Cerisaie! Mais maintenant que la question est réglée définitivement, c'est à nouveau le calme, la gaieté, presque... Me voilà employé de banque, je suis un financier... carambolage par la bande! Et toi, Liouba, pas de doute, tu as meilleure mine.

LIOUBOV ANDRÉEVNA

Oui. Mes nerfs se sont calmés, c'est vrai... *(On lui apporte son manteau et son chapeau.)* Je dors bien. Vous pouvez emporter mes affaires, Yacha. Il est l'heure. *(A Ania :)* Ma petite fille, nous nous reverrons bientôt. Je vais à Paris. J'y vivrai avec l'argent que ta grand-mère de Jaroslavl nous a envoyé pour racheter la propriété — vive grand-mère! — mais cet argent ne fera pas long feu.

ANIA

Tu reviendras bientôt, maman, bientôt... n'est-ce pas? Je préparerai mes examens, je les passerai, et puis je travaillerai, je t'aiderai... Nous lirons ensemble des tas de livres... dis, maman? *(Elle baise les mains de sa mère.)*

Par les longues soirées d'automne, nous lirons beaucoup de livres... et un monde nouveau, un monde
merveilleux s'ouvrira devant nous... *(Rêveuse :)* Reviens,
maman...

LIOUBOV ANDRÉEVNA

Je reviendrai, mon bijou.

*Elle embrasse sa fille. Entre Lopakhine. Charlotte
chantonne doucement.*

GAEV

Elle a de la veine, Charlotte; elle chante.

CHARLOTTE, *prenant un baluchon qui ressemble à un bébé emmailloté.*

Do-do, fais do-do... *(On entend pleurer l'enfant :
« ou-a, ou-a... »)* Tais-toi, mon gentil, mon doux petit
garçon... *(Ou-a, ou-a...)* Comme je te plains! *(Elle
rejette le baluchon.)* Alors, je vous prie de me trouver une
place. Je ne peux pas rester sans rien faire.

LOPAKHINE

On vous trouvera ça, Charlotte Ivanovna, ne vous
inquiétez pas.

GAEV

Tout le monde nous abandonne. Varia part... brusquement, personne n'a plus besoin de nous.

CHARLOTTE

Je ne sais pas où j'habiterai en ville. Il faut partir...
(Elle chantonne.) Qu'est-ce que ça peut faire...

Entre Pichtchik.

LOPAKHINE

Le miracle de la création!...

PICHTCHIK, *hors d'haleine.*

Ouf... laissez-moi souffler... je suis éreinté... Mes
honorables amis... Donnez-moi de l'eau...

GAEV

C'est de l'argent qu'il vient chercher? Serviteur...
Je préfère me retirer, c'est plus sûr.

Il sort.

PICHTCHIK

Je suis resté longtemps sans venir vous voir, ma
toute belle... *(A Lopakhine :)* Tu es là, toi aussi... heureux de te voir, homme d'intelligence rare... tiens...
prends ça. *(Il tend une liasse de billets à Lopakhine.)*
Quatre cents roubles... Je t'en dois encore huit cent
quarante...

LOPAKHINE, *perplexe, hausse les épaules.*

On croit rêver... Où as-tu pris ça?

PICHTCHIK

Attends... Trop chaud... Un événement des plus
extraordinaires. Des Anglais, qui débarquent chez moi,
et qui trouvent une sorte d'argile blanche dans mes
terres... *(A Lioubov Andréevna :)* Et voilà quatre cents
pour vous... belle et merveilleuse amie... *(Il lui tend
l'argent.)* Le reste viendra plus tard. *(Il boit de l'eau.)*
Tout à l'heure, dans le train, un jeune homme racontait
que... qu'un grand philosophe conseille à chacun de

sauter du toit. « Sautez », qu'il dit, « tout le problème est là ». *(Étonné :)* Pas croyable ! De l'eau !

LOPAKHINE

Mais qu'est-ce que c'est que ces Anglais ?

PICHTCHIK

Je leur ai loué pour vingt-quatre ans ce lopin de terre où il y a de l'argile blanche... Et maintenant, excusez-moi, je n'ai pas le temps... Il faut filer ailleurs... chez Znoïkov... chez Kardamonov... Je dois de l'argent à tout le monde... *(Il boit de l'eau.)* Portez-vous bien... je repasserai jeudi...

LIOUBOV ANDRÉEVNA

Nous déménageons tout à l'heure, pour aller en ville, et demain, je pars pour l'étranger...

PICHTCHIK

Comment ? *(Alarmé :)* Pourquoi, en ville ? C'est donc pour ça... ces meubles... ces valises... Cela ne fait rien... *(Au bord des larmes :)* Ça ne fait rien... Une intelligence remarquable... ces Anglais... Ça ne fait rien... Soyez heureuse... Dieu vous aidera... Ça ne fait rien... Tout a une fin en ce bas-monde... *(Il baise la main de Lioubov Andréevna.)* Et si un jour vous apprenez que j'ai cessé de vivre, souvenez-vous de ce... cheval, et dites comme ça : « Il y avait une fois... un certain Siméonov-Pichtchik... que Dieu ait son âme »... Il fait merveilleusement beau... Oui... *(Il sort, visiblement troublé, mais revient bientôt et dit à la porte :)* Dachenka vous salue !

Il sort.

LIOUBOV ANDRÉEVNA

Maintenant, on peut se mettre en route. J'ai deux soucis. Le premier, c'est Firs qui est malade. *(Elle regarde sa montre.)* Nous avons encore cinq minutes...

ANIA

Maman, on a déjà envoyé Firs à l'hôpital. Yacha l'a fait partir ce matin.

LIOUBOV ANDRÉEVNA

Mon autre souci, c'est Varia. Elle est habituée à se lever de bonne heure, à travailler, et la voilà sans occupation, elle est comme un poisson qu'on aurait tiré de l'eau. Elle a maigri, pâli, et elle pleure, la pauvrette... *(Un temps.)* Vous savez très bien, Ermolaï Alexéitch, que j'ai toujours rêvé... de la marier avec vous; d'ailleurs, tout laissait croire que vous l'épouseriez. *(Elle dit un mot à l'oreille d'Ania, celle-ci fait un signe à Charlotte, toutes les deux sortent.)* Elle vous aime, c'est une jeune fille selon votre cœur, et je ne sais pas, je ne comprends pas pourquoi vous avez l'air de vous fuir. Je ne comprends pas !

LOPAKHINE

Moi non plus, je l'avoue. Tout cela est si étrange... S'il nous reste un peu de temps, je suis prêt, à l'instant même... Finissons-en une bonne fois, et n'en parlons plus, car, vous partie, je sens que je ne lui ferai pas de demande...

LIOUBOV ANDRÉEVNA

Voilà qui est bien. Une minute suffira, une seule... Je vais l'appeler...

LOPAKHINE

Il y a même du champagne, ça tombe bien. *(Il regarde les coupes.)* Elles sont vides, quelqu'un a tout bu. *(Yacha toussote.)* C'est ce qui s'appelle siffler.

LIOUBOV ANDRÉEVNA, *avec animation.*

C'est parfait. Nous allons vous laisser seuls. Yacha, allez! Je vais l'appeler... *(Elle parle dans la direction de la porte.)* Varia, laisse tout, et viens ici. Viens!

Elle sort avec Yacha.

LOPAKHINE, *consultant sa montre.*

Oui...

Un temps. Derrière la porte, rires étouffés, chuchotements; enfin, entre Varia.

VARIA, *examinant attentivement les bagages.*

C'est étrange, je ne le retrouve pas...

LOPAKHINE

Que cherchez-vous?

VARIA

Je l'ai emballé moi-même, mais je ne sais plus où.

Un temps.

LOPAKHINE

Où irez-vous maintenant, Varvara Mikhaïlovna?

VARIA

Moi? Chez les Ragouline... Je me suis arrangée avec eux... pour être comme leur... gouvernante, je pense.

LOPAKHINE

A Yachnevo, alors? D'ici, ça fait dans les soixante verstes... *(Un temps.)* Et voilà, la vie dans cette maison, c'est fini...

VARIA, *examinant les bagages.*

Mais où l'ai-je mis? A moins que ce soit dans une malle... Oui, la vie dans cette maison est finie... et ne recommencera plus jamais...

LOPAKHINE

Et moi, je pars pour Kharkov tout à l'heure... par le même train. J'ai beaucoup à faire. Je laisse Epikhodov ici. Je l'ai engagé.

VARIA

Pourquoi pas?

LOPAKHINE

L'année dernière, à la même époque, il neigeait déjà, vous vous en souvenez, et aujourd'hui, quel temps calme, ensoleillé... Sans le froid!... Trois au-dessous.

VARIA

Je n'ai pas regardé le thermomètre. *(Un temps.)* D'ailleurs, le nôtre est cassé.

> *Un temps. Une voix dans la cour : « Ermolaï Alexéitch ! »*

LOPAKHINE, *comme s'il attendait cet appel depuis longtemps.*

Voilà!

> *Il sort rapidement. Varia, assise par terre, la tête*

posée sur un balluchon, sanglote doucement. La porte s'ouvre, Lioubov Andréevna entre sans bruit.

LIOUBOV ANDRÉEVNA

Eh bien? *(Un temps.)* Il faut partir.

VARIA *ne pleure plus ; elle essuie ses yeux.*

Oui, ma petite maman, c'est l'heure. J'arriverai juste chez les Ragouline aujourd'hui, pourvu qu'on ne rate pas le train.

LIOUBOV ANDRÉEVNA, *dans la direction de la porte.*

Ania, habille-toi! *(Entrent Ania, puis Gaev, Charlotte. Gaev en manteau d'hiver et bachlick [1]. Entrent les domestiques, les cochers. Epikhodov s'affaire auprès des bagages.)* Et maintenant, en route.

ANIA, *joyeuse.*

En route!

GAEV

Mes amis, mes chers et bons amis! Au moment de quitter pour toujours cette maison, impossible de me taire, de ne pas exprimer ce que tout mon être ressent...

ANIA, *suppliante.*

Mon oncle!...

VARIA

Mon petit oncle, il ne faut pas!...

1. Sorte de capuchon, avec de longs pans. *(N. d. T.)*

GAEV, *morne*.

Bille en tête... Je me tais...

> *Entrent Trofimov, puis Lopakhine.*

TROFIMOV

Eh bien, mes amis, il est temps de partir.

LOPAKHINE

Epikhodov, mon manteau!

LIOUBOV ANDRÉEVNA

Encore un moment. Je vais m'asseoir... C'est comme
si je n'avais jamais vu les murs, le plafond de cette
pièce... je les regarde à m'en perdre les yeux, avec un
amour si tendre...

GAEV

Je me rappelle, j'avais six ans, un jour de Pentecôte,
j'étais assis sur le rebord de la fenêtre et je regardais
mon père qui allait à l'église...

LIOUBOV ANDRÉEVNA

On a emporté toutes nos affaires?

LOPAKHINE

Je crois que oui. *(A Epikhodov, en mettant son manteau :)* Tu veilleras à ce que tout soit en ordre, Epikhodov.

EPIKHODOV, *d'une voix enrouée*.

Soyez sans inquiétude, Ermolaï Alexéitch.

LOPAKHINE

Eh bien? Et ta voix? Qu'est-ce qui se passe?

EPIKHODOV

C'est tout à l'heure, en buvant de l'eau, j'ai avalé je ne sais quoi.

YACHA, *méprisant*.

Cette ignorance...

LIOUBOV ANDRÉEVNA

Nous partis, il n'y aura plus âme qui vive, ici...

LOPAKHINE

Jusqu'au printemps.

VARIA *tire d'un geste sec son parapluie
déjà rangé dans un balluchon, comme si elle allait le brandir;
Lopakhine mime la frayeur.*

Voyons, qu'est-ce qui vous prend... je n'y songeais même pas...

TROFIMOV

Mes amis, en voiture... Il est temps. Le train ne va pas tarder.

VARIA

Les voilà, vos caoutchoucs, Pétia, ils étaient derrière la valise. (*Avec des larmes dans la voix :*) Comme ils sont sales et usés...

TROFIMOV, *mettant ses caoutchoucs.*

Allons-y, mes amis.

GAEV, *extrêmement troublé, craignant de pleurer.*

Le train... la gare... bille en tête... Je carambole...

LIOUBOV ANDRÉEVNA

En route!

LOPAKHINE

Tout le monde est ici? Plus personne là-bas?... *(Il ferme la porte de gauche à clef.)* On a laissé des affaires par là, il faut fermer à clef. En route!...

ANIA

Adieu, maison! Adieu, la vieille vie!

TROFIMOV

Bonjour, la vie nouvelle!

> *Trofimov et Ania sortent. Varia jette un dernier regard autour d'elle et sort sans se presser. Yacha et Charlotte avec son petit chien la suivent.*

LOPAKHINE

Nous nous reverrons au printemps. Venez, mes amis... A la revoyure!

> *Il sort. Lioubov Andréevna et Gaev restent seuls. Comme s'ils n'avaient attendu que ce moment, ils se jettent dans les bras l'un de l'autre, et sanglotent sans bruit, en se retenant, de crainte d'être entendus.*

GAEV, *désespéré.*

Ma sœur! Ma sœur!

LIOUBOV ANDRÉEVNA

O mon jardin, mon cher, mon tendre et beau jardin!
Ma vie, ma jeunesse, mon bonheur, adieu. Adieu!... (*La
voix d'Ania, comme un appel joyeux :* « Maman! » *La voix
de Trofimov, gaie, animée :* « Hou! hou! ») Un dernier
regard sur ces murs, sur ces fenêtres... Notre pauvre
mère, elle aimait tant aller et venir dans cette pièce...

GAEV

Ma sœur! Ma sœur!

> *Voix d'Ania :* « Maman! » *Voix de Trofimov :*
> « Hou! hou! »

LIOUBOV ANDRÉEVNA

Nous arrivons...

> *Ils sortent. La scène est vide. On entend fermer à clef
> toutes les portes. Les voitures partent. Tout devient
> calme. Retentit seulement le bruit assourdi d'une
> hache frappant un arbre, bruit solitaire et triste. Des
> pas. Firs apparaît par la porte de droite. Il est vêtu
> comme d'habitude, d'un veston et d'un gilet blanc; des
> pantoufles. Il est malade.*

FIRS, *s'approchant de la porte, tournant la poignée.*

C'est fermé à clef. Ils sont partis... (*Il s'assoit sur le
divan.*) Ils m'ont oublié. Ça ne fait rien... Je vais me
reposer ici... Je suis sûr que Léonide Andréitch n'a
pas mis sa pelisse... Il est parti en pardessus... (*Il sou-*

pire d'un air soucieux.) Et moi qui ne l'ai pas surveillé...
C'est si jeune encore! *(Il marmonne des paroles incompréhensibles.)* Voilà que la vie est passée... on dirait que je
n'ai pas encore vécu. *(Il s'étend sur le divan.)* Je vais me
coucher un peu... Tu n'as plus de force, il ne t'en reste
plus, plus du tout... Va... espèce d'empoté...

> *Il reste couché, immobile. Au loin, comme venu du
> ciel, le son d'une corde rompue, son mélancolique qui
> meurt peu à peu. Puis, le silence; on n'entend plus
> que des coups de hache contre les troncs d'arbres, loin
> dans le jardin.*

NEUF PIÈCES EN UN ACTE

Sur la grand-route

ÉTUDE DRAMATIQUE EN UN ACTE

PERSONNAGES

TIKHONE EVSTIGNÉEV, *tenancier d'un cabaret situé sur la grand-route.*

SÉMIONE SERGUÉEVITCH BORTZOV, *propriétaire terrien ruiné.*

MARIA EGOROVNA, *sa femme.*

SAVVA, *un vieux pèlerin.*

NAZAROVNA, *femme pieuse.*

ÉFIMOVNA, *autre femme pieuse.*

FÉDIA, *ouvrier d'usine.*

ÉGOR MÉRIC, *vagabond.*

KOUZMA, *passant.*

UN POSTIER.

LE COCHER *de Mme Bortzov.*

PÈLERINS, BOUVIERS, VOYAGEURS, etc.

   L'action se passe dans un gouvernement du sud de la Russie.

La scène représente le cabaret de Tikhone. A droite, le comptoir et quelques rayons garnis de bouteilles. Au fond, une porte qui mène au-dehors. Au-dessus de cette porte, à l'extérieur, pend une petite lanterne rouge, toute souillée. Le plancher et les bancs disposés le long des murs sont occupés par des pèlerins et des passants. Faute de place, plusieurs d'entre eux dorment assis. La scène se passe en pleine nuit. Au lever du rideau, on entend des coups de tonnerre et, par la porte ouverte, on aperçoit des éclairs.

SCÈNE PREMIÈRE

ÉFIMOVNA, NAZAROVNA, SAVVA, FÉDIA, BORTZOV, TIKHONE

Tikhone se tient derrière son comptoir. A demi couché sur un banc, dans une attitude nonchalante, Fédia joue doucement de l'accordéon. Près de lui Bortzov, vêtu d'un pardessus léger, très élimé. Par terre, devant les bancs, se sont installés Savva, Nazarovna et Éfimovna.

ÉFIMOVNA, *à Nazarovna.*

Dis donc, ma petite mère, secoue un peu le vieux!
On dirait qu'il est en train de passer.

NAZAROVNA, *soulevant un pan de la souquenille qui recouvre*
le visage du vieillard.

Homme de Dieu! Hein? Homme de Dieu! Es-tu
vivant ou déjà mort?

SAVVA

Pourquoi serais-je mort? Je suis vivant, petite mère!
(Il se soulève sur un coude.) Veux-tu me recouvrir les
jambes? Comme ça. La droite surtout. Voilà, c'est bien,
petite mère. Que Dieu te donne la santé.

NAZAROVNA, *lui recouvrant les jambes.*

Dors maintenant, mon père.

SAVVA

Comment dormirais-je? Il me faut déjà tellement de
patience pour supporter mes douleurs! Quant au sommeil, ma pauvre, tant pis! Le pécheur que je suis ne
mérite pas de repos. Qu'est-ce que c'est que ce bruit?

NAZAROVNA

Dieu nous envoie un orage. Le vent hurle, la pluie
tombe à verse; on dirait des pois qui frappent le toit
et les vitres. Tu entends? Les abîmes célestes se sont
ouverts... *(Un coup de tonnerre.)* Seigneur, Seigneur,
Seigneur...

FÉDIA

Et ça tonne, et ça hurle, et ça gronde, et on n'en voit
pas la fin! Hou... hou... hou! On dirait la forêt qui

geint. Hou... hou... hou... Le vent gémit comme un chien. *(Il frissonne.)* Il fait froid! Mes vêtements sont trempés, bons à tordre, et la porte est grande ouverte... *(Il joue doucement.)* Même que mon accordéon est tout mouillé, frères orthodoxes, la musique ne marche pas, autrement je vous aurais donné un de ces concerts à tout casser! Quelque chose de fameux! Un quadrille, par exemple, ou une polka... ou encore un couplet russe... je sais tout faire, moi! Quand j'étais garçon d'étage au Grand Hôtel, en ville, je n'ai pas amassé de sous, mais les notes, la musique, ça me connaît. J'ai appris tout ça. Je sais aussi jouer de la guitare.

UNE VOIX, *dans un coin de la pièce.*

Un imbécile qui ne dit que des bêtises.

FÉDIA

Imbécile toi-même!

Une pause.

NAZAROVNA, *au vieillard.*

Toi, mon vieux, à c't'heure, tu devrais être couché, au chaud, réchauffer ta pauvre jambe... *(Une pause.)* Eh, le vieux! Homme de Dieu! *(Elle secoue Savva.)* T'es pas en train de trépasser?

FÉDIA

Tu devrais boire un petit coup de vodka, grand-père. Ça te brûlerait le ventre, mais ça te soulagerait le cœur. Va, bois-en un coup!

NAZAROVNA

Fais pas le fanfaron, mon gars! Peut-être que le vieillard est en train de rendre son âme à Dieu! Il se

repent de ses péchés, — alors toi, avec tes paroles
stupides, ton accordéon... Laisse donc cette musique!
Tu n'as pas honte?

FÉDIA

Et toi, pourquoi tu l'embêtes? Il n'en peut plus de
souffrir, et toi tu te ramènes avec tes stupidités de bonne
femme. Lui, parce que c'est un juste, il ne peut pas te
dire un gros mot... Alors, tu es bien contente: on
t'écoute, imbécile! Dors, grand-père, ne l'écoute pas!
Laisse-la causer.. Fais pas attention! La langue d'une
femme, c'est le balai du diable: elle chasse de la maison
le rusé et le sage... Crache dessus! *(Joignant les mains :)*
Mais ce que tu es maigre! On dirait un squelette mort!
Pas trace de chair! Est-ce que vraiment tu serais en train
de mourir?

SAVVA

Pourquoi mourir? Que Dieu me garde de mourir
pour rien. Je souffrirai encore un peu et puis je me
lèverai avec Son aide. La Mère de Dieu ne permettra
pas que je meure en terre étrangère... Je mourrai chez
moi.

FÉDIA

Tu viens de loin?

SAVVA

De la ville de Vologda... Je suis un artisan de là-
bas.

FÉDIA

Où que ça perche, Vologda?

SAVVA

C'est après Moscou. Dans un gouvernement...

FÉDIA

Voyez-moi ça! Tu en as fait du chemin, barbu! Et toujours à pied?

SAVVA

A pied, mon gars. J'ai été au monastère de Tikhone Zadonski, maintenant je vais aux Montagnes Saintes. De là, si telle est la volonté de Dieu, j'irai à Odessa. Les gens disent que d'Odessa on peut aller à Jérusalem pour pas cher. Pour vingt et un roubles, qu'ils disent...

FÉDIA

Et à Moscou, tu y as été?

SAVVA

Je te crois! Cinq fois au moins...

FÉDIA

C'est une belle ville? *(Il allume une cigarette.)* Ça vaut la peine d'être vu?

SAVVA

Il y a beaucoup de saintes reliques là-bas, mon gars. Là où il y a des saintes reliques, c'est toujours beau.

BORTZOV, *s'approchant du comptoir, à Tikhone.*

Je t'en prie! donne-m'en un peu, pour l'amour du Christ!

FÉDIA

La chose principale, dans une ville, c'est la propreté...
S'il y a de la poussière, on doit l'arroser, s'il y a de la
saleté, on doit l'enlever... Il faut de hautes maisons... des
théâtres... de la police... et puis des cochers. J'ai vécu
moi-même dans les villes, ça me connaît.

BORTZOV

Un tout petit verre... celui-là! Fais-moi crédit!
Je te paierai!

TIKHONE

Pardi!

BORTZOV

Je t'en prie! Fais-moi cette grâce.

TIKHONE

Fiche-moi la paix.

BORTZOV

Tu ne me comprends pas. S'il y a une goutte de
cervelle dans ta tête dure de moujik, tâche donc de
comprendre : ce n'est pas moi qui te demande, ce sont
mes entrailles, comme vous dites, vous autres paysans!
C'est ma maladie qui te supplie! Comprends donc!

TIKHONE

Je n'ai rien à comprendre. Fous le camp!

BORTZOV

Si tu ne me donnes pas à boire, comprends-moi donc,
si je ne peux pas satisfaire cette passion, je suis capable

de commettre un crime. Dieu sait ce que je pourrais
faire! Toi, espèce de goujat, tu as vu pas mal d'ivrognes
dans ta vie de cabaretier, — n'as-tu donc jamais compris
ce que sont ces gens-là? Ce sont des malades! On peut
les enchaîner, les battre, les égorger, — mais il faut
leur donner à boire! Eh bien, je te prie humblement...
Fais-moi cette grâce! Je m'abaisse... Mon Dieu, comme
je m'abaisse!

TIKHONE

Donne-moi de l'argent et tu auras de la vodka.

BORTZOV

Où veux-tu que j'en prenne? Tout a été bu! Absolument tout! Il ne me reste plus que ce manteau, mais je
peux pas le donner : je le porte à même la peau. Veux-tu
mon bonnet?

> *Il enlève son bonnet et le tend à Tikhone.*

TIKHONE, *examinant le bonnet.*

Hum... Il y a bonnet et bonnet. Celui-là est troué
comme une passoire.

FÉDIA, *rigolant.*

C'est un chapeau de monsieur, c'est bon pour se
promener dans la rue et saluer les demoiselles. Bonjour!
Au revoir! Comment allez-vous?

TIKHONE, *rendant le bonnet.*

Je n'en veux pas, même pour rien. C'est du fumier.

BORTZOV

Il ne te plaît pas? Alors, fais-moi crédit! En revenant
de la ville je t'apporterai ta pièce de cinq kopeks, et

puisse-t-elle t'étrangler! Qu'elle t'étrangle! Qu'elle
s'arrête dans ta gorge! *(Il tousse.)* Je te hais!

TIKHONE

T'as fini de m'embêter? Qu'est-ce que c'est que ce
type-là? D'où ça sort, cette fripouille? Pourquoi es-tu
venu?

BORTZOV

Je veux boire! Ce n'est pas moi, c'est ma maladie
qui le réclame! Comprends-moi donc!

TIKHONE

Ne me pousse pas à bout. Sinon tu seras vite dehors,
dans la steppe.

BORTZOV

Que faire alors? *(Il s'éloigne du comptoir.)* Que faire?

Il reste rêveur.

ÉFIMOVNA

C'est le malin qui te tente. Crache dessus, monsieur!
Il murmure, le maudit : bois un coup! bois un coup!
T'as qu'à lui dire : je n'en veux pas! Je n'en veux pas!
Il te laissera en paix.

FÉDIA

Dans sa caboche, je parie que ça fait : trou-trou-trou!
Et il a le ventre creux... *(Il rit aux éclats.)* Tu es drôlement cinglé, barine! Va donc te coucher! Assez fait
l'épouvantail au milieu du cabaret; on n'est pas dans un
potager.

BORTZOV, *avec colère.*

Tais-toi! Personne ne te demande rien, espèce d'âne!

FÉDIA

Cause toujours, mais pas trop fort! On vous connaît, vous autres! T'es pas le seul à traînailler sur la grand-route. Espèce d'âne? Quand je t'aurai cassé la gueule, tu vas hurler pire que le vent. Ane toi-même! Fumier! *(Une pause.)* Salaud!

NAZAROVNA

Le vieillard est peut-être en train de faire sa prière et de rendre son âme au Seigneur, et ces impies se chamaillent et se disent des vilains mots... Ils n'ont pas honte!

FÉDIA

Et toi, vieille bique, vu que tu es dans un cabaret, cesse de chialer. Au cabaret on cause comme au cabaret.

BORTZOV

Que dois-je faire? Comment lui faire comprendre? Par quel discours? *(A Tikhone :)* Mon sang est figé dans mes veines! Tikhone! *(Il pleure.)* Tikhone, mon ami!

SAVVA, *en gémissant.*

Ça m'a traversé la jambe, on dirait un boulet de feu... Brave pèlerine, petite mère!

ÉFIMOVNA

Qu'y a-t-il, mon père?

SAVVA

Qui c'est qui pleure là?

ÉFIMOVNA

C'est un monsieur.

SAVVA

Demande au monsieur de verser une larme pour moi,
que je puisse mourir à Vologda. Une prière arrosée
de larmes est mieux reçue.

BORTZOV

Je ne prie pas, grand-père, et ce ne sont pas des
larmes. C'est du suc! C'est du suc de mon âme étran-
glée! *(Il s'assoit aux pieds de Savva.)* Du suc! D'ailleurs,
comment me comprendriez-vous, vous autres? Ta raison obscure, grand-père, n'y suffirait pas. Vous êtes
des gens obscurs!

SAVVA

Où trouver des gens éclairés?

BORTZOV

Il y en a, grand-père! Ils me comprendraient.

SAVVA

C'est vrai, ami, il y en a. Les saints étaient des gens
éclairés... Ils comprenaient la peine de chacun. Ils la
comprenaient sans qu'on leur en parle. Un regard leur
suffisait. Et comme leur compréhension était apaisante!
C'était comme si l'on n'avait jamais eu de peine! Ils
vous l'enlevaient comme avec la main.

FÉDIA

Est-ce que tu as connu des saints?

SAVVA

Pourquoi pas, mon gars? Il y a de tout sur terre. Il
y a des pécheurs, mais il y a aussi des serviteurs de
Dieu...

BORTZOV

Je ne comprends rien. *(Il se lève brusquement.)* Pour
comprendre une conversation, il faut de l'intelligence,
et je n'en ai plus... Je ne suis qu'instinct, que soif...
(Il s'approche vivement du comptoir.) Prends mon par-
dessus, Tikhone! Tu as compris? *(Il veut enlever son
pardessus.)* Mon pardessus...

TIKHONE

Et sous le pardessus, qu'y a-t-il? *(Il écarte le manteau
de Bortzov.)* Il n'y a que le corps nu? Ne l'enlève pas,
je ne le prendrai pas. Je ne veux pas charger mon âme
d'un tel péché.

Entre Méric

SCÈNE II

LES MÊMES, MÉRIC

BORTZOV

C'est bon, je prends le péché sur moi. Tu es d'accord?

MÉRIC *enlève en silence sa souquenille, mais garde sa veste.
Il porte une hache à la ceinture.*

Il y en a qui grelottent, mais l'ours et le vagabond
ont toujours chaud. Je suis en sueur, moi! *(Il pose sa*

hache par terre et retire sa veste.) Il faut verser un seau de sueur, pour arracher une jambe de la boue. Et pendant que tu retires une jambe, l'autre s'enfonce.

ÉFIMOVNA

Ça, c'est vrai... Dis-moi, brave homme, la pluie tombe toujours?

MÉRIC, *regardant Éfimovna.*

Je ne cause pas avec les bonnes femmes.

Une pause.

BORTZOV, *à Tikhone.*

Je prends le péché sur moi. Mais est-ce que tu m'écoutes, oui ou non?

TIKHONE

Je ne veux pas t'écouter. Fiche-moi la paix!

MÉRIC

C'est qu'il fait noir! Comme si le ciel était enduit de goudron. On ne voit pas le bout de son nez. Et la pluie vous cogne dans la gueule comme un chasse-neige.

Il ramasse ses vêtements et sa hache.

FÉDIA

Pour vous autres, les filous, c'est du beau temps. La bête sauvage se cache, mais la crapule est à la fête.

MÉRIC

Qui c'est qui a dit ça?

FÉDIA

Vise-moi bien. J'ai pas peur.

MÉRIC

Toi, je te retiens. *(Il s'approche de Tikhone.)* Bonjour, grosse bouille! Tu ne me remets pas?

TIKHONE

Pour se souvenir de tous les ivrognes qui traînent sur la grand-route, il faudrait avoir une dizaine de trous dans le front.

MÉRIC

Regarde encore.

Une pause.

TIKHONE

Mais je le remets, ma parole! C'est à tes gros yeux que je t'ai reconnu! *(Il lui tend la main.)* André Polikarpov?

MÉRIC

Plus d'André Polikarpov. On m'appelle maintenant Egor Méric.

TIKHONE

Pourquoi donc?

MÉRIC

Je porte le nom qui est marqué dans les papiers que Dieu m'envoie. Il y a deux mois que je m'appelle Méric. *(Coup de tonnerre.)* Rrr... Gronde toujours, tu ne me fais pas peur! *(Il regarde autour de lui.)* Il n'y a pas de flics par ici, des fois?

TIKHONE

Quels flics? C'est des mouches et des moustiques,
des petites gens... Les flics, à cette heure, ils roupillent
dans leurs lits de plume. *(En haussant la voix :)* Bonnes
gens, faites attention à vos poches et à vos habits, si
vous y tenez. C'est un homme dangereux. Il vous vole-
rait.

MÉRIC

Pour ce qui est de l'argent, je ne dis pas, — qu'ils
fassent attention, s'ils en ont, — mais pour les habits,
pas de danger. Où est-ce que je les fourrerais?

TIKHONE

Où le diable te conduit-il?

MÉRIC

Au Kouban.

TIKHONE

Tiens!

FÉDIA

Au Kouban? C'est vrai, ça? *(Il se soulève à demi.)*
C'est un beau pays. C'est un pays, les gars, comme on
n'en voit pas en rêve, même si on dormait trois ans de
suite. Quelle liberté! Il y a là-bas, à ce qu'on dit, tant
d'oiseaux, de bêtes, de gibier — Seigneur Dieu! L'herbe
y pousse toute l'année, les gens s'entendent bien, il y
a de la terre — en veux-tu en voilà! Et les autorités,
— c'est un petit soldat qui me l'a raconté l'autre jour —
les autorités distribuent cent déciatines par tête de
pipe! Ça, c'est du bonheur, que Dieu me confonde!

MÉRIC

Le bonheur... Le bonheur se promène derrière ton dos... Essaie de le voir! Comme si c'était facile de se mordre le coude! C'est des bêtises, tout ça... *(Il regarde les bancs et les gens qui les occupent.)* On dirait une halte de forçats... Bonjour, les miséreux!

ÉFIMOVNA, *à Méric.*

Que tu as des yeux méchants! Le mauvais esprit est en toi, mon gars. Ne nous regarde pas!

MÉRIC

Bonjour, le pauvre monde!

ÉFIMOVNA

Détourne-toi. *(Elle secoue le vieillard.)* Savvouchka, un méchant homme nous regarde. Il va nous jeter un sort, mon petit père! *(A Méric :)* Détourne-toi, que je te dis, mauvaise graine!

SAVVA

Il ne nous fera pas de mal, petite mère. Dieu ne le permettra pas.

MÉRIC

Bonjour, chrétiens! *(Il hausse les épaules.)* Ils se taisent! Vous ne dormez pas, tas de lourdauds! Pourquoi vous taisez-vous?

ÉFIMOVNA

Détourne ton mauvais œil! Détourne ton orgueil diabolique!

MÉRIC

Tais-toi, vieille sorcière! Ce n'est pas avec de l'orgueil diabolique que je voulais honorer votre misère, c'est avec de l'amitié, avec une bonne parole! J'ai eu pitié de vous; je vous voyais serrés comme des mouches, l'un contre l'autre, tout transis, je voulais vous réconforter avec ma bonne parole, plaindre votre misère, mais vous, vous détournez votre gueule! Eh bien, tant pis. *(Il s'approche de Fédia.)* D'où viens-tu, toi?

FÉDIA

Je suis d'ici, de l'usine de Khamonié. C'est une briqueterie.

MÉRIC

Lève-toi!

FÉDIA *se soulève.*

Pour quoi faire?

MÉRIC

Lève-toi. Ote-toi de là, c'est moi qui veux y coucher.

FÉDIA

Comment ça, toi? Est-ce que c'est ta place?

MÉRIC

Oui, c'est la mienne. Va te coucher par terre.

FÉDIA

Circule, passant. Je ne te crains pas...

MÉRIC

Il est dégourdi, celui-là! Fais vite, assez causé. Sinon
tu vas pleurer, imbécile.

TIKHONE, *à Fédia.*

Ne discute pas avec lui, mon gars. Crache dessus!

FÉDIA

De quel droit tu te permets?... Ça écarquille ses gros
yeux et ça croit vous faire peur! *(Il ramasse ses hardes
à pleines mains et va se faire un lit par terre.)* Espèce de
diable!

> *Il se couche par terre et se recouvre la tête.*

MÉRIC *se fait un lit sur le banc.*

Si tu m'appelles ainsi, c'est que tu n'as jamais vu le
diable. Il n'est pas comme moi. *(Il se couche et place sa
hache à son côté.)* Couche-toi, hachette, petite sœur.
Tiens, je vais recouvrir ton manche... Je l'ai volée et
je m'en suis toqué. Je ne veux pas la jeter et je ne sais
qu'en faire. C'est comme une femme qu'on a cessé
d'aimer... Oui. *(Il se recouvre les épaules.)* Les diables,
mon vieux, ne sont pas comme moi.

FÉDIA, *il sort la tête de sa souquenille.*

Et comment sont-ils donc?

MÉRIC

Ils sont comme de la vapeur, comme des esprits...
Comme le souffle *(il souffle),* voilà comment ils sont.
On ne peut pas les voir.

UNE VOIX, *d'un coin de la pièce.*

Pour les voir, il faut se mettre sous une herse.

MÉRIC

J'ai essayé, ça n'a rien donné. Les bonnes femmes, les moujiks stupides vous racontent des bobards... Il n'y a pas moyen de les voir, — ni les esprits, ni les revenants... Notre œil n'est pas fait pour ça. Quand j'étais petit, j'allais exprès la nuit dans la forêt pour voir le sylvain... Je criais, des fois, de toutes mes forces, je tenais les yeux grands ouverts : je voyais apparaître toutes sortes de choses, — mais pas de sylvain. La nuit, j'allais aussi au cimetière pour voir les revenants . là encore, les bonnes femmes ont menti. J'y ai vu pas mal de bêtes, mais pour avoir peur, zéro. Non, notre œil n'est pas fait pour voir ça.

UNE VOIX

Ne dis pas ça. Il arrive des fois qu'on voie des choses... Chez nous, au village, un moujik a étripé un sanglier. Il lui a ouvert le ventre, et voilà que de ses tripes quelqu'un sort d'un bond!...

SAVVA, *se soulevant.*

Mes petits gars, n'évoquez pas le Malin! C'est un péché, mes bons!...

MÉRIC

Ah! voilà la barbe grise! Voilà le squelette! *(Il rit.)* Pas la peine d'aller au cimetière, les macchabées sortent tout seuls du plancher pour nous faire la morale. « Un péché »! Ce n'est pas à vous, imbéciles, de nous faire la leçon. Vous êtes des gens obscurs, des ignorants...

(Il allume sa pipe.) Mon père était un moujik, il aimait
prêcher, lui aussi. Une fois, la nuit, il a volé chez le
pope un plein sac de pommes. Il nous le ramène et nous
fait la morale : « Prenez garde, les gosses, ne bouffez pas
les pommes avant la fête de la Transfiguration. Ce serait
un péché. » Vous, c'est pareil. C'est un péché de nommer le démon, mais il est permis de faire ses volontés...
Voyez, par exemple, cette vieille sorcière *(il désigne
Éfimovna)* : elle m'a pris pour le diable, mais dans sa
vie, pour ses histoires de femme, elle lui a sans doute
vendu son âme plus d'une fois.

ÉFIMOVNA

Oh! Oh! Oh! Que la Sainte Croix nous protège!
(Elle cache son visage dans ses mains.) Savvouchka!

TIKHONE

Pourquoi tu lui fais peur? Ça t'amuse? *(Le vent
fait claquer la porte.)* Seigneur Jésus! Quel vent, quel
vent!

MÉRIC, *il s'étire.*

Ah, si je pouvais leur montrer ma force! *(La porte
claque encore.)* Me mesurer avec le vent! Il n'arrive pas
à arracher la porte, mais moi, ce cabaret, je pourrais
l'extirper de terre! *(Il se lève et se couche à nouveau.)*
Comme je m'ennuie!

NAZAROVNA

Fais ta prière, malheureux! Pourquoi t'agites-tu?

ÉFIMOVNA

Laisse-le donc, qu'il aille au diable! Il nous regarde
encore... *(A Méric :)* Ne nous regarde pas comme ça,

méchant homme! Voyez, il a des yeux comme le malin
avant les matines.

SAVVA

Qu'il nous regarde, braves pèlerines. Faites vos
prières : son œil ne nous fera pas de tort...

BORTZOV

Non, je n'en peux plus! C'est au-dessus de mes forces!
(Il s'approche du comptoir.) Écoute-moi, Tikhone, je
te le demande pour la dernière fois : la moitié d'un petit
verre!

TIKHONE *secoue la tête.*

De l'argent!

BORTZOV

Mon Dieu, mais je t'ai déjà dit que je n'en avais pas!
Tout est bu! Où en prendrais-je? Ça ne te ruinerait
pas de me donner une goutte à crédit. A toi, ça te
coûterait un sou, et moi je cesserais de souffrir. Je n'en
peux plus! Ce n'est pas un caprice, c'est de la souffrance!
Comprends-moi!

TIKHONE

Va raconter tes sornettes à d'autres, pas à moi...
Demande donc à ces chrétiens qu'ils te fassent l'aumône, s'ils le veulent bien : moi, pour l'amour du Christ,
je ne donne que du pain.

BORTZOV

C'est ton habitude, à toi, de plumer les pauvres,
moi, jamais! Je ne leur demanderai rien! Jamais! Tu

me comprends? *(Il frappe du poing sur le comptoir.)*
Jamais! *(Une pause.)* Hum... attendez... *(Il se tourne
vers les pèlerins.)* Après tout, c'est une idée. Chrétiens!
Faites-moi l'aumône de cinq kopeks. Mes entrailles
crient! Je suis malade.

FÉDIA

Voyez-vous ça! Faites l'aumône! Fripouille! Bois
donc de l'eau...

BORTZOV

Comme je m'abaisse! Comme je m'abaisse! Inutile,
je ne vous demande rien. Je plaisantais.

MÉRIC

Tu n'en obtiendras rien, barine. C'est un radin,
tout le monde sait ça. Attends, j'avais une pièce de
cinq kopecks qui traînait quelque part. On se partagera
un petit verre. *(Il fouille dans ses poches.)* Où diable
s'est-elle fourrée? Je l'ai pourtant bien entendue sonner.
Non, elle n'y est pas... Elle n'y est pas, frère... C'est
bien ta chance.

Une pause.

BORTZOV

Je ne peux pas me passer de boire, sinon je vais
commettre un crime! ou bien je vais me tuer... Que
faire, mon Dieu? *(Il regarde la porte.)* Partir peut-être?
Partir dans les ténèbres, aller droit devant moi?...

MÉRIC

Eh bien, pieuses femmes, pourquoi ne lui faites-
vous pas la morale? Et toi, Tikhone, pourquoi ne

le chasses-tu pas? Il ne t'a pas payé la nuit! Chasse-
le donc, fous-le dehors! Ah, de nos jours le peuple
est devenu cruel. Il ne connaît ni douceur, ni bonté...
Des gens féroces! Un homme se noie, et on lui crie :
« Dépêche-toi de te noyer, on n'a pas le temps de te
regarder, on a du boulot. » Quant à lui jeter une corde,
pas question... Ça coûte de l'argent, une corde!

SAVVA

Il ne faut pas juger, brave homme!

MÉRIC

Tais-toi, vieux loup! Vous êtes des gens féroces!
Des hérodes! Des vendeurs d'âmes! *(A Tikhone :)*
Amène-toi, viens m'enlever mes bottes! Plus vite que
ça!

TIKHONE

Le voilà déchaîné. *(Il rit.)* C'est effrayant!

MÉRIC

Amène-toi, que je te dis! Vite! *(Une pause.)* Tu
m'entends, ou pas? C'est aux murs que je parle?

Il se lève.

TIKHONE

Allons, allons. Ça suffit.

MÉRIC

Je veux, écorcheur, que tu me retires mes bottes,
à moi, misérable vagabond.

TIKHONE

Allons, allons. Ne te fâche pas. Viens boire un verre! Viens.

MÉRIC

Bonnes gens, qu'est-ce que je veux? Qu'il m'offre de la vodka ou qu'il m'enlève mes bottes? Est-ce que je me serais mal expliqué? *(A Tikhone :)* Tu as mal compris, peut-être? Je veux bien attendre une minute, j'espère que tu comprendras.

> *Une certaine émotion règne parmi les pèlerins et les passants. Ils se soulèvent à demi et observent Tikhone et Méric. Attente silencieuse.*

TIKHONE

C'est le diable qui t'a amené ici! *(Il sort de derrière le comptoir.)* En voilà un grand seigneur! Eh bien, donne toujours... *(Il retire les bottes de Méric.)* Engeance de Caïn!

MÉRIC

C'est bon. Pose-les là, l'une à côté de l'autre. C'est bien. Va-t'en.

TIKHONE *revient derrière le comptoir.*

Tu aimes trop à faire le malin. Prends garde, je te mettrai à la porte, si tu continues! Oui! *(A Bortzov qui approche :)* Encore toi?

BORTZOV

Vois-tu, je pourrais te donner un objet en or... Oui, si tu veux, je te le donnerai...

TIKHONE

Qu'as-tu à trembler? Parle clairement.

BORTZOV

C'est lâche et ignoble de ma part, mais qu'y faire?
Je suis décidé à commettre cette lâcheté; je ne suis pas
responsable... Même un tribunal m'aurait acquitté...
Prends-le, mais à une condition : tu me le rendras, quand
je reviendrai de la ville. Je te le donne devant témoins...
Messieurs, soyez témoins! *(Il tire un médaillon de son
sein.)* Le voilà... Il faudrait en retirer le portrait, mais où
le mettrais-je? Je suis tout trempé... Tant pis, prends-le
avec le portrait! Seulement, voilà... ne touche pas ce
visage avec tes doigts... Je t'en prie... Mon ami, j'ai
été grossier avec toi, j'ai été bête, je m'excuse... mais ne
le touche pas avec tes doigts... Ne le regarde pas avec
tes yeux...

Il tend le médaillon à Tikhone.

TIKHONE *examine le médaillon.*

Une petite montre volée? Bon, ça va; bois un coup.
(Il lui verse de la vodka.) Vas-y, suce...

BORTZOV

Seulement... n'y touche pas avec tes doigts.

Il boit lentement, avec des arrêts convulsifs

TIKHONE *ouvre le médaillon.*

Hum... Une madame... Où l'as-tu accrochée?

MÉRIC

Montre-moi! *(Il se lève et va au comptoir.)* Fais voir!

TIKHONE *écarte la main.*

Doucement! Regarde-le dans ma main.

FÉDIA *se lève et va vers le comptoir.*

Moi aussi, je veux voir!

> *De tous côtés, les pèlerins et les passants viennent se grouper autour du comptoir.*

MÉRIC *saisit de ses deux mains la main de Tikhone qui tient le médaillon et regarde le portrait longuement. Une pause.*

C'est une belle diablesse. Une madame...

FÉDIA

Une vraie dame. Ses joues... ses yeux... Enlève ta main, je n'y vois pas. Des cheveux jusqu'à la ceinture... On dirait qu'elle est vivante, qu'elle va causer...

> *Une pause.*

MÉRIC

Pour un homme faible, c'est le pire danger. Une femme pareille te monte sur le dos... *(il fait un geste de dépit)* et tu es foutu!...

> *On entend la voix de Kouzma :* Hue! Arrête, vieille carne!
> *Entre Kouzma.*

SCÈNE III

LES MÊMES, KOUZMA

KOUZMA

Quand on voit un cabaret sur la route, on est forcé de s'arrêter. En plein jour, on passerait devant son propre père sans le remarquer, mais le cabaret, ça se voit la nuit à cent verstes. Faites place, chrétiens! Hé là! *(Il frappe avec une pièce contre le comptoir.)* Un verre de madère! Du vrai! Plus vite que ça!

FÉDIA

Qu'est-ce qu'il a à frétiller comme un diable?

TIKHONE

Fais pas trop de gestes! Tu vas accrocher quelque chose!

KOUZMA

Le Bon Dieu m'a donné des mains pour m'en servir. *(Il regarde les pèlerins.)* Ils ont fondu comme du sucre, les malheureux! La pluie leur a fait peur! Ils sont délicats...

Il boit.

ÉFIMOVNA

Comment n'aurait-on pas peur, brave homme, d'être surpris sur la route par une nuit pareille? Et encore aujourd'hui, Dieu merci, on ne peut pas se plaindre : il y a beaucoup de villages et de fermes le

long des routes; on peut s'abriter de la tempête. Mais
dans le temps, Seigneur Dieu, quelle misère! On trottait,
on faisait une centaine de verstes, et on ne trouvait rien;
non seulement pas de village, ni de ferme, mais pas
même un tronc d'arbre. On se couchait à même le sol...

KOUZMA

Ça fait longtemps, grand-mère, que tu traînes tes
savates sur cette terre?

ÉFIMOVNA

Ça fait plus de soixante-dix ans, mon gars!

KOUZMA

Plus de soixante-dix! Tu auras bientôt atteint l'âge
de la corneille. *(Il regarde Bortzov.)* Et celui-là, d'où
sort-il? *(Il fixe Bortzov attentivement.)* Not'Maître!
*(Bortzov a reconnu Kouzma et, gêné, va s'asseoir sur un banc,
dans un coin.)* Sémione Serguéitch! Est-ce bien vous?
Mais qu'est-ce que vous faites ici, dans ce cabaret?
Est-ce là votre place?

BORTZOV

Tais-toi!

MÉRIC

Qui est-ce?

KOUZMA

Un pauvre martyr. *(Il déambule nerveusement devant
le comptoir.)* Hein? Dans un cabaret, dites-moi un peu!
Tout en loques! Et fin soûl! Ça me renverse, mes amis!
Ça me renverse... *(A Méric, en baissant la voix :)* C'est
notre barine... notre propriétaire, Sémione Serguéitch,

M. Bortzov... T'as vu de quoi il a l'air? Est-ce qu'il ressemble à un être humain? Voilà où ça mène... l'ivrognerie, je veux dire... Verse-m'en une goutte. *(Il boit.)* Je suis de son village — Bortzovka —, vous ne connaissez pas? C'est dans le district de Yergovsk, à vingt verstes d'ici. Nous avons été des serfs de son père. Quelle pitié!

MÉRIC

Il était riche?

KOUZMA

Et comment!

MÉRIC

Il a dilapidé les richesses de son père?

KOUZMA

Non, mon vieux. C'était son destin. C'était un monsieur important, riche et sérieux... *(A Tikhone :)* Tu l'as vu plus d'une fois passer devant ton cabaret quand il allait en ville, en voiture. Des chevaux de maître, rapides, une voiture à ressorts, — tout ce qu'il y a de beau! Il possédait cinq attelages de troïka, mon vieux! Je me rappelle encore, il y a cinq ans de cela, en prenant le bac de Mikichka, il lui a jeté un rouble au lieu de cinq kopecks : je n'ai pas le temps d'attendre la monnaie, qu'il a dit! Et voilà!

MÉRIC

Il a donc perdu la boule?

KOUZMA

Ce n'est pas encore ça, mon vieux! Non! C'est surtout par faiblesse de caractère. Et puis, il avait

été trop gâté, les gars. Cela a commencé par une femme.
Il en a rencontré une en ville et il a cru qu'il n'y en avait
pas de plus belle dans le monde entier... Il a pris un
corbeau pour un faucon, quoi! C'était une demoiselle
noble. Pas dépravée, non... mais écervelée. Et je te
tourne les hanches, et je te cligne des yeux... Et toujours
elle riait! Pas de cervelle pour un sou! Les messieurs
aiment ça, ils lui trouvaient de l'esprit, mais nous autres
moujiks, on l'aurait chassée... Bon. Le voilà donc qui
s'en amourache et qui envoie promener tout le reste.
Il s'est mis à la sortir, à lui payer ceci et cela, du thé, du
sucre; la nuit, on se promenait en canot, on jouait du
piano...

BORTZOV

Ne parle pas de cela, Kouzma. Pour quoi faire?
Ma vie ne les regarde pas.

KOUZMA

Excusez-moi, monsieur. Je ne leur en ai dit qu'un
tout petit bout. Et maintenant ça suffit, je ne leur
dirai plus rien. Si j'en parle, c'est parce que ça m'a
tellement secoué. Je suis trop secoué, moi. Verse-m'en
un peu.

Il boit.

MÉRIC, *presque dans un murmure.*

Mais elle... est-ce qu'elle l'aimait?

KOUZMA, *d'abord bas, puis en élevant de plus en plus la voix.*

Comment ne l'aurait-elle pas aimé? Ce n'était pas
n'importe qui! Comment ne pas l'aimer, il possédait
plus d'un millier d'hectares et de l'argent à ne savoir
qu'en faire? Et puis c'était un monsieur bien : sérieux,

beaucoup de prestance, toujours sobre... à tu et à toi
avec toutes les autorités; il leur tendait la main comme ça
(il prend la main de Méric) : « Bonjour, au revoir, faites
comme chez vous. » ...Bon, un soir je passe par son
jardin, — quel jardin, mon vieux! des verstes et des
verstes... Je vais bien doucement et je les vois tous les
deux, assis sur un banc, et qui se bécotent. *(Il imite avec
sa bouche le bruit d'un baiser.)* Il lui donne un baiser, et
elle, la garce, elle lui en rend deux. Il prend sa main
blanche, et elle, tout excitée, elle se colle à lui, — que
le diable l'emporte! — Je t'aime, qu'elle lui dit, mon
Sénia! Et Sénia, comme un possédé, va se vanter partout
de son bonheur, par pure faiblesse d'âme. Il donne un
rouble à l'un, deux roubles à l'autre. A moi, il m'a donné
de quoi acheter un cheval. Dans sa joie, il a fait remise
de tout l'argent qu'on lui devait...

BORTZOV

Pourquoi parler de tout cela? Ces gens sont sans
pitié. Tu me fais mal.

KOUZMA

Rien qu'un tout petit peu, monsieur! Puisqu'ils
le demandent, pourquoi ne pas leur raconter un peu?
C'est bon, c'est bon, j'ai fini. Si vous vous fâchez, je
m'arrête. Ces gens-là, je m'en fiche.

On entend les clochettes d'une voiture postale.

FÉDIA

Ne gueule pas si fort, parle doucement.

KOUZMA

Mais je parle doucement... Rien à faire. Il ne
veut pas que je raconte... D'ailleurs, raconter quoi?

Ils se sont mariés, — voilà toute l'histoire. Il n'y a
rien eu d'autre. Verse une goutte à Kouzma, — je
suis fauché! *(Il boit.)* J'aime pas l'ivrognerie, moi!
Et à l'instant même où, après le mariage, on devait se
mettre à table pour souper, v'là la mariée qui file en
voiture... *(en baissant la voix :)* elle a filé en ville, rejoindre
son amant, un avocat! Hein? Qu'en dis-tu? Elle a bien
choisi son moment! Vrai... la tuer, ce ne serait pas
suffisant.

MÉRIC, d'un air pensif.

Bon. Et après?

KOUZMA

Il en est devenu timbré... Tu le vois bien : il s'est
habitué à siroter! Et plus ça va... maintenant, il voit
triple, comme on dit... D'abord, il voyait double, et
maintenant, triple. Mais il l'aime toujours. Regarde-le :
il l'aime! S'il va à pied en ville aujourd'hui, c'est sans
doute pour la voir, pour jeter un petit coup d'œil sur
elle... Puis il reviendra.

> *La voiture postale s'arrête devant le cabaret.
> Le postier entre et boit un verre.*

TIKHONE

La poste est en retard aujourd'hui.

> *Le postier paie sans dire un mot et sort. La voiture
> postale s'éloigne dans un bruit de clochettes.*

UNE VOIX, dans un coin.

Par un temps pareil, on dévaliserait la poste en
moins de rien.

MÉRIC

Dire que je suis depuis trente-cinq ans sur terre
et que je n'ai jamais dévalisé la poste! *(Un silence.)*
Maintenant il est trop tard. Elle est partie. Trop tard!

KOUZMA

T'as envie de goûter aux travaux forcés?

MÉRIC

Il y en a qui le font sans se faire pincer. Et puis,
après tout, travaux forcés ou pas... *(A Kouzma, d'un
ton brusque :)* Et après?

KOUZMA

C'est du malheureux que tu parles?

MÉRIC

Et de qui donc?

KOUZMA

L'autre chose qui l'a perdu, mes amis, c'est l'histoire
de son beau-frère, du mari de sa sœur. A-t-il pas eu
l'idée de lui donner sa garantie auprès d'une banque,
pour trente mille roubles? Le beau-frère était une crapule,
il entendait ses intérêts, le malin, et se foutait du reste.
Il a pris l'argent, mais pour le rembourser... C'est le
nôtre qui a payé les trente mille... *(Il pousse un soupir.)*
L'homme stupide est puni pour sa stupidité. Sa femme,
elle, a fait des gosses à l'avocat; son beau-frère a acheté
une propriété près de Poltava, et notre maître, le pauvre
imbécile, traîne dans les caboulots et vient se plaindre
à nous autres, moujiks : « J'ai perdu la foi, frères! Je
ne peux plus croire en personne! » C'est de la faiblesse

d'âme, ça! Chacun a son chagrin qui lui ronge le cœur comme un serpent, mais est-ce une raison pour se mettre à boire? Prenez notre syndic du village : sa femme amène le maître d'école chez elle en plein jour, tout l'argent du mari passe dans la boisson, et lui se promène comme si de rien n'était en faisant des sourires à chacun. Il est vrai qu'il a maigri un tantinet...

TIKHONE, *avec un soupir.*

Tout dépend de la force que Dieu vous a donnée.

KOUZMA

Ça, c'est juste, tout le monde n'a pas la même force. Alors? Ça nous fait combien? *(Il paie.)* Prends l'argent de ma sueur. Adieu, les gars! Bonne nuit, faites de beaux rêves! Je me sauve, il est temps. J'amène chez notre dame la sage-femme de l'hôpital. Elle m'attend depuis un moment, la pauvrette, elle doit être bien trempée...

Il sort en courant.

TIKHONE, *après un silence.*

Hé là, toi! Comment vous appelle-t-on? Viens ici, mon pauvre homme, bois un coup!

Il verse à boire.

BORTZOV *s'approche du comptoir en hésitant et boit.*

Cela fait donc deux verres que je te dois maintenant?

TIKHONE

Qui te parle de devoir? Bois, ne t'inquiète de rien. Noie ton chagrin!

FÉDIA

Bois aussi à la mienne, barine! Eh! *(Il jette une pièce sur le comptoir.)* Quand on boit, on meurt, quand on ne boit pas, on meurt pareil. On est bien sans la vodka, mais on est mieux avec! Grâce à la vodka, le chagrin cesse d'être un chagrin! Vas-y!

BORTZOV

Ouf! Ça brûle!

MÉRIC

Fais-moi voir encore. *(Il prend le médaillon des mains de Tikhone et examine le portrait.)* Hum... Elle est partie après le mariage! Quelle femme!

UNE VOIX, *dans un coin de la pièce.*

Verse-lui encore un verre, Tikhone! Qu'il boive à la mienne!

MÉRIC *lance avec force le médaillon par terre.*

La maudite!

Il va rapidement à sa place et se couche, le visage contre le mur. Émotion générale.

BORTZOV

Qu'est-ce que c'est? Qu'est-ce que cela veut dire? *(Il ramasse le médaillon.)* Tu oses, animal? De quel droit? *(En pleurnichant :)* Tu veux donc que je te tue? Oui? Moujik! Malappris!

TIKHONE

Ne te fâche pas, barine. Ça n'est pas en verre, ça n'est pas cassé. Bois un petit coup et va dormir. *(Il*

lui verse à boire.) Je vous ai écoutés, mais il est grand
temps de fermer le cabaret.

> *Il va fermer la porte d'entrée.*

BORTZOV

Comment ose-t-il? Quel imbécile! *(A Méric :)*
Comprends-tu? Tu n'es qu'un imbécile! Un âne!

SAVVA

Mes petits gars! Mes braves amis! A quoi ça sert-il
de faire tout ce boucan? Laissez les gens dormir!

TIKHONE

Allons, allons, couchez-vous! Ça suffit! *(Il va derrière
le comptoir et ferme à clef le tiroir contenant sa recette.)*
Il est temps de dormir.

FÉDIA

Il est temps. *(Il se couche.)* Bonne nuit, les gars!

> MÉRIC *se lève et étend sa pelisse sur le banc.*

Viens, barine, couche-toi là.

TIKHONE

Et toi, où coucheras-tu?

MÉRIC

N'importe où. Par terre. *(Il étend sa souquenille sur
le plancher.)* Moi, ça m'est égal. *(Il pose sa hache près de
lui.)* Mais, pour lui, c'est une torture de coucher par
terre : il est habitué à de la soie, à du coton...

TIHKONE, *à Bortzov.*

Couche-toi, barine! Assez regardé le portrait! *(Il
éteint la bougie.)* Laisse-le donc.

BORTZOV, *qui vacille sur ses jambes.*

Où dois-je... me coucher?

TIKHONE

A la place du vagabond! Tu n'as pas entendu? Il te
cède sa place.

BORTZOV *s'approche du banc.*

Je suis... un peu ivre... C'est... qu'est-ce que c'est?
C'est là que je peux me coucher, n'est-ce pas?

TIKHONE

Mais oui, couche-toi, ne crains rien.

Lui-même s'étend sur le comptoir.

BORTZOV

Je suis... ivre... Tout tourne... *(Il ouvre le médaillon.)*
Tu n'as pas de bougie? *(Une pause.)* Que tu es drôle,
Macha! Tu me regardes et tu ris dans ton cadre. *(Il
rit.)* Je suis ivre? Est-ce qu'il est permis de se moquer
d'un homme ivre? Néglige ce détail, comme dit Chtas-
livtzev [1] et... aime l'ivrogne que je suis.

FÉDIA

Comme le vent hurle! Ça fait peur.

1. Personnage du drame d'Ostrovski, *La Forêt (N. d T.)*

BORTZOV

Que tu es... Mais pourquoi tournes-tu comme ça? Je ne peux pas t'attraper!

MÉRIC

Il divague. Il admire le portrait. *(Il rit.)* Quelle histoire! De savants messieurs ont inventé toutes sortes de machins et de médicaments, mais aucun homme intelligent n'a encore trouvé de remède contre le sexe faible... Ils cherchent à soigner toutes les maladies, mais ils n'ont pas encore compris que les femmes font crever plus de gens que les maladies. Elles sont malignes, les femmes, avides, dures, sans cervelle! La belle-mère torture la belle-fille, la belle-fille cherche à tromper son mari, et ça ne finit jamais!

TIKHONE

Les femmes lui en ont fait voir, alors il se venge.

MÉRIC

Je ne suis pas le seul. Depuis toujours, depuis que le monde est monde, les gens se plaignent... Ce n'est pas pour rien que, dans les chansons et dans les contes, on met le diable et la femme dans le même sac. Ce n'est pas pour rien! Ça doit être au moins à moitié vrai! *(Une pause.)* Ce barine-là fait l'imbécile... et moi, c'est-il parce que je suis trop malin que je suis devenu vagabond, que j'ai quitté père et mère?

FÉDIA

Les femmes?

MÉRIC

Comme le barine, tout pareil... Moi aussi, j'ai été
quasiment fou, quasiment ensorcelé, jour et nuit j'étais
comme dans les flammes, je me vantais de mon bonheur...
et puis l'heure est venue pour moi d'ouvrir les yeux.
Ce n'était pas de l'amour, rien que de la tromperie.

FÉDIA

Qu'est-ce que tu lui as fait?

MÉRIC

Ça ne te regarde pas... *(Une pause.)* Tu crois que je
l'ai tuée? J'ai pas osé... Non seulement je ne l'ai pas
tuée, mais encore j'en ai eu pitié. Continue de vivre,
toi... et sois heureuse! Pourvu que mes yeux ne te
voient plus et que je puisse t'oublier, vipère!

On frappe à la porte.

TIKHONE

Le diable amène quelqu'un... Qui est là? *(On frappe.)*
Qui c'est qui frappe? *(Il se lève et va vers la porte.)*
Qui frappe là? Circulez! C'est fermé.

UNE VOIX, *derrière la porte.*

Laisse-moi entrer, Tikhone, au nom du Christ.
Le ressort de la voiture s'est cassé. Aide-nous, sois un
frère. Si l'on pouvait seulement l'attacher avec un bout
de corde, on continuerait de rouler tant bien que mal...

TIKHONE

Qui est avec toi?

LA VOIX

C'est Madame qui va de la ville à Varsonofievo.
Il ne nous reste que cinq verstes à faire! Aide-nous,
rends-moi ce service!

TIKHONE

Dis à ta dame que pour dix roubles on lui donnera
une corde et on lui arrangera son ressort.

LA VOIX

T'es pas fou! Dix roubles! Espèce de chien enragé!
Il est content de voir les autres dans le malheur...

TIKHONE

A ton aise. C'est à prendre ou à laisser.

LA VOIX

Ça va, attends un instant... *(Une pause.)* Madame a
dit : « C'est bien. »

TIKHONE

Soyez les bienvenus!

Il ouvre la porte et laisse entrer le cocher.

SCÈNE IV

LES MÊMES, LE COCHER

LE COCHER

Bonjour, chrétiens! Eh bien, amène ta corde! Vite!
Eh, les gars, qui veut me donner un coup de main?
Il y aura un pourboire.

TIKHONE

Pourquoi leur donner un pourboire? Laisse-les
roupiller, on s'en tirera à nous deux!

LE COCHER

Ouf! je suis éreinté. Le froid, la boue, pas un fil
de sec... Autre chose, mon vieux : n'aurais-tu pas une
petite chambre ici pour que Madame puisse se réchauffer?
La voiture est tout de travers, pas moyen d'y rester
assis...

TIKHONE

Quelle chambre lui faut-il? Elle n'a qu'à se réchauffer
ici, si elle a froid, on lui trouvera de la place! *(Il s'approche
de Bortzov et fait place nette près de lui.)* Levez-vous!
Vous resterez une petite heure par terre, pendant que
la dame va se réchauffer. Relève-toi, barine! Assieds-toi!
(Bortzov se relève.) Voilà de la place pour vous.

Le cocher sort.

FÉDIA

Que le diable l'emporte, cette madame. Plus moyen
de dormir jusqu'à l'aube.

TIKHONE

J'ai eu tort de ne pas demander quinze roubles.
Elle les aurait donnés. *(Il s'arrête devant la porte dans
une attitude d'attente.)* Vous autres, les gars, soyez polis.
Ne dites pas de ces mots...

Entre Maria Egorovna suivie du cocher.

SCÈNE V

LES MÊMES, MARIA EGOROVNA ET LE COCHER

TIKHONE, *saluant.*

Soyez la bienvenue, madame ! Ce n'est qu'une demeure de moujik, pleine de vermine... Excusez-nous !

MARIA EGOROVNA

Je n'y vois rien... Où faut-il aller ?

TIKHONE

Par ici, madame. *(Il la conduit vers le banc, près de Bortzov.)* Veuillez me pardonner, je n'ai pas de chambre particulière, mais vous n'avez rien à craindre ici, madame : ce sont des braves gens, bien calmes.

MARIA EGOROVNA *s'assied à côté de Bortzov.*

L'air est terriblement suffocant ! Ouvrez au moins la porte !

TIKHONE

A vos ordres !

Il court ouvrir la porte.

MÉRIC

Les gens gèlent, et lui ouvre la porte à deux battants. *(Il se lève et claque la porte.)* Elle n'a pas d'ordres à donner !

Il se recouche.

TIKHONE

Veuillez l'excuser, madame, c'est un idiot... un innocent. Ne vous effrayez pas, il ne vous fera rien... Seulement, pardonnez-moi, madame, je ne marche pas pour dix roubles. Quinze, si vous voulez bien.

MARIA EGOROVNA

C'est bon, mais faites vite.

TIKHONE

A l'instant même. On va le faire tout de suite... *(Il tire une corde de dessous le comptoir.)* A l'instant...

Un silence.

BORTZOV, *en regardant fixement Maria Egorovna.*

Marie... Macha...

MARIA EGOROVNA, *qui le regarde à son tour.*

Qu'est-ce que c'est encore?

BORTZOV

Marie... C'est toi? D'où viens-tu?

Maria Egorovna reconnaît Bortzov et recule, en poussant un cri, jusqu'au milieu de la pièce.

BORTZOV, *qui la suit.*

Marie, c'est moi! Moi... *(Il rit.)* Ma femme! Marie! Mais où suis-je? Quelqu'un! De la lumière!

MARIA EGOROVNA

Allez-vous-en! Ce n'est pas vrai! Ce n'est pas vous...
(Elle cache sa figure dans ses mains.) C'est un mensonge!
C'est de la folie...

BORTZOV

Sa voix, ses gestes... Marie, c'est moi! Dans un
instant je ne serai plus... ivre... La tête me tourne...
Mon Dieu! Attends, attends... Je ne comprends rien.
(Il crie :) Ma femme!

> *Il s'écroule à ses pieds en sanglotant. Un groupe
> se forme autour des époux.*

MARIA EGOROVNA

Laissez-moi! *(Au cocher :)* Denis, nous partons!
Je ne peux pas rester ici une minute de plus!

MÉRIC *se lève brusquement et fixe Maria.*

Le portrait! *(Il saisit la main de la jeune femme.)* C'est
elle. Eh, les gens! C'est la femme du barine!

MARIA EGOROVNA

Va-t'en, moujik! *(Essayant de dégager sa main :)*
Denis, qu'attends-tu? *(Denis et Tikhone viennent en
courant et saisissent Méric sous les bras.)* C'est un repaire
de brigands, ici! Lâche ma main! Je n'ai pas peur de toi.
Allez-vous-en!

MÉRIC

Attends, je te lâcherai tout de suite. Laisse-moi
te dire un mot... un seul mot pour que tu comprennes...
(Se tournant vers Denis et Tikhone :) Ne me tenez pas,

goujats, allez-vous-en! Je ne la lâcherai pas tant que je n'aurai pas dit ce mot! Attends... tout de suite! *(Il se frappe le front du poing.)* Non, Dieu ne m'a pas donné d'esprit! Je ne peux pas trouver ce mot!

MARIA EGOROVNA, *dégageant sa main.*

Laisse-moi! Tas d'ivrognes!... Partons, Denis!

Elle se dirige vers la porte.

MÉRIC, *lui barrant le chemin.*

Regarde-le donc une seule fois. Console-le donc d'une parole douce! Je t'en supplie au nom du Christ...

MARIA EGOROVNA

Débarrassez-moi de cet... innocent.

MÉRIC

Alors, tu vas mourir, maudite!

Il lève sa hache. Émotion générale. Tous se dressent debout. Cris de terreur. Savva se jette entre Méric et Maria Egorovna. Denis repousse Méric de toute sa force et emporte sa maîtresse dans ses bras hors du cabaret. Tous restent immobiles, comme pétrifiés. Une longue pause.

BORTZOV *cherche en tâtonnant.*

Marie... où es-tu, Marie?

NAZAROVNA

Mon Dieu, mon Dieu... Vous m'avez déchiré l'âme, assassins que vous êtes! Quelle nuit maudite!

MÉRIC, *laissant retomber sa main qui tient la hache.*

L'ai-je tuée ou non ?

TIKHONE

Remercie Dieu : ta tête est sauve.

MÉRIC

Donc, je ne l'ai pas tuée... *(Il va en vacillant vers son lit.)* Le sort n'a pas voulu que je meure à cause de cette hache volée... *(Il tombe en sanglotant sur son lit.)* J'ai le cafard ! Un terrible cafard ! Ayez pitié de moi, frères orthodoxes !

Le Chant du cygne

ÉTUDE DRAMATIQUE EN UN ACTE

VASSILI VASSILIÉVITCH SVETLOVIDOV, *acteur comique, soixante-huit ans.*

NIKITA IVANYTCH, *souffleur, un vieillard.*

L'action se passe la nuit, après le spectacle, sur la scène d'un théâtre de province de second ordre. A droite, une rangée de portes grossièrement charpentées en bois blanc, menant aux loges des acteurs. A gauche et au fond de la scène, un amas d'accessoires. Au milieu de la scène, un tabouret renversé. Il fait sombre.

SCÈNE PREMIÈRE

SVETLOVIDOV, *seul.*

*Svetlovidov, en costume de Calchas, une bougie à la main,
sort de sa loge ; il rit aux éclats.*

SVETLOVIDOV

Elle est bonne, celle-là! Elle est formidable! M'endormir dans ma loge! Le spectacle est fini depuis
longtemps, tout le monde a quitté le théâtre, et moi je
roupille le plus tranquillement du monde. Ah! vieux
jeton, va, vieux jeton! Pauvre vieux! A force de siroter,
tu t'es endormi sur ta chaise! C'est malin, ça! Compli-
ments, mon bijou. *(Il appelle :)* Egorka! Egorka!
Sacrebleu! Petrouchka! Ils se sont endormis, les gredins,
que cent diables et une sorcière les emportent! Egorka!
*(Il retourne le tabouret, s'assoit dessus, pose sa bougie par
terre.)* On n'entend rien... Seul l'écho me répond...
Voilà ce que c'est de récompenser ces gars-là, trois
roubles à chacun aujourd'hui... maintenant pour les
retrouver... même avec des chiens policiers... Ils ont

filé, les misérables, et sûrement fermé toutes les portes
à clef... *(Il secoue violemment la tête.)* Ce que je peux être
soûl. J'ai dû ingurgiter une fameuse dose de bière et de
vin, en l'honneur de cette représentation. J'ai mal aux
cheveux, et ce goût dans la bouche... Infect... C'est
dégoûtant. *(Un temps.)* Et d'un bête... Regardez-moi
ce vieil imbécile qui s'est soûlé, et pour fêter quoi ?
Allez le lui demander... Oh ! mon Dieu ! J'ai les reins
cassés, la caboche qui éclate, des frissons dans tout le
corps, et dans mon âme, il fait noir, il fait froid, on se
croirait dans une cave. Espèce de vieux pitre, si tu te
fiches de ta santé, prends au moins pitié de ta vieillesse.
(Un temps.) Eh oui, c'est la vieillesse... On a beau tricher,
et crâner, et jouer la comédie, la vie est finie... déjà
soixante-huit ans bien sonnés... adieu, votre serviteur...
Tu ne les feras pas revenir... La bouteille est vidée...
Plus qu'une goutte au fond... De la lie... C'est comme
ça... Eh oui, mon pauvre Vassia... Que tu le veuilles
ou non, c'est le moment de répéter le rôle de macchabée...
La mort, notre mère, n'est pas loin... *(Il regarde devant
lui.)* Tiens, voilà quarante-cinq ans que je fais du théâtre,
et je crois bien que c'est la première fois que j'en vois
un en pleine nuit... Oui, la première fois... C'est tout de
même curieux, il n'y a pas à dire. *(Il s'approche de la
rampe.)* ... On n'y voit goutte... Je devine la niche du
souffleur... La loge de ces messieurs... le pupitre... le
reste, nada, les ténèbres. Un trou noir sans fond, une
tombe, avec la mort en personne dedans... Brr... Quel
froid ! Il vient de la salle comme d'un tuyau de cheminée...
Endroit idéal pour évoquer les esprits ! J'ai la frousse,
que le diable m'emporte... Des frissons dans le dos...
(Il appelle.) Petrouchka ! Egorka ! Où êtes-vous, démons ?
Seigneur, mais qu'est-ce qui me prend d'appeler le
Malin ? Ah mon Dieu, assez de blasphèmes, et cesse de
boire, toi qui es vieux, qui va bientôt mourir... A

soixante-huit ans, les braves gens, ils vont à la messe, ils se préparent à la mort, pas comme toi, qui... Oh, Seigneur! De gros mots, cette gueule d'ivrogne, ce costume de clown... Je me dégoûte... Je vais aller vite me changer... J'ai peur! Si je restais ici toute la nuit, j'en crèverais d'effroi...

> *Il se dirige vers sa loge; à ce moment, Nikita Ivanovitch, en blouse blanche, sort de la loge la plus éloignée et apparaît au fond de la scène.*

SCÈNE II

SVETLOVIDOV, NIKITA

SVETLOVIDOV, *voyant Nikita, pousse un cri d'effroi et recule.*

Qui est-ce? Pourquoi? Que veux-tu? *(Il trépigne.)* Qui es-tu?

NIKITA

C'est moi, monsieur.

SVETLOVIDOV

Qui ça, toi?

NIKITA, *s'approchant lentement.*

C'est moi, monsieur... Nikita Ivanovitch, le souffleur... C'est moi, Vassili Vassiliévitch.

SVETLOVIDOV, *épuisé, se laisse tomber sur le tabouret; il halète et tremble de tous ses membres.*

Mon Dieu! Qui est-ce? C'est toi... toi, Nikitouchka? Pour... Pourquoi es-tu ici?

NIKITA

Je couche ici, monsieur, dans une loge... Seulement, au nom du ciel, ne le dites pas à Alexis Fomitch, monsieur... Je n'ai pas d'autre endroit pour dormir, parole d'honneur...

SVETLOVIDOV

C'est toi, Nikitouchka... Mon Dieu, mon Dieu. Seize rappels... trois couronnes... un tas d'autres choses... Tout le monde était enthousiaste... mais personne pour réveiller le vieil ivrogne, le reconduire chez lui... Je suis vieux, Nikitouchka... Soixante-huit ans! Je suis malade... Mon pauvre esprit est tourmenté... *(Il se presse en pleurant contre le bras du souffleur.)* Ne me quitte pas, Nikitouchka... Je suis vieux, malade, l'heure de la mort est proche... J'ai peur, j'ai peur!...

NIKITA, *avec affection et respect.*

Vous devriez rentrer chez vous, Vassili Vassiliévitch.

SVETLOVIDOV

Je ne veux pas. Je n'ai pas de chez moi, non, non, non!

NIKITA

Seigneur! Auriez-vous oublié où vous habitez?

SVETLOVIDOV

Je ne veux pas y aller. Je ne veux pas! Je suis seul, là-bas... Je n'ai personne, Nikitouchka, ni parents, ni femme, ni enfants... Seul, comme le vent dans la plaine... Si je meurs, personne ne priera pour moi... et j'ai si

peur d'être seul. Personne pour me réchauffer, me consoler, me mettre au lit quand je suis ivre... Qui suis-je?
Qui a besoin de moi? Qui m'aime? Personne, Nikitouchka, personne!

NIKITA, *à travers les larmes.*

Le public, lui, vous aime, Vassili Vassiliévitch.

SVETLOVIDOV

Le public? Il est parti, il dort, il a oublié son bouffon...
Non, personne n'a besoin de moi, personne ne m'aime...
Je n'ai ni femme, ni enfants...

NIKITA

Bah! Il n'y a pas de quoi vous affliger.

SVETLOVIDOV

Mais je suis un être vivant, Nikitouchka, ce n'est
pas de l'eau, c'est du sang qui coule dans mes veines.
Je suis d'origine noble, de bonne famille... Avant
d'échouer dans ce trou, j'étais militaire... officier d'artillerie. Et si tu m'avais vu, quel gaillard! Beau, honnête,
courageux, ardent. Mon Dieu, où tout cela est-il passé?
Et après, Nikitouchka, n'ai-je pas été un acteur magnifique? *(Il se lève, en s'appuyant sur le bras du souffleur.)*
Où est-il, ce temps-là? Mon Dieu! Tout à l'heure, j'ai
jeté un coup d'œil dans cette fosse, et tout m'est revenu,
tout. C'est cette fosse qui a englouti quarante-cinq
années de ma vie, et quelle vie! En la regardant, je
revois chaque détail, comme je vois le moindre trait
de ton visage. L'enthousiasme de ma jeunesse, la foi,
l'ardeur, l'amour! Les femmes, Nikitouchka!

NIKITA

Vassili Vassiliévitch, il est temps d'aller vous reposer.

SVETLOVIDOV

Tiens, une fois, j'étais encore tout jeune acteur, je commençais seulement à me passionner pour mon art, une jeune fille, je m'en souviens, est tombée amoureuse de moi, grâce à mon jeu. Elle était gracieuse, svelte comme un peuplier, jeune, innocente, pure et ardente comme un matin d'été. Le regard de ses yeux bleus, son merveilleux sourire, auraient fait reculer jusqu'à la nuit. « Les vagues de la mer se brisent sur le rocher, mais ni les pierres, ni les banquises, ni les monts enneigés n'auraient résisté aux vagues de ses boucles. » Une fois, je me rappelle, j'étais debout devant elle, comme devant toi maintenant... Elle était plus belle que jamais, et son regard... ah! je ne l'oublierai jamais, même dans ma tombe!... La caresse, le velouté, la profondeur de ce regard, l'éclat de la jeunesse. Enivré, fou de bonheur, je tombe à ses genoux, je demande sa main... *(D'une voix éteinte :)* Et tu sais ce qu'elle me répond? Hein? « Quittez la scène! » Tu comprends? « Qui-ttez-la-scè-ne ». Elle pouvait être amoureuse d'un acteur, mais l'épouser, jamais! Le soir, je me rappelle, je devais jouer... Un rôle infâme, un rôle de pitre... Et tout en jouant, j'ai senti mes yeux s'ouvrir... Oui, j'ai compris que l'art sacré n'existait pas, que tout n'était que leurre et mensonge, que je n'étais qu'un esclave, un jouet pour oisifs, un bouffon, un pitre. Et le public, je l'ai compris aussi. Depuis, je ne crois plus aux applaudissements, aux couronnes de laurier, à l'enthousiasme général... Oui, Nikitouchka, on m'applaudit, on achète ma photographie pour un rouble, mais le public me méprise, pour lui, je suis moins que rien, une espèce de cocotte! Tous

ces gens chercheront à faire ma connaissance, par vanité,
mais ils ne s'abaisseront jamais jusqu'à me donner leur
sœur ou leur fille en mariage. Je ne crois plus au public!
(Il se laisse tomber sur le tabouret.) Je n'y crois plus!

NIKITA

Vous avez très mauvaise mine, Vassili Vassiliévitch.
Vrai, vous me faites peur. Si nous rentrions? Faites-
moi ce plaisir!

SVETLOVIDOV

Alors, j'ai vu clair... et ça m'a coûté cher. Depuis cette
histoire... avec cette jeune fille... j'ai commencé à me
traîner, sans but... à vivre n'importe comment... sans
souci de l'avenir... Je jouais le bouffon, le persifleur,
je faisais l'imbécile, j'exerçais une mauvaise influence,
et pourtant, quel artiste j'étais! quel talent! Mais je l'ai
enterré, ce talent, j'ai déformé mon langage, je l'ai
rendu vulgaire, j'ai perdu l'image et la ressemblance
divine... C'est cette fosse noire qui m'a englouti, dévoré.
Je ne m'en suis bien rendu compte que cette nuit... en
me réveillant, ce regard en arrière... J'ai soixante-huit
ans. Ma vieillesse, je viens seulement de la voir! Ma
chanson est finie! *(Il sanglote :)* Ma chanson est finie!

NIKITA

Vassili Vassiliévitch! Mon petit père, mon ami...
Voyons, calmez-vous. Mon Dieu! *(Il appelle :)* Petrouchka! Egorka!

SVETLOVIDOV

Quel talent, oui, quelle vigueur! Et quelle diction...
tu n'imagines pas... que de sentiment, de finesse, que

de cordes... *(il se frappe la poitrine)* dans cette poitrine!
A en étouffer! Mon vieux, écoute... laisse-moi reprendre
mon souffle... Tiens, par exemple, dans *Godounov* :

> *C'est l'ombre dn Terrible qui m'a adopté*
> *et qui, de son tombeau, m'appelle Dimitri,*
> *autour de moi elle a sauvé les peuples,*
> *elle a fait de Boris ma victime promise.*
> *Je suis le Tsarévitch. Assez ! Assez ! J'ai honte*
> *de m'abaisser devant la fière Polonaise* [1].

Pas mal, hein? *(Avec animation :)* Attends, *Le Ro
Lear*... Tu sais bien, ciel noir, pluie, tonnerre-rrr...
des éclairs-dzzz! qui zèbrent le ciel, et au milieu :
« Soufflez, vents, à crever vos joues! Faites rage! Soufflez! Trombes et cataractes, jaillissez jusqu'à tremper
nos clochers, jusqu'à noyer leurs coqs! Feux de soufre,
prompts comme l'idée, avant-coureurs des foudres
fendeuses de chênes, venez roussir ma tête blanche.
Et toi, tonnerre, grand exterminateur, aplatis l'épaisse
rotondité du monde, craque les moules de la nature,
disperse d'un seul coup tous les germes qui font l'homme
ingrat. » *(Avec impatience :)* La réplique du fou, vite! *(Il
trépigne :)* Donne-moi vite la réplique du fou! Je n'ai
pas le temps!

NÍKITA, *jouant le rôle du fou.*

« Oh! oncle, mieux vaut de l'eau bénite de cour
dans une maison sèche que cette eau de pluie à découvert.
Rentrons, bon oncle, demande à tes filles leur bénédiction; cette nuit-là n'a pitié ni du sage ni du fou. »

1. Pouchkine, *Boris Godounov.*

SVETLOVIDOV

« Gargouille à pleine ventrée! Crache, feu! Jaillis,
pluie! Pluie, vent, tonnerre ni feu ne sont mes filles;
je ne vous taxe point, vous autres éléments, d'ingrati-
tude; je ne vous ai jamais donné de royaume ni ne vous
ai appelés mes enfants [1]. » Quelle force! Quel talent!
Quel artiste! Continuons... Jouons encore quelque
chose... pour faire revivre le passé... Prenons *(il éclate
d'un rire heureux)*... prenons *Hamlet.* Allez, je commence...
Mais par où commencer?... Voilà, j'y suis. *(Il joue*
Hamlet :) « Oh! les flûtes, voyons-en une! » *(A Nikita:)*
« Pour en finir avec vous, qu'avez-vous à me relancer? »

NIKITA

« Oh! monseigneur, si mon zèle est trop importun,
mon amour est trop incivil. »

SVETLOVIDOV

« Je ne comprends pas bien. Voulez-vous jouer de
cette flûte? »

NIKITA

« Monseigneur, je ne peux pas. »

SVETLOVIDOV

« Je vous en prie! »

NIKITA

« Croyez-moi, je ne peux pas. »

1. *Le Roi Lear*, acte II, sc. 11, trad. de Pierre Leyris et Elois
Holland, Éd. Gallimard, 1950.

SVETLOVIDOV

« Je vous en supplie ! »

NIKITA

« Je n'en connais pas une note, monseigneur. »

SVETLOVIDOV

« C'est aussi facile que de mentir ; commandez ses ouvertures des doigts et du pouce, donnez-lui l'haleine de votre bouche, et elle discourra une très éloquente musique. »

NIKITA

« Je n'en ai pas la science. »

SVETLOVIDOV

« Eh bien ! Voyez donc quelle chose indigne vous faites de moi. Vous voudriez jouer de moi... et cependant vous ne savez faire parler cette flûte... Croyez-vous qu'il est plus facile de jouer de moi que d'une flûte ? Nommez-moi l'instrument que vous voudrez : vous pourrez bien me taquiner, vous ne saurez pas jouer de moi [1] ». *(Il rit aux éclats et applaudit :)* Bravo ! Bis ! Bravo ! Qui diable a parlé de vieillesse ? Il n'y a pas de vieillesse, balivernes, bêtises ! Quand la vigueur gicle par toutes les veines, c'est la jeunesse, la fraîcheur, la vie ! Là où il y a du talent, Nikitouchka, pas de vieillesse ! Tu n'en reviens pas, hein, il est abasourdi, Nikitouchka ! Attends, laisse-moi reprendre mon souffle... Oh ! Seigneur, mon

1. *Hamlet,* acte III, sc. II, trad. Émile Morand et Marcel Schwob, Éd. Gallimard.

Dieu ! Et cela, écoute encore, quelle finesse, quelle
musique ! Chut... Silence !

> *La nuit ukrainienne est calme*
> *Le ciel est transparent, les étoiles scintillent*
> *L'air se laisse vaincre par le sommeil*
> *Les feuilles des peupliers frissonnent à peine* [1]...

> *On entend le bruit d'une porte qui s'ouvre.*

Qu'est-ce que c'est ?

NIKITA

Sans doute Petrouchka et Egorka qui rentrent...
Quel talent, Vassili Vassiliévitch ! Quel talent !

SVETLOVIDOV, *dans la direction de la porte.*

Par ici, mes aigles ! *(A Nikita :)* Allons nous habiller...
Il n'y a point de vieillesse, balivernes, foutaise... *(Il
rit gaiement.)* Mais pourquoi pleures-tu ? Mon bon
nigaud, pourquoi verser des larmes ? Ah ! Ce n'est pas
bien ! Pas bien du tout. Voyons, voyons, mon vieux,
ne me regarde pas comme ça. Pourquoi me regardes-
tu ? Voyons, voyons... *(Il l'étreint et parle à travers
les larmes.)* Il ne faut pas pleurer... Là où il y a de
l'art et du talent, foin de la vieillesse, de la solitude,
de la maladie, et la mort elle-même est à moitié... *(Il
pleure.)* Non, Nikitouchka, notre chanson est finie...
Est-ce que j'ai seulement du talent ? Un citron pressé,
oui, un glaçon fondu, un clou rouillé, et toi, tu n'es
qu'un vieux rat de théâtre, un souffleur... Allons-nous-
en. *(Ils se dirigent vers la porte.)* Ai-je encore du talent ?
Dans des pièces sérieuses je ne suis bon qu'à figurer

1. Pouchkine, *Poltava.*

dans la suite de Fortinbras... et encore, même pour cela,
je suis trop vieux... Eh oui... Tu te souviens de ce pas-
sage d'*Othello*, Nikitouchka? « Oh! Maintenant et pour
toujours, adieu la tranquillité d'esprit, adieu le conten-
tement! Adieu les troupes empanachées et les grandes
guerres qui font de l'ambition une vertu! Oh! Adieu
le coursier qui hennit et la stridente trompette, et
l'encourageant tambour et le fifre assourdissant! Adieu
la bannière royale et toute la beauté, l'orgueil, la pompe,
et l'attirail de la guerre glorieuse [1]. »

NIKITA

Quel talent! Quel talent!

SVETLOVIDOV

Ou tiens, cela encore :

> *Je fuis Moscou. Jamais je ne reviendrai.*
> *Je pars. Pour mon cœur ulcéré je vais*
> *Chercher au loin, dans la vaste nature,*
> *Un refuge. Qu'on fasse avancer ma voiture [2]!*

> *Il sort avec Nikita Ivanytch.*
> *Le rideau tombe lentement.*

---

1. *Othello,* acte III, sc. III, trad. François-Victor Hugo, Éd.
Gallimard.
2. Griboïedov, *Trop d'esprit nuit.*

L'Ours

PLAISANTERIE EN UN ACTE

ELÉNA IVANOVNA POPOVA, *jeune veuve, avec des fossettes aux joues, propriétaire foncier.*

GRIGORY STÉPANOVITCH SMIRVOV, *propriétaire foncier, encore assez jeune.*

LOUKA, *valet de chambre de Mme Popova, un vieillard.*

Un salon dans la propriété de Mme Popova.

SCÈNE PREMIÈRE

MADAME POPOVA, *en grand deuil,*
fixant une photographie, et LOUKA

LOUKA

Ce n'est pas bien, madame... Vous finirez par dépérir... La femme de chambre et la cuisinière sont allées aux fraises, tout le monde est content, même le chat qui sait profiter de ce qui lui convient : il se promène dans la cour et attrape des oiseaux, mais vous, vous restez enfermée toute la sainte journée, comme une nonne; vous ne prenez aucun plaisir. Enfin, c'est vrai! Voilà bien un an que vous ne quittez plus la maison...

MADAME POPOVA

Et je ne la quitterai plus jamais... A quoi bon? Ma vie est finie... Lui est dans la tombe, moi entre mes quatre murs. Nous sommes morts tous les deux.

LOUKA

Et voilà! Vrai, madame, je ne veux plus vous écouter. Monsieur est mort? Eh bien, c'était écrit, c'était la

volonté de Dieu, paix à son âme. Vous avez eu du
chagrin, bon, ça suffit comme ça; vous n'allez tout de
même pas pleurer et porter le deuil jusqu'à la fin de vos
jours. Moi aussi, dans le temps, j'ai perdu ma vieille,
j'ai pleuré pendant un mois, voilà tout, c'était bien assez;
elle ne méritait pas que je me lamente davantage. (*Un
soupir.*) Vous avez laissé tomber tous nos voisins...
vous ne sortez plus, vous ne recevez personne... Nous
vivons comme des araignées, passez-moi l'expression,
nous tournons le dos au monde. Les souris ont grignoté
ma livrée. Si encore il n'y avait pas de gens bien par ici,
mais notre district en est plein. A Ryblov, nous avons un
régiment, il y a des officiers jolis comme des bonbons,
on les croquerait. Au camp, on donne un bal tous les
vendredis, et de la musique militaire presque tous les
jours. Voyons, madame! Vous qui êtes jeune et belle,
du lait et des roses, comme on dit, — vous êtes faite
pour vous amuser... Vous savez bien que la beauté n'a
qu'un temps. Qui sait si dans dix ans, vous n'aurez pas
envie de faire la roue devant messieurs les officiers.
Seulement voilà, il sera trop tard.

MADAME POPOVA, *résolument.*

Je te prie de ne jamais me parler de cela! Tu sais que
depuis la mort de Nikolaï Mikhaïlovitch, la vie a perdu
pour moi tout attrait. Tu me crois vivante, mais ce
n'est qu'une illusion. Je me suis juré de ne jamais quitter
le deuil et de renoncer au monde... Tu m'entends?
Que son ombre voie à quel point je l'aime... Oui, je
sais bien, et tu le sais aussi, il a souvent été injuste et
cruel... hélas! il me trompait même, mais je lui serai
éternellement fidèle, il connaîtra la force de mon amour...
Là-bas, dans l'autre monde, il verra que je n'ai pas
changé depuis sa mort...

LOUKA

Au lieu de dire des choses pareilles, vous feriez mieux de vous dégourdir les jambes dans le jardin, ou de faire atteler Toby, ou le Géant, et d'aller rendre visite à quelques voisins.

MADAME POPOVA, *elle pleure.*

Oh!

LOUKA

Madame! Ma petite mère! Qu'avez-vous? Que Dieu vous garde!

MADAME POPOVA

Toby! Il l'aimait tellement! C'est Toby qu'il prenait toujours pour aller chez les Kortchagine ou chez les Vlassov. Et comme il conduisait bien! Que de grâce dans sa silhouette, quand il tirait de toutes ses forces sur les rênes. Tu t'en souviens? Oh! Toby, Toby! Qu'on lui donne un quart supplémentaire d'avoine, aujourd'hui.

LOUKA

Bien, madame.

Un coup de sonnette très fort.

MADAME POPOVA, *tressaillant.*

Qu'est-ce que c'est? Tu diras que je ne reçois personne.

LOUKA

Bien, madame.

Il sort.

SCÈNE II

MADAME POPOVA, *seule.*

MADAME POPOVA, *regardant la photographie.*

Tu verras, Nicolas, comme je sais aimer... et pardonner... Mon amour ne s'éteindra qu'avec moi-même,
lorsque ce pauvre cœur aura cessé de battre. *(Elle rit
à travers les larmes.)* Est-ce que tu n'as pas honte? Ta
petite femme s'est enfermée à clef, comme une enfant
sage, elle te sera éternellement fidèle... mais toi... n'as-
tu pas honte, vilain garçon? Toi qui me trompais, qui
me faisais des scènes, qui me laissais seule des semaines
entières...

SCÈNE III

MADAME POPOVA, LOUKA

LOUKA *entre, alarmé.*

Madame, il y a quelqu'un qui vous demande...
Il veut vous voir...

MADAME POPOVA

Ne lui as-tu pas dit que depuis la mort de mon mari
je ne reçois personne?

LOUKA

Bien sûr que si... mais c'est... un vrai sauvage...
il m'a injurié, il est entré de force... Il est déjà dans la
salle à manger.

MADAME POPOVA, *irritée.*

C'est bon, fais entrer. Encore un grossier personnage.
(Louka sort.) Que tous ces gens sont pénibles! Que me
veulent-ils? Pourquoi troubler ma tranquillité? *(Elle
soupire :)* Il faudra sans doute que je me retire dans un
couvent... *(Songeuse :)* Oui, dans un couvent...

SCÈNE IV

MADAME POPOVA, LOUKA, SMIRNOV

SMIRNOV, *en entrant, à Louka.*

Tu causes trop, imbécile. Espèce d'âne! *(A Mme Popova, avec dignité :)* J'ai l'honneur de vous saluer, madame :
Grigory Stépanovitch Smirnov, lieutenant d'artillerie
en retraite, propriétaire foncier. Je m'excuse de vous
déranger, mais il s'agit d'une affaire très importante...

MADAME POPOVA, *sans lui tendre la main.*

Que désirez-vous?

SMIRNOV

Votre défunt époux, que j'avais l'honneur de connaître, me doit toujours deux traites de mille deux cents
roubles. Demain je dois payer des intérêts à la banque
agricole, c'est pourquoi je vous serais très reconnaissant, madame, de me verser cette somme aujourd'hui
même.

MADAME POPOVA

Douze cents roubles... Et pourquoi mon mari vous
les devait-il?

SMIRNOV

Il m'achetait de l'avoine.

MADAME POPOVA, *avec un soupir, à Louka.*

N'oublie pas, Louka, qu'on donne un quart supplémentaire d'avoine à Toby. *(Louka sort.)* Si Nikolaï
Mikhaïlovitch vous devait de l'argent, il va de soi que
je vous le rendrai, monsieur, seulement, vous m'excuserez, aujourd'hui, je n'en ai pas. Après-demain, mon
régisseur reviendra de la ville, je lui dirai de régler
cette dette, mais pour l'instant, je ne peux rien pour vous.
Il y a d'ailleurs exactement sept mois que mon mari
est mort, et mon humeur est telle que je ne me sens pas
du tout disposée à entendre parler d'argent.

SMIRNOV

Et moi, si je ne paie pas les intérêts demain, je suis
complètement fichu. Voilà mon humeur. Ma propriété
sera saisie !

MADAME POPOVA

Vous aurez votre argent après-demain.

SMIRNOV

Ce n'est pas après-demain qu'il me le faut, c'est tout de
suite.

MADAME POPOVA

Excusez-moi, mais c'est impossible.

SMIRNOV

Et moi, il m'est impossible d'attendre jusque-là.

MADAME POPOVA

Que voulez-vous que je fasse? Je n'ai pas d'argent.

SMIRNOV

Ainsi, vous ne pouvez pas me payer?

MADAME POPOVA

Non.

SMIRNOV

Hum!... C'est votre dernier mot?

MADAME POPOVA

Le dernier.

SMIRNOV

Définitif?

MADAME POPOVA

Définitif.

SMIRNOV

Parfait. Nous prenons note. *(Il hausse les épaules.)*
Et l'on veut encore que je garde mon sang-froid!
Tout à l'heure, sur la route, je rencontre le contrôleur
des contributions. « Pourquoi êtes-vous toujours en
colère, Grigory Stépanovitch? » qu'il me dit. Oui, je
vous le demande, comment ne serais-je pas toujours en
colère? Cet argent, il me le faut absolument. Je suis parti
de chez moi hier matin, avant l'aube, pour faire le
tour de mes débiteurs, et pas un seul ne m'a payé. Je
suis éreinté comme un vieux chien, j'ai couché le diable

sait où, dans le cabaret d'un juif, à côté d'un baril de
vodka... Bon, je m'amène ici, à soixante-dix verstes
de chez moi, espérant toucher enfin mon dû, et voilà
qu'on me régale d'une « humeur ». S'il n'y a pas de quoi
être en colère!

MADAME POPOVA

Je vous l'ai pourtant dit clairement : vous aurez
votre argent dès que mon régisseur sera rentré.

SMIRNOV

C'est à vous que je m'adresse, madame, non à votre
régisseur. Mais que diable, passez-moi l'expression,
que diable voulez-vous que j'en fasse, de votre régisseur?

MADAME POPOVA

Pardonnez-moi, monsieur, mais je n'ai pas l'habitude de ce genre de langage, ni de ce ton. Je ne vous
écoute plus.

Elle sort rapidement.

SCÈNE V

SMIRNOV, *seul.*

SMIRNOV

Non, mais, voyez-moi ça! « Son humeur... Il y a
sept mois que mon mari est mort. » Mais pardon, et
moi, est-ce que je dois payer les intérêts, je vous le
demande, dois-je les payer, oui ou non? Bon, son mari
est mort, madame n'est pas disposée, madame fait des

chichis... son régisseur est parti, que le diable l'emporte,
mais moi, que dois-je faire? M'envoler en ballon pour
fuir mes créanciers? Ou prendre mon élan et me fendre
la caboche contre un mur? J'arrive chez Grouzdev,
il n'est pas chez lui, Yarochevitch s'est caché, avec
Kouritzyne, je me suis terriblement engueulé, un peu
plus, il passait par la fenêtre; Mazoutov a la diarrhée, et
celle-là a son humeur. Pas une de ces canailles qui
veuille me payer. Tout cela parce que je les ai trop gâtés,
parce que je suis un mollasson, une chiffe, une femmelette. J'ai toujours été trop délicat! Attendez un peu,
mes agneaux, vous allez voir de quel bois je me
chauffe. Je ne permettrai à personne de se moquer de
moi, nom d'un chien! Je ne bougerai pas d'ici tant
qu'elle ne m'aura pas payé. Brr! Je suis dans une furie,
dans une furie! J'en ai des frissons dans tout le corps, à
vous couper la respiration... Oh! mon Dieu! je vais me
trouver mal. *(Il crie :)* Eh! Quelqu'un!

SCÈNE VI

SMIRNOV, LOUKA

LOUKA

Que désirez-vous, monsieur?

SMIRNOV

Apporte-moi du kvass, ou de l'eau. *(Louka sort.)*
Non, vous parlez d'une logique! Un homme a besoin
d'argent, s'il n'en trouve pas, il n'a plus qu'à se pendre,
et madame s'en moque, parce que, voyez-vous, ma
chère, elle n'est pas disposée à s'occuper des questions

d'argent. La voilà bien, la logique des femmes, la logique de chiffons! C'est pour cela que j'ai toujours détesté avoir affaire aux femmes. Plutôt que de parler à ces êtres-là, mieux vaut s'asseoir sur un baril de poudre. Brr!... Ces voiles de crêpe m'ont mis dans une rogne! J'en ai froid dans le dos! Rien que de voir de loin une de ces créatures poétiques, j'attrape des crampes dans les mollets. De quoi vous faire hurler, tout simplement.

SCÈNE VII

LOUKA, SMIRNOV

LOUKA *entre, apportant de l'eau.*

Madame est malade, monsieur, elle ne reçoit pas.

SMIRNOV

Fous-moi le camp! *(Louka sort.)* Elle est malade, elle ne reçoit pas. Bon, ne me reçois pas... Moi je reste, et je resterai ici tant que tu ne m'auras pas rendu mon argent. Tu seras malade huit jours? Je resterai huit jours. Un an? Je resterai un an... Ah! J'aurai le dernier mot, ma petite mère. Ton deuil et tes fossettes aux joues, ça ne prend pas... On les connaît vos fossettes. *(Il appelle par la fenêtre :)* Simon! Tu peux dételer. Nous ne sommes pas près de partir. Je reste ici! Dis à l'écurie qu'on donne de l'avoine à mes chevaux. Sacré animal, tu ne vois donc pas que le cheval de trait s'est encore empêtré dans les rênes. *(Il imite le cocher :)* « C'est rien. » Tu vas voir si « c'est rien ». *(Il s'éloigne de la fenêtre.)* Mauvais, tout cela, il fait une chaleur à en crever, personne ne veut me payer, j'ai à peine dormi cette nuit... et par-

dessus le marché, ces voiles de crêpe, et l'humeur de
madame. J'ai attrapé un mal de crâne... Si je buvais
un peu de vodka? C'est une idée... *(Il appelle :)* Eh!
quelqu'un!

LOUKA *entre.*

Que désirez-vous, monsieur?

SMIRNOV

Apporte-moi un verre de vodka. *(Louka sort.)*
Ouf! *(Il s'assoit et s'examine.)* Je suis beau à voir, rien
à dire. Couvert de poussière, les bottes sales, pas lavé,
pas peigné, des brins de paille plein mon gilet... Qui sait
si la petite dame ne m'a pas pris pour un bandit... *(Il
bâille.)* Après tout... Je ne suis pas un visiteur, je suis
un créancier, c'est une race qui peut se passer de cérémonie.

LOUKA *entre, apportant un verre de vodka.*

Vous prenez trop de libertés, monsieur.

SMIRNOV, *furieux.*

Comment?

LOUKA

Non, rien... Je n'ai rien dit.

SMIRNOV

A qui parles-tu? Silence!

LOUKA, *à part.*

En voilà un sauvage... C'est le diable qui l'a envoyé...

Il sort.

SMIRNOV

Ah! que je suis furieux! Furieux! Je réduirais le monde entier en poussière! Vrai, j'en suis malade... *(Il crie :)* Eh! Quelqu'un!

SCÈNE VIII

MADAME POPOVA, SMIRNOV

MADAME POPOVA *entre, les yeux baissés.*

Monsieur, dans ma solitude, j'ai depuis longtemps oublié le son de la voix humaine, et je ne supporte pas les cris. Ne troublez pas ma quiétude, je vous en prie instamment!

SMIRNOV

Remboursez-moi, et je partirai.

MADAME POPOVA

Je vous l'ai pourtant dit, en toutes lettres : je n'ai pas d'argent liquide, attendez après-demain.

SMIRNOV

Et moi aussi j'ai eu l'honneur de vous le dire en toutes lettres : ce n'est pas après-demain, c'est tout de suite qu'il me faut cet argent. Si vous ne me le donnez pas, je n'ai plus qu'à me pendre.

MADAME POPOVA

Mais que voulez-vous que je fasse, puisque je n'en ai pas? C'est étrange, à la fin.

SMIRNOV

Alors c'est non? Vous ne pouvez pas me payer tout de suite?

MADAME POPOVA

Impossible...

SMIRNOV

En ce cas je reste ici jusqu'à ce que vous m'ayez remboursé... *(Il s'assoit.)* Vous me réglerez après-demain? Parfait. Je resterai ici en attendant... Ici même, sur cette chaise... *(Il se lève d'un bond.)* Non, mais dites, est-ce que je dois payer les intérêts, oui on non? Vous vous figurez peut-être que je plaisante?

MADAME POPOVA

Monsieur, je vous prie de ne pas crier. Vous n'êtes pas dans une écurie!

SMIRNOV

Je ne vous parle pas d'écurie, je vous demande si je dois payer les intérêts demain, oui ou non?

MADAME POPOVA

Vous ne savez pas vous conduire avec les dames.

SMIRNOV

Si, madame, je le sais.

MADAME POPOVA

Non, monsieur, vous ne le savez pas. Vous êtes grossier et mal élevé. Un honnête homme ne parle pas ainsi à une femme.

SMIRNOV

Pas possible! Comment faut-il donc vous parler?
En français, peut-être? *(Furieux, il zézaie :)* Madame,
je vous en prie... Je suis tellement heureux qu'il vous
déplaise de me rembourser. Oh! pardon, je vous ai
dérangée... Il fait un temps délicieux, et le deuil vous va
à ravir...

Il claque les talons.

MADAME POPOVA

C'est bête et c'est grossier.

SMIRNOV, *l'imitant.*

« C'est bête et c'est grossier. » Ah! je ne sais pas me
conduire avec les femmes? Madame, j'ai connu dans
ma vie plus de femmes que vous n'avez vu de moineaux. Pour elles, je me suis battu trois fois en duel,
j'en ai lâché douze et neuf m'ont lâché. Oui, madame.
Il fut un temps où je faisais l'imbécile, je susurrais, je
flattais ces dames, j'étais mielleux et doux, je claquais
les talons. J'aimais, je souffrais, je soupirais au clair de
lune, j'étais mollasse et tendre, ou glacé d'émotion...
J'aimais passionnément, follement, de toutes les manières, que le diable m'emporte, je débitais des sornettes, comme un perroquet, sur les droits des femmes,
ces tendres bêtises m'ont coûté la moitié de ma fortune,
mais aujourd'hui — votre humble serviteur! On ne
m'aura plus. Suffit! Yeux noirs, yeux ardents, lèvres
vermeilles, fossettes aux joues, lune et roucoulements —
je ne donnerai plus un kopeck pour tout cela, madame.
Sans parler des personnes présentes, toutes les femmes,
les jeunes comme les vieilles, toutes, rien que des
poseuses, des cabotines, des potinières, des mégères,
des menteuses à tout crin, des vaniteuses, des faiseuses

d'embarras, elles ne connaissent ni logique ni pitié, et quant à ce qui se passe là *(Il se frappe le front)*, vous excuserez ma franchise, mais n'importe quel moineau peut rendre des points à vos philosophes en jupon. Contemplez un peu l'une de ces créatures poétiques : quelle grâce éthérée, enveloppée dans de la mousseline, elle a mille charmes, une vraie déesse; mais allez jusqu'au cœur, et c'est le plus vulgaire crocodile que vous trouverez. *(Il saisit des deux mains le dossier de sa chaise, qui craque et se casse.)* Mais ce qui me révolte le plus, c'est que ce crocodile s'imagine, Dieu sait pourquoi, que son domaine, son privilège, son monopole, c'est l'amour. Que le diable m'emporte, et pendez-moi à un clou, la tête en bas, si vous voulez, une femme est-elle capable d'aimer qui que ce soit, excepté son petit chien? Quand elle aime, elle ne sait que pleurnicher et geindre. Là où l'homme souffre et se sacrifie, elle se contente de faire froufrouter sa jupe et de mener son partenaire par le bout du nez... Vous-même, madame, qui avez le malheur d'être une femme, vous connaissez par expérience la nature de vos semblables... Dites-moi donc franchement : avez-vous jamais rencontré une femme sincère, fidèle et constante? Non, n'est-ce pas? Il n'y a que les vieilles biques et les laiderons qui sont fidèles et constantes. Vous dénicherez plus facilement un chat à cornes ou une bécasse blanche qu'une femme fidèle.

MADAME POPOVA

Permettez, monsieur! A votre avis, qui est fidèle et constant en amour? L'homme peut-être?

SMIRNOV

Parfaitement, madame. L'homme!

MADAME POPOVA

Vraiment! *(Rire sarcastique.)* Première nouvelle!
(Avec ardeur :) Qu'est-ce qui vous permet d'affirmer
cela? L'homme, fidèle et constant en amour! Eh bien,
s'il en est ainsi, je vais vous dire une chose : de tous les
hommes que j'ai connus et que je connais, mon mari était
le meilleur... Je l'ai aimé passionnément, de tout mon
être, comme seule sait aimer une femme jeune et lucide;
je lui ai tout donné, ma jeunesse, mon bonheur, ma vie,
ma fortune, je ne respirais que par lui; je l'idolâtrais,
comme une païenne et... eh bien? Cet homme, le meilleur des hommes, me trompait à chaque pas, d'une
façon odieuse; après sa mort, j'ai trouvé dans son tiroir
des piles de lettres d'amour, et de son vivant — rien
que d'y penser me fait de la peine — il m'abandonnait,
des semaines entières, il courtisait d'autres femmes
devant moi, il me trompait, il jetait mon argent par la
fenêtre, il se moquait de mes sentiments... Eh bien,
monsieur, malgré tout cela, je l'aimais, je lui étais fidèle.
Bien mieux, il est mort, et je lui garde encore ma fidélité. Je me suis enfermée pour toujours entre quatre
murs, je ne quitterai ce deuil qu'à la fin de ma vie...

SMIRNOV, *rire méprisant.*

Votre deuil! Non, mais pour qui me prenez-vous?
Comme si je ne savais pas pourquoi vous vous affublez
de ce domino noir, pourquoi vous vous enfermez
entre quatre murs. Parbleu! C'est si mystérieux, n'est-
ce pas, si poétique! Un sous-lieutenant ou un rimeur
de bas étage passera devant votre propriété, regardera
vos fenêtres, et se dira : « C'est ici que vit cette mystérieuse Tamara, qui, par amour pour son mari, s'est
retirée du monde pour toujours. » On connaît la chanson!

MADAME POPOVA, *s'emportant.*

Quoi? Comment osez-vous?

SMIRNOV

Vous vous êtes enterrée vivante, oui, mais sans oublier de vous mettre de la poudre.

MADAME POPOVA

De quel droit me parlez-vous sur ce ton?

SMIRNOV

Ne criez pas, je vous en prie. Je ne suis pas votre régisseur. J'appelle un chat un chat. N'étant pas une femme, j'ai l'habitude de m'exprimer avec franchise! Inutile de crier!

MADAME POPOVA

Ce n'est pas moi qui crie, c'est vous. Veuillez me laisser!

SMIRNOV

Pas avant d'avoir mon argent.

MADAME POPOVA

Vous ne l'aurez pas.

SMIRNOV

Que si!

MADAME POPOVA

Je ne vous donnerai pas un sou, rien que pour vous faire enrager. Et maintenant, débarrassez-moi de votre présence.

SMIRNOV

Ai-je le plaisir d'être votre époux, ou votre fiancé, pour que vous me fassiez des scènes pareilles? je n'aime pas cela du tout.

Il s'assoit.

MADAME POPOVA, *suffoquant de colère.*

Vous vous êtes assis?

SMIRNOV

Comme vous voyez.

MADAME POPOVA

Veuillez vous en aller.

SMIRNOV

Quand vous m'aurez rendu mon argent... *(A part :)* Ah! que je suis en boule! Que je suis en boule!

MADAME POPOVA

Je ne veux pas discuter avec des insolents de votre espèce. Veuillez prendre la porte. *(Un temps.)* Vous ne partirez pas? Non?

SMIRNOV

Non.

MADAME POPOVA

Non?

SMIRNOV

Non.

MADAME POPOVA

Très bien.

Elle sonne.

SCÈNE IX

LES MÊMES ET LOUKA

MADAME POPOVA

Louka, veux-tu faire sortir ce monsieur.

LOUKA, *s'approchant de Smirnov.*

Il faut vous en aller, monsieur, puisqu'on vous le dit. Il
n'y a pas à...

SMIRNOV, *se levant d'un bond.*

Silence! A qui crois-tu parler? Je te réduirai en poussière, moi!

LOUKA, *les mains contre son cœur.*

Seigneur! Saints martyrs! *(Il tombe dans un fauteuil.)*
Oh! Oh! Je me sens mal... J'étouffe.

MADAME POPOVA

Où est Dacha? *(Elle appelle :)* Dacha! Pélagie!
Dacha!

Elle sonne.

LOUKA

Oh! Oh! Elles sont parties aux fraises, madame...
Il n'y a personne à la maison... Je suis mal... De l'eau!

MADAME POPOVA

Voulez-vous décamper immédiatement?

SMIRNOV

Voulez-vous être polie?

MADAME POPOVA, *serrant les poings et trépignant.*

Vous êtes un moujik! Un ours mal léché! Un goujat!
Un monstre!

SMIRNOV

Comment? Qu'avez-vous dit?

MADAME POPOVA

Vous êtes un ours, un monstre!

SMIRNOV *avance, menaçant.*

Attention! De quel droit m'insultez-vous?

MADAME POPOVA

Oui, je vous insulte... Et après? Vous croyez me
faire peur?

SMIRNOV

Et vous, vous croyez peut-être que parce que vous
êtes une créature poétique, vous avez le droit de m'insulter impunément? Hein? Je vous provoque en duel!

LOUKA

Seigneur! Saints martyrs! De l'eau!...

SMIRNOV

Nous allons nous battre!

MADAME POPOVA

Si vous croyez me faire peur avec vos gros poings
et votre voix de brute! Espèce de goujat!

SMIRNOV

Nous allons nous battre! Je ne permets à personne
de m'insulter, je me fiche que vous soyez une femme,
une faible créature.

MADAME POPOVA, *tentant de couvrir la voix de Smirnov.*

Vous êtes un ours! Un ours!

SMIRNOV

Seuls les hommes devraient payer pour une insulte?
Taratata! Il est temps d'en finir avec ce préjugé. Éga-
lité des droits, soit! Œil pour œil, dent pour dent!
Nous nous battrons en duel.

MADAME POPOVA

Nous battre en duel? Parfait.

SMIRNOV

Et tout de suite!

MADAME POPOVA

Et tout de suite. Mon mari possédait des pistolets.
Je cours les chercher... (*Elle va vers la porte, mais rétro-*

grade.) Avec quelle joie je planterai une balle dans votre
front d'airain. Que le diable vous emporte!

Elle sort.

SMIRNOV

Je vais la tirer comme un poulet. Je ne suis pas un
blanc-bec, moi, pas un gamin sentimental, les faibles
créatures, je m'en balance!

LOUKA

Mon petit père! *(Il s'agenouille.)* Fais-moi cette grâce,
aie pitié d'un vieillard, va-t'en d'ici. Tu nous as déjà
épouvantés, et voilà que tu veux encore te battre en duel
avec madame.

SMIRNOV, *sans l'écouter.*

Nous battre en duel! Voilà ce que j'appelle égalité
des droits, émancipation des femmes. Pas de différence
entre les sexes! Je la tuerai par principe. Mais quelle
femme, hein? *(Il imite Mme Popova :)* « Que le diable
vous emporte »... « Je planterai une balle dans votre
front d'airain. » Hein? Les joues en feu, les yeux lui-
sants... Comme elle a accepté le défi! Parole d'honneur,
je n'ai jamais rencontré de femme pareille!

LOUKA

Va-t'en, petit père! Je prierai pour toi jusqu'à la fin
de mes jours.

SMIRNOV

Ça c'est une femme! Ça me plaît. Une femme, une
vraie! Pas une chiffe, pas une pleurnicheuse : du feu;
ça brûle, ça explose, une fusée! C'est même dommage
de la tuer.

LOUKA, *pleurant.*

Mon petit père! Notre bienfaiteur! Va-t'en!

SMIRNOV

Décidément, elle me plaît. Ma parole! Elle me plaît, malgré ses fossettes aux joues. Je suis prêt à oublier qu'elle me doit de l'argent... jusqu'à ma colère qui s'est envolée... Quelle femme étonnante!

SCÈNE X

LES MÊMES, MADAME POPOVA

MADAME POPOVA *entre, avec des pistolets.*

Les voilà... Mais avant de nous battre, vous voudrez bien me montrer la façon de s'en servir... Je n'ai jamais eu de pistolets entre les mains.

LOUKA

Que Dieu nous aide et nous protège! Je vais chercher le jardinier et le cocher. Qu'est-ce qui nous arrive là!

SMIRNOV, *examinant les pistolets.*

Voyez-vous, madame, il y a plusieurs marques de pistolets. Ainsi, par exemple, les pistolets Mortimer, à capsule, particulièrement recommandés pour un duel. Les vôtres sont de la marque Smith et Wesson, à triple coup, avec extracteur... Excellents pistolets... Ils valent quatre-vingt-dix roubles la paire, au bas mot... Il faut tenir l'arme comme cela... *(A part :)* Quels yeux! Quels yeux! Quelle femme étonnante!

MADAME POPOVA

Comme ceci?

SMIRNOV

Parfaitement. Ensuite vous levez le chien... Vous
visez comme cela... la tête un peu en arrière. Le bras
bien tendu... Voilà... Puis vous appuyez sur ce petit
truc, et c'est tout... Règle principale : ne pas s'énerver,
viser sans se presser... Et veillez à ce que votre main ne
tremble pas.

MADAME POPOVA

Bien Mais ce n'est pas très pratique de tirer au
pistolet dans cette pièce. Allons au jardin.

SMIRNOV

Comme vous voudrez. Seulement je vous préviens :
je tirerai en l'air.

MADAME POPOVA

Il ne manquait plus que cela! Et pourquoi?

SMIRNOV

Parce que... parce que... cela me regarde.

MADAME POPOVA

Vous avez la frousse? C'est ça? Ah non, monsieur,
inutile de biaiser! Vous allez me suivre. Je ne me
sentirai calme qu'après avoir percé votre front... ce
front que je déteste. Vous avez la frousse?

SMIRNOV

Oui, j'ai la frousse.

MADAME POPOVA

Menteur! Pourquoi refusez-vous de vous battre?

SMIRNOV

Parce que... parce que... vous me plaisez.

MADAME POPOVA, *rire sardonique.*

Je lui plais! Et il ose... *(Elle lui montre la porte :)* Vous pouvez vous retirer.

SMIRNOV *pose le revolver en silence, prend sa casquette et va vers la porte ; là, il s'arrête ; pendant trente secondes ils se regardent sans rien dire ; enfin, il s'approche de Mme Popova, l'air hésitant.*

Écoutez-moi... Vous m'en voulez toujours? Moi aussi, je suis terriblement fâché... mais... comprenez-moi... comment vous dire... Il m'arrive une chose idiote... c'est-à-dire... je ne sais pas... *(Il crie :)* Enfin, est-ce ma faute si vous me plaisez? *(Il saisit le dossier d'une chaise, celle-ci craque et casse :)* Qu'est-ce qu'ils valent vos meubles? C'est de la camelote. Enfin, bref, vous me plaisez. Compris? Je... Je suis presque amoureux de vous.

MADAME POPOVA

Arrière! Je vous déteste!

SMIRNOV

Mon Dieu, quelle femme! Jamais rien vu de pareil! Je suis un type foutu! Tombé dans le piège! Fait comme un rat!

MADAME POPOVA

Reculez, ou je tire !

SMIRNOV

Eh bien, tirez ! Si vous saviez quel bonheur ce serait
pour moi ! Mourir sous le regard de ces yeux merveilleux, mourir d'un coup de pistolet tenu par cette petite
main de velours. Je perds la tête... Réfléchissez, décidez-
vous immédiatement. Si je sors d'ici, nous ne nous
reverrons plus jamais. A vous de choisir. Je suis d'origine noble, honnête homme, j'ai dix mille roubles de
revenus... Je sais planter au vol une balle dans un
kopeck... je possède d'excellents chevaux... Voulez-vous
être ma femme ?

MADAME POPOVA, *agitant son revolver, avec indignation.*

Nous allons nous battre ! Sur le terrain !

SMIRNOV

Je suis fou... Je ne comprends plus rien... *(Il crie :)*
Quelqu'un ! De l'eau !

MADAME POPOVA, *criant.*

Sur le terrain !

SMIRNOV

J'ai perdu la tête ! Je suis tombé amoureux de vous
comme un gamin, comme un imbécile. *(Il lui saisit
la main, elle pousse un cri de douleur.)* Je vous aime ! *(Il
tombe à genoux.)* Je vous aime comme je n'ai jamais aimé !
J'ai lâché douze femmes, neuf m'ont lâché, mais je
n'en ai jamais aimé aucune comme je vous aime. Je me

sens liquéfié, dissous, anéanti... à genoux, comme un
idiot, je vous offre ma main... Quelle honte, quelle
dérision! Cinq ans que je ne suis plus amoureux de personne, je m'étais bien juré... et me voilà encore dans ce
pétrin! Je vous offre ma main. C'est oui ou c'est non?
Vous ne voulez pas de moi? Tant pis!

> *Il se lève et va rapidement vers la porte.*

MADAME POPOVA

Attendez...

SMIRNOV, *s'arrêtant.*

Eh bien?

MADAME POPOVA

Non, allez-vous-en... C'est-à-dire, attendez... Non,
partez, partez, je vous déteste... Ou non... Ne partez
pas. Ah! si vous saviez comme je suis furieuse, mais
furieuse! *(Elle jette son revolver sur la table.)* Quelle
saleté, j'en ai les doigts tout engourdis!... *(Furieuse,
elle déchire son mouchoir.)* Qu'est-ce que vous attendez?
Fichez le camp!

SMIRNOV

Adieu

MADAME POPOVA

Mais oui, mais oui, partez! *(Elle crie :)* Où allez-
vous? Attendez... Non, partez... Oh! que je suis furieuse!
N'approchez pas, n'approchez pas!

SMIRNOV, *s'approchant.*

Et moi, je suis furieux contre moi-même. Tomber
amoureux comme un potache, me mettre à genoux...

J'en ai froid dans le dos... *(Grossièrement :)* Je vous aime.
Bien besoin de cette histoire! Demain je dois payer les
intérêts, nous sommes en pleine fenaison, et vous voilà,
vous, par-dessus le marché... *(Il la prend par la taille.)*
Je ne me le pardonnerai jamais.

MADAME POPOVA

Arrière! Bas les pattes! Je vous... Je vous déteste!
Nous allons nous ba-attre.

Long baiser.

SCÈNE XI

LES MÊMES

*Entrent Louka armé d'une hache, le jardinier avec un
râteau, le cocher avec une fourche, des ouvriers agricoles avec
des hachettes.*

LOUKA, *les voyant qui s'embrassent.*

Saints martyrs!

Un temps.

MADAME POPOVA, *les yeux baissés.*

Louka, tu diras à l'écurie qu'on ne donne pas d'avoine
à Toby aujourd'hui. Pas du tout.

Une demande en mariage

PLAISANTERIE EN UN ACTE

PERSONNAGES

STÉPANE STÉPANOVITCH TCHOUBOUKOV, *propriétaire terrien.*

NATALIA STÉPANOVNA, *sa fille, 25 ans.*

IVAN VASSILIÉVITCH LOMOV, *leur voisin, un jeune propriétaire terrien, bien portant et bien nourri, mais extrêmement douillet.*

L'action se passe dans la propriété de Tchouboukov.
Le salon de Tchouboukov.

SCÈNE PREMIÈRE

TCHOUBOUKOV, LOMOV

Entre Lomov, en habit et gants blancs.

TCHOUBOUKOV, *allant à sa rencontre.*

C'est vous, très cher ami? Ivan Vassiliévitch! Que
je suis neureux! *(Il lui serre la main.)* Quelle bonne
surprise, mon petit! Comment va la santé?

LOMOV

Je vous remercie. Et vous-même?

TCHOUBOUKOV

Ça va à peu près, mon ange, grâce à vos prières...
et ainsi de suite. Asseyez-vous, je vous prie... Ce n'est
pas gentil d'oublier ses voisins, mon trésor! Mais
dites-moi, mon mignon, pourquoi êtes-vous sur votre
trente et un? Habit, gants blancs, et ainsi de suite...
Vous avez des visites à faire, mon bijou?

LOMOV

Non, c'est vous seul que j'avais l'intention de voir, inestimable Stépane Stépanovitch.

TCHOUBOUKOV

Mais alors, pourquoi cet habit, mon joli? On dirait une visite du jour de l'an!

LOMOV

Je vais vous dire de quoi il s'agit. *(Il prend le bras de Tchouboukov.)* Je suis venu chez vous, inestimable Stépane Stépanovitch, pour vous adresser une demande... Ce n'est pas la première fois que j'ai l'honneur de solliciter votre aide, et vous avez toujours bien voulu... Mais excusez-moi, je suis très ému. Permettez-moi de boire un verre d'eau, inestimable Stépane Stépanovitch.

Il boit de l'eau.

TCHOUBOUKOV, *à part.*

Il est venu pour me taper. Pas un kopeck, mon petit vieux! *(A Lomov :)* De quoi s'agit-il, mon cœur?

LOMOV

Voyez-vous, inestimable Stépanovitch... pardon, je voulais dire Stépane Inestima... je suis terriblement ému, comme vous voyez... Bref, vous seul pouvez m'aider... bien que je ne l'aie pas mérité du tout... que je n'aie pas le moindre droit...

TCHOUBOUKOV

Assez tourné autour du pot, mon petit! Allez-y carrément. Alors?

LOMOV

Tout de suite... A l'instant... Voilà : je suis venu
vous demander la main de votre fille Natalia Stépanovna.

TCHOUBOUKOV, *joyeusement.*

Mon petit cœur! Ivan Vassiliévitch! Répétez-moi
ça, je n'en crois pas mes oreilles.

LOMOV

J'ai l'honneur de vous demander...

TCHOUBOUKOV, *l'interrompant.*

Très cher ami! Que je suis donc heureux!... et ainsi
de suite... *(Il serre Lomov dans ses bras.)* Il y a si longtemps
que je souhaite cette union, voilà bien mon rêve le plus
cher. *(Il verse une larme.)* Et je vous ai toujours aimé,
mon ange, comme mon propre fils... Que Dieu vous
accorde à tous deux amour, entente... et ainsi de suite...
pour ma part, j'ai toujours espéré... oui... Mais qu'est-ce
que j'ai à rester planté là comme un imbécile? Parole,
la joie me fait perdre la tête... Oh! que je suis heureux!
Je cours chercher Natalia... et ainsi de suite.

LOMOV, *touché.*

Inestimable Stépane Stépanovitch, croyez-vous que
je puisse espérer?

TCHOUBOUKOV

Voyons, un bel homme comme vous... comme si
elle pouvait refuser! Je parie qu'elle vous aime déjà à
la folie... et ainsi de suite... Un instant!

Il sort.

SCÈNE II

LOMOV, *seul.*

LOMOV

J'ai froid... je frissonne comme si je devais passer un examen. Prendre une décision, voilà la chose capitale. Si l'on se met à réfléchir, à hésiter, à discuter, à attendre l'épouse idéale ou le grand amour, on risque de rester célibataire. Brr... Que j'ai froid! Natalia Stépanovna est une excellente maîtresse de maison, elle n'est pas mal de sa personne, elle a de l'instruction... que me faut-il de plus? Oui, à force de m'agiter, j'ai les oreilles pleines de bourdonnements. *(Il boit de l'eau.)* D'ailleurs, il faut absolument que je me marie. J'ai déjà trente-cinq ans, c'est l'âge critique, pour ainsi dire, et puis j'éprouve le besoin d'une vie ordonnée, bien réglée. J'ai une lésion au cœur, tout le temps des palpitations, je m'emporte facilement, pour un rien je me mets dans des états terribles. En ce moment, par exemple, mes lèvres tremblent, la paupière de l'œil droit saute... Mais le pire, c'est la nuit. A peine couché, à deux doigts de m'endormir, pan! Un coup au côté gauche, et pan dans l'épaule, et pan dans la tête! Je me lève comme un fou, je marche un peu, puis je me recouche, et allez, ça recommence : pan dans le côté, pan, pan!... Au moins vingt fois de suite...

SCÈNE III

NATALIA, LOMOV

NATALIA, *entrant.*

Tiens! C'est vous? Et papa qui me dit : va voir, c'est un marchand qui veut t'acheter quelque chose... Bonjour, Ivan Vassiliévitch.

LOMOV

Bonjour, inestimable Natalia Stépanovna!

NATALIA

Excusez-moi, je suis en tablier, pas très présentable... Nous étions en train d'écosser des petits pois pour les faire sécher. Pourquoi vous faites-vous si rare? Asseyez-vous donc. *(Ils s'assoient.)* Puis-je vous offrir quelque chose?

LOMOV

Non, merci, j'ai déjeuné.

NATALIA

Fumez, je vous en prie. Voilà des allumettes... Le temps est superbe aujourd'hui, mais hier il a tellement plu que nos ouvriers n'ont rien pu faire de toute la journée. Comment marche la fenaison, chez vous? Moi, figurez-vous... j'ai été trop gourmande, j'ai fait faucher le grand pré, et maintenant je le regrette, j'ai peur que le foin ne soit abîmé. J'aurais mieux fait d'attendre un peu. Mais dites donc, vous êtes en habit,

ma parole! Je n'en reviens pas! Vous allez au bal?
A propos, je vous trouve très bonne mine... En quel
honneur cette élégance?

LOMOV, *très ému.*

Voyez-vous, inestimable Natalia Stépanovna... je
suis venu vous demander... Vous serez sans doute très
étonnée, fâchée même peut-être, mais je... *(A part :)*
Je suis tout glacé.

NATALIA

De quoi s'agit-il? *(Un temps.)* Eh bien?

LOMOV

Je tâcherai d'être bref. Vous savez, chère Natalia
Stépanovna, que j'ai l'honneur de connaître votre famille
depuis longtemps, depuis mon enfance. Ma défunte
tante et son époux, dont, vous ne l'ignorez pas, j'ai
hérité les terres, ont toujours tenu votre défunte maman
ainsi que votre papa en haute estime. La lignée des
Lomov et celle des Tchouboukov n'ont cessé d'entretenir des relations amicales, on pourrait même dire,
des relations intimes. D'ailleurs, comme vous le savez,
nos terres se touchent. Rappelez-vous : mon pré aux
Vaches est contigu à votre bois de bouleaux.

NATALIA

Excusez-moi de vous interrompre. Vous venez
de dire : « Mon pré aux Vaches ». Mais est-ce qu'il est à
vous?

LOMOV

Quelle question!

NATALIA

Voyons! Le pré aux Vaches est à nous, et pas à vous!

LOMOV

Mais si, il est à moi, inestimable Natalia Stépanovna.

NATALIA

Première nouvelle! Comment cela serait-il possible?

LOMOV

Comment? Voyons, je parle du pré qui forme une enclave entre votre bois de bouleaux et le Marais Brûlé.

NATALIA

Mais oui, parfaitement... Il est à nous.

LOMOV

Vous vous trompez, inestimable Natalia Stépanovna. Il est à moi.

NATALIA

Revenez à vous, Ivan Vassiliévitch! Depuis quand est-il à vous?

LOMOV

Depuis quand? Mais depuis toujours.

NATALIA

Ça alors, je vous demande bien pardon!

LOMOV

Les documents sont là, inestimable Natalia Stépanovna. Le pré aux Vaches a été en litige, c'est exact,
il y a belle lurette, mais aujourd'hui, tout le monde sait
qu'il est à moi. A quoi bon discuter ? Écoutez : la
grand-mère de ma tante avait gratuitement prêté cette
terre aux paysans du grand-père de votre papa, pour
une durée illimitée, les paysans fabriquant des briques
à son intention. Ayant ainsi joui gratuitement du pré
aux Vaches pendant une quarantaine d'années, les
paysans du grand-père de votre papa s'étaient habitués
à le considérer comme leur bien, mais à l'heure de
l'émancipation...

NATALIA

Mais ça ne s'est pas du tout passé comme ça ! Mon
grand-père comme mon arrière-grand-père estimaient
que leurs terres s'étendaient jusqu'au Marais Brûlé.
Ce qui veut dire que le pré aux Vaches nous appartient.
A quoi rime cette discussion ? Je ne vous comprends
pas. C'est même agaçant !...

LOMOV

Je vous montrerai des documents, Natalia Stépanovna.

NATALIA

Non, vous plaisantez, ou vous vous moquez de
moi ? Charmante surprise ! Nous possédons cette terre
depuis bientôt trois cents ans, et brusquement, on
vient nous annoncer qu'elle n'est pas à nous ! Excusez-
moi, Ivan Vassiliévitch, mais c'est à peine si j'en crois
mes oreilles... Ce n'est pas que je tienne particulièrement
à ce pré. Il ne mesure que cinq déciatines et ne vaut pas

plus de trois cents roubles, mais c'est l'injustice qui me
révolte. Vous pouvez dire ce que vous voudrez, je ne
supporte pas l'injustice.

LOMOV

Écoutez-moi, je vous en supplie! Comme j'ai eu
l'honneur de vous le dire, les paysans du grand-père
de votre papa fabriquaient des briques, pour la grand-
mère de ma tante. Voulant leur faire plaisir, la grand-
mère de ma tante...

NATALIA

Grand-père, tante, grand-mère... quel charabia!
Le pré aux Vaches nous appartient, un point c'est
tout.

LOMOV

Non, il est à moi!

NATALIA

A nous! Vous pouvez discuter pendant l'éternité,
revêtir trente-six fracs si ça vous plaît, le pré est à nous,
à nous, et à nous! Je ne demande rien à personne, mais
je ne veux pas perdre mon bien, que cela vous chante
ou non!

LOMOV

Je me moque de ce pré, Natalia Stépanovna; ce
que j'en dis, c'est pour le principe. Si vous le désirez,
je vous l'offre tout de suite.

NATALIA

Mais moi aussi, je peux vous l'offrir, puisqu'il est
à moi. C'est tout de même étrange, Ivan Vassiliévitch!

Nous vous avions toujours considéré comme un bon voisin, un bon ami, l'année dernière nous vous avons prêté notre batteuse, notre blé a dû attendre jusqu'en novembre, et vous... vous nous traitez comme si nous étions des romanichels. Vous m'offrez ma propre terre. Excusez-moi, mais ce n'est pas se conduire en bon voisin! A mon avis, c'est de l'insolence, tout simplement...

LOMOV

Ainsi vous me prenez pour un usurpateur? Mademoiselle, je n'ai jamais volé la moindre terre à autrui, et qui m'accusera aura de mes nouvelles. *(Il va vivement vers la carafe et boit de l'eau.)* Le pré aux Vaches m'appartient.

NATALIA

Ce n'est pas vrai! Il est à nous!

LOMOV

A moi!

NATALIA

Pas vrai! Et pour vous le prouver, je ferai faucher ce pré aujourd'hui même!

LOMOV

Comment?

NATALIA

Aujourd'hui même, mes ouvriers faucheront ce pré.

LOMOV

Je les ficherai dehors!

NATALIA

C'est ce qu'on verra!

LOMOV, *portant ses mains à son cœur.*

Le pré aux Vaches est à moi. Compris? A moi!

NATALIA

Ah! et puis, je vous en prie, cessez de crier! Hurlez
et suffoquez de rage chez vous, tant que vous voudrez,
mais ici, tenez-vous correctement, je vous le demande!

LOMOV

Mademoiselle, si des palpitations terriblement épui-
santes ne me faisaient souffrir, si le sang ne battait pas
dans mes tempes, je vous parlerais sur un autre ton!
(Il crie :) Le pré aux Vaches m'appartient!

NATALIA

Non! Il est à nous!

LOMOV

A moi!

NATALIA

A nous!

LOMOV

A moi!

SCÈNE IV

LES MÊMES, TCHOUBOUKOV

TCHOUBOUKOV, *entrant*.

Qu'est-ce qu'il y a? Pourquoi ces cris?

NATALIA

Papa, s'il te plaît, veux-tu dire à ce monsieur à qui appartient le pré aux Vaches : à nous, ou à lui?

TCHOUBOUKOV, *à Lomov*.

Quelle question, mon trésor, mais à nous, bien sûr!

LOMOV

Voyons, Stépane Stépanovitch, comment serait-il à vous? Vous, au moins, soyez raisonnable. La grand-mère de ma tante a prêté gratuitement ce pré aux paysans de votre grand-père. Ils en ont joui pendant une quarantaine d'années comme si ce pré leur appartenait. Mais lorsque l'émancipation...

TCHOUBOUKOV

Permettez, mon bijou... Vous oubliez un détail. Ces paysans ne versaient rien à votre grand-mère et ainsi de suite, mais c'est justement parce que ce pré se trouvait alors en litige... Aujourd'hui, le dernier imbécile venu sait qu'il est à nous. Vous n'avez donc jamais vu le cadastre?

LOMOV

Je vous prouverai qu'il est à moi!

TCHOUBOUKOV

Vous ne me prouverez rien du tout, mon petit cœur.

LOMOV

Si, je le prouverai!

TCHOUBOUKOV

Mais pourquoi crier, ma colombe? Les hurlements ne prouvent rien. Je ne demande pas le bien d'autrui, mais ce qui est à moi est à moi. Et comment donc! Si c'est comme ça, mon mignon, eh bien, ce pré que vous me chicanez, plutôt que de vous le donner, j'en ferai cadeau aux moujiks. Voilà!

LOMOV

Ça alors! De quel droit feriez-vous cadeau d'une terre qui ne vous appartient pas?

TCHOUBOUKOV

Ça me regarde! Et puis, jeune homme, je n'ai pas l'habitude qu'on me parle sur ce ton. J'ai le double de votre âge, jeune homme, et je vous prie de me parler avec respect... et ainsi de suite.

LOMOV

Non, mais vous me prenez pour un imbécile, vous vous payez ma tête, ma parole? Vous dites que la terre est à vous, et par-dessus le marché, il faut que je reste calme, que je sois poli, c'est un peu fort! De bons

voisins n'agissent pas ainsi, Stépane Stépanovitch. Vous
n'êtes pas un bon voisin, non, mais un usurpateur!

TCHOUBOUKOV

Comment, monsieur? Qu'avez-vous dit?

NATALIA

Papa, il faut envoyer tout de suite nos faucheurs!

TCHOUBOUKOV, *à Lomov*.

Qu'avez-vous dit, monsieur?

NATALIA

Le pré aux Vaches nous appartient, et je ne céderai
jamais, jamais, jamais!

LOMOV

C'est ce que nous allons voir! Le tribunal vous prou-
vera qu'il est à moi.

TCHOUBOUKOV

Le tribunal? Eh bien, allez donc porter plainte,
monsieur. Et ainsi de suite. Dépêchez-vous! Je vous
connais, moi, les procès, ça vous démange... Vous
êtes un chicaneur-né! Comme tous les vôtres! Pas
d'exception.

LOMOV

Je vous défends d'insulter ma famille. Il n'y a que
des gens propres dans la lignée des Lomov! Aucun
n'a jamais été arrêté pour avoir dilapidé le bien d'autrui,
comme ce fut le cas de votre oncle.

TCHOUBOUKOV

Chez vous, ils étaient tous cinglés!

NATALIA

Tous, tous, tous!

TCHOUBOUKOV

Votre grand-père buvait comme un trou, et Nastassia Mikhaïlovna, la plus jeune de vos tantes, elle a fichu le camp avec un architecte. Et ainsi de suite...

LOMOV

Et votre mère, à vous, elle avait une jambe plus courte que... *(Il porte les mains à son cœur.)* Un coup dans le côté... La tête maintenant... Seigneur... De l'eau!

TCHOUBOUKOV

Et votre père, un joueur, un goinfre!...

NATALIA

Et votre tante, une cancanière!...

LOMOV

Je ne sens plus ma jambe gauche... Et vous, vous êtes un arriviste... Oh! mon cœur! Tout le monde sait qu'avant les élections... Des étincelles devant les yeux... Où est mon chapeau?

NATALIA

C'est dégoûtant! C'est malhonnête! C'est infâme!

TCHOUBOUKOV

Et vous, vous n'êtes qu'une vipère, un faux jeton, un homme de rien! Oui, monsieur!

LOMOV

Voilà mon chapeau... Le cœur qui... Où aller? Où est la porte? Oh! Je meurs... Ma jambe ne fonctionne plus...

Il va vers la porte.

TCHOUBOUKOV

Et je vous interdis de remettre les pieds chez moi.

NATALIA

Allez donc porter plainte au tribunal! On verra bien!

Lomov sort en vacillant.

SCÈNE V

TCHOUBOUKOV, NATALIA STÉPANOVNA

TCHOUBOUKOV

Qu'il aille au diable!

Il arpente la scène, très agité.

NATALIA

Hein! Quel misérable! Fiez-vous à vos voisins, après cela.

TCHOUBOUKOV

Un gredin! Un épouvantail à moineaux!

NATALIA

Quel monstre! Il vous vole votre terre, et des insultes, par-dessus le marché.

TCHOUBOUKOV

Et dire que cet énergumène, ce propre à rien, ose venir faire sa demande. Hein? Sa demande!

NATALIA

Quelle demande?

TCHOUBOUKOV

Parbleu! Il est venu pour te demander en mariage.

NATALIA

En mariage? Moi? Pourquoi ne me l'as-tu pas dit plus tôt?

TCHOUBOUKOV

C'est pour ça qu'il s'est endimanché. Cette saucisse! Espèce de macaque!

NATALIA

Me demander en mariage? Moi? Oh! *(Elle tombe en gémissant dans un fauteuil.)* Rappelle-le! Oh! Rappelle-le!

TCHOUBOUKOV

Rappeler qui?

NATALIA

Vite! Vite! Je me sens mal. Rappelle-le!

Crise d'hystérie.

TCHOUBOUKOV

Qu'est-ce qui te prend? Que me veux-tu? *(Il se prend la tête.)* Malheureux que je suis! Je me ferai sauter la cervelle! Je vais me pendre! Je suis à bout!

NATALIA

Je me meurs... Rappelle-le!

TCHOUBOUKOV

Zut! Oui. Cesse de pleurnicher!

Il sort en courant.

NATALIA, *seule, gémissante.*

Qu'avons-nous fait? Qu'on le rappelle! Qu'on le rappelle!

TCHOUBOUKOV, *il revient en courant.*

Il vient... et ainsi de suite, et que le diable l'emporte. Ouf! Tu lui parleras, toi, moi, je ne veux plus...

NATALIA, *gémissante.*

Qu'on le rappelle!...

TCHOUBOUKOV, *criant.*

Mais puisque je te dis qu'il arrive! Oh! quelle calamité pour un père, Seigneur : avoir une fille à marier! A se couper la gorge! Je jure que je le ferai! Nous avons

insulté cet homme, nous l'avons injurié, chassé... et
tout cela par ta faute.

NATALIA

Ah non! Par la tienne!

TCHOUBOUKOV

Bien sûr, c'est toujours moi le coupable. *(Lomov
apparaît.)* Eh bien, tu n'as qu'à te débrouiller avec lui.

Il sort.

SCÈNE VI

NATALIA STÉPANOVNA, LOMOV

LOMOV *entre, l'air épuisé.*

Des palpitations terribles... Une jambe comme
paralysée... des crampes dans le côté...

NATALIA

Excusez-moi, Ivan Vassiliévitch, je crois que nous
nous sommes trop échauffés. Mais maintenant, j'y suis :
ce pré vous appartient en effet.

LOMOV

Mon cœur bat comme un fou... Oui, le pré aux Vaches
est à moi... Mes paupières, oh! des mitraillettes...

NATALIA

Mais oui, mais oui, il est à vous... Asseyez-vous donc.
(Ils s'assoient.) C'est nous qui avions tort.

LOMOV

Simple question de principe. Je ne tiens pas à cette terre, mais je tiens au principe...

NATALIA

Au principe, parfaitement... Mais parlons d'autre chose.

LOMOV

D'autant plus que je possède des preuves. La grand-mère de ma tante avait donné aux paysans du grand-père de votre papa...

NATALIA

C'est bon, c'est bon, n'en parlons plus. *(A part :)* Je me demande par où commencer? *(A Lomov :)* Irez-vous bientôt à la chasse?

LOMOV

A la chasse au coq de bruyère, oui, inestimable Natalia Stépanovna; après la moisson, je pense. A propos, vous ne savez pas? Il m'arrive une tuile : mon Ougadaï, vous le connaissez, il s'est mis à boiter.

NATALIA

Quel malheur! Et pourquoi donc?

LOMOV

Allez le savoir... Il a sans doute une entorse, ou d'autres chiens l'auront mordu... *(Un soupir.)* C'est mon meilleur chien de chasse, sans parler de ce qu'il vaut. Je l'ai payé à Mironov cent vingt-cinq roubles.

NATALIA

C'est beaucoup trop cher, Ivan Vassiliévitch.

LOMOV

Ce n'est pas mon avis. Au contraire. C'est un chien merveilleux.

NATALIA

Papa a payé son Otkataï quatre-vingt-cinq roubles, et vous savez bien que votre Ougadaï est loin de le valoir.

LOMOV

Mon Ougadaï ne vaut pas Otkataï? Voyons! *(Il rit.)* Ougadaï ne vaut pas Otkataï?

NATALIA

Mais bien sûr! Notre Otkataï est encore jeune, ce n'est pas un chien adulte, je vous l'accorde, mais pour les formes, vous ne trouverez pas son pareil, même pas chez Voltchanetzki.

LOMOV

Permettez, Natalia Stépanovna, vous oubliez que sa mâchoire inférieure est plus courte que la mâchoire supérieure; un tel chien ne vaut rien pour attraper le gibier.

NATALIA

Première nouvelle!

LOMOV

Je vous l'affirme.

NATALIA

Vous avez donc mesuré sa mâchoire?

LOMOV

Oui, je l'ai mesurée. Pour suivre le gibier, bon, ça va, mais pour le prendre...

NATALIA

D'abord notre Otkataï a de la race, il possède un pedigree, c'est le fils de Zapriagaï et de Stameska, et votre cabot, on ne sait même pas d'où il sort. Il est vieux et vilain comme une pauvre rosse...

LOMOV

Tout vieux qu'il est, je ne l'échangerais pas contre cinq Otkataï. Aucune comparaison! Ougadaï est un vrai chien de chasse, lui... ridicule de discuter. Des Otkataï, on en trouve treize à la douzaine chez n'importe quel marchand. Vingt-cinq roubles, voilà tout ce qu'il vaut.

NATALIA

Mais quelle mouche vous pique aujourd'hui, Ivan Vassiliévitch? Tout à l'heure vous affirmiez que le pré aux Vaches est à vous, et voilà que maintenant, Ougadaï est plus beau qu'Otkataï! Je n'aime pas qu'on dise le contraire de ce qu'on pense. Vous savez parfaitement qu'Otkataï vaut cent fois votre... stupide Ougadaï. Pourquoi me contredire?

LOMOV

Je vois, Natalia Stépanovna, que vous me prenez
pour un aveugle, ou pour un imbécile. Comprenez
enfin que votre Otkataï a la mâchoire trop courte.

NATALIA

Ce n'est pas vrai.

LOMOV

Si!

NATALIA

Ce n'est pas vrai.

LOMOV

Mais pourquoi criez-vous, mademoiselle?

NATALIA

Et vous, pourquoi dites-vous des bêtises? C'est
révoltant, à la fin! Votre Ougadaï, il est tout juste
bon à faire piquer, et vous osez le comparer à Otkataï!

LOMOV

Excusez-moi, je ne peux pas poursuivre cette discussion. J'ai des palpitations.

NATALIA

J'ai remarqué que ce sont toujours les chasseurs de
rien du tout qui discutent le plus.

LOMOV

Mademoiselle, cessez, je vous en supplie! Mon
cœur va éclater... *(Il crie :)* Silence!

NATALIA

Je ne me tairai pas tant que vous n'aurez pas reconnu que notre Otkataï vaut cent fois votre Ougadaï.

LOMOV

Il vaut cent fois moins! Qu'il crève, votre Otkataï... Mes tempes... Mon œil... Mon épaule...

NATALIA

Votre imbécile d'Ougadaï n'a pas besoin de crever, lui : c'est déjà une charogne.

LOMOV, *pleurant.*

Taisez-vous! Mon cœur éclate!

NATALIA

Non, je ne me tairai pas!

SCÈNE VII

LES MÊMES, TCHOUBOUKOV

TCHOUBOUKOV, *entrant.*

Qu'est-ce qui se passe encore?

NATALIA

Papa, dis-nous franchement, en toute conscience : lequel des deux chiens est le meilleur, notre Otkataï ou son Ougadaï?

LOMOV

Stépane Stépanovitch, je vous en supplie, dites-moi une seule chose : votre Otkataï a-t-il la mâchoire inférieure trop courte, oui ou non?

TCHOUBOUKOV

Et quand elle le serait, trop courte? Quelle importance? Otkataï est le plus beau chien du district, un point c'est tout.

LOMOV

Mais moins beau que mon Ougadaï, avouez-le! Répondez, en toute conscience!

TCHOUBOUKOV

Il n'y a pas de quoi vous énerver, mon trésor... Permettez... Votre Ougadaï a des qualités, je le reconnais... Il est de race, il a de bonnes pattes, la hanche ronde et ainsi de suite. Mais pour tout vous dire, mon chéri, ce chien a deux graves défauts : il est trop vieux et il a la gueule trop courte.

LOMOV

Excusez-moi, j'ai des palpitations... Allons au fait... L'autre jour, rappelez-vous, dans le bois de Marouska, mon Ougadaï allait de front avec le Ramzaï du comte, et votre Otkataï était à la traîne, à plus d'une verste.

TCHOUBOUKOV

Parbleu! Le piqueur du comte lui avait fichu un coup de fouet.

LOMOV

Votre chien ne l'avait pas volé. Toute la meute suivait le renard, et votre Otkataï courait après un mouton.

TCHOUBOUKOV

Ce n'est pas vrai, monsieur... Écoutez, ma colombe, je m'emporte facilement, c'est pourquoi je vous demande de mettre un terme à cette discussion. Si le piqueur l'a frappé, c'est parce qu'ils sont tous jaloux de mon chien... Oui, monsieur! Bassement jaloux! Et vous-même, monsieur, vous n'êtes pas sans reproche. Dès que vous voyez un chien plus beau que votre Ougadaï, vous essayez immédiatement... et ainsi de suite... Je me souviens très bien...

LOMOV

Moi aussi, je me souviens...

TCHOUBOUKOV, *l'imitant.*

« Moi aussi je me souviens »... Et de quoi donc?

LOMOV

Des palpitations... La jambe gauche est froide... Je n'en peux plus.

NATALIA, *l'imitant.*

« Des palpitations »... Quel beau chasseur vous faites! Votre place est à la cuisine, au chaud, c'est aux cafards, pas aux renards que vous devriez faire la chasse. Vos palpitations...

TCHOUBOUKOV

C'est vrai, si encore vous étiez un chasseur! Avec vos palpitations, vous feriez mieux de rester à la maison, au lieu de vous trimbaler sur une selle. Vous ne venez à la chasse que pour discutailler et embêter les chiens des autres... et ainsi de suite. Mais je m'emporte facilement, brisons là. Vous n'êtes pas un vrai chasseur, et voilà tout.

LOMOV

Et vous, vous vous prenez pour un chasseur, peut-être? Vous n'allez à la chasse que pour flatter le comte, pour intriguer... Oh! mon cœur!... Vous n'êtes qu'un intrigant!

TCHOUBOUKOV

Comment, monsieur? Un intrigant, moi? *(Il crie :)* Silence!

LOMOV

Un intrigant!

TCHOUBOUKOV

Gamin! Blanc-bec!

LOMOV

Vieux rat! Jésuite!

TCHOUBOUKOV

Silence, ou je te descends avec mon vieux fusil, comme une perdrix. Nullité!

LOMOV

Tout le monde sait — oh! mon cœur! — que votre
défunte femme vous battait... Ma jambe... mes tempes...
trente-six chandelles... je tombe, je tombe!...

TCHOUBOUKOV

Et toi, tu vis dans les jupons de ta gouvernante.

LOMOV

Ça y est, ça y est... mon cœur a éclaté! Mon épaule
se détache... Où est mon épaule?... Je meurs. *(Il tombe
dans un fauteuil.)* Un médecin!

Il s'évanouit.

TCHOUBOUKOV

Gamin! Blanc-bec! Espèce de nullité! Je me sens
mal! *(Il boit de l'eau.)* Je me sens mal!

NATALIA

Vous vous prenez pour un chasseur? Vous ne savez
même pas vous tenir en selle. *(A son père :)* Papa!
Qu'est-ce qu'il a? Papa! Papa, regarde-le! *(Elle pousse
un grand cri :)* Ivan Vassiliévitch! Il est mort!

TCHOUBOUKOV

Je me sens mal... J'ai le souffle coupé! De l'air!

NATALIA

Il est mort! *(Elle secoue le bras de Lomov.)* Ivan Vassiliévitch! Ivan Vassiliévitch! Qu'avons-nous fait? Il
est mort. *(Elle tombe dans un fauteuil.)* Un docteur! Un
docteur!

Crise d'hystérie.

TCHOUBOUKOV

Oh!... Qu'y a-t-il encore? Qu'est-ce que tu as?

NATALIA, *gémissant.*

Il est mort... Il est mort...

TCHOUBOUKOV

Qui est mort? *(Il regarde Lomov.)* Oui, en effet,
il est mort. Seigneur, de l'eau! Un médecin! *(Il approche un verre des lèvres de Lomov.)* Buvez donc... Non,
il ne boit pas... Donc il est mort... et ainsi de suite...
Malheureux que je suis! Qu'est-ce que j'attends pour
me faire sauter la cervelle? Pour me couper la gorge?
Qu'est-ce que j'attends? Donnez-moi un revolver!
Donnez-moi un couteau! *(Lomov fait un mouvement.)*
On dirait qu'il ressuscite... Buvez donc de l'eau. Tenez...

LOMOV

Des étincelles... dans le brouillard... Où suis-je?

TCHOUBOUKOV

Mariez-vous au plus vite, et allez au diable! Elle
est d'accord. *(Il unit les mains de Lomov et de sa fille.)*
Elle consent, et ainsi de suite. Moi, je vous bénis, et
cætera! Seulement, fichez-moi la paix.

LOMOV

Hein? Comment? *(Se soulevant :)* Quoi?

TCHOUBOUKOV

Elle consent. Eh bien? Embrassez-vous et... que
la peste vous étouffe!

NATALIA, *gémissant.*

Il vit... oui, oui, je consens...

TCHOUBOUKOV

Embrassez-vous donc!

LOMOV

Hein? Quoi? *(Il embrasse Natalia.)* Très heureux...
Pardon, mais de quoi s'agit-il? Ah oui, je comprends...
Mon cœur... trente-six chandelles... Je suis heureux,
Natalia Stépanovna... *(Il lui baise la main.)* Ma jambe
est paralysée.

NATALIA

Moi... moi aussi, je suis heureuse...

TCHOUBOUKOV

Un gros poids de moins... Ouf!

NATALIA

Mais... convenez-en, maintenant : Ougadaï ne vaut
pas Otkataï.

LOMOV

Si!

NATALIA

Non!

TCHOUBOUKOV

Débuts du bonheur conjugal! Du champagne!

LOMOV

Si!

NATALIA

Non, non, et non!

TCHOUBOUKOV, *tentant de couvrir leurs voix.*

Du champagne! Du champagne!

Tragédien malgré lui

PLAISANTERIE EN UN ACTE

IVAN IVANOVITCH TOLKATCHEV, *père de famille*.
ALEXEI ALEXEÏÉVITCH MOURACHKINE, *son ami*.

Le scène se passe à Pétersbourg, dans le cabinet de travail de Mourachkine. Divan et fauteuils. Mourachkine est assis à son bureau. Entre Tolkatchev, portant à pleins bras un abat-jour en verre, une bicyclette d'enfant, trois cartons à chapeaux, un gros paquet de vêtements, un sac rempli de bouteilles de bière et de nombreux paquets de moindre importance. Il jette autour de lui des regards ahuris et se laisse tomber, visiblement épuisé, sur le divan.

MOURACHKINE

Bonjour, Ivan Ivanytch ! Très heureux de te voir. D'où viens-tu ?

TOLKATCHEV, *tout essoufflé.*

Mon cher, mon bon ami... Puis-je te demander un service ? Je t'en supplie... prête-moi ton revolver jusqu'à demain. Sois gentil !

MOURACHKINE

Un revolver ? Pour quoi faire ?

TOLKATCHEV

J'en ai besoin... Oh! Seigneur... Donne-moi de l'eau... De l'eau, vite! J'en ai besoin... La nuit, je traverse une forêt obscure... alors... tu comprends, à tout hasard... Prête-le-moi, tu me rendrais un grand service.

MOURACHKINE

Qu'est-ce que c'est que ces bobards, Ivan Ivanovitch? Et cette forêt obscure? Je parie que tu as une idée de derrière la tête, ça se lit sur ton visage. Mais qu'est-ce qui t'arrive? Tu ne te sens pas bien?

TOLKATCHEV

Attends, laisse-moi souffler... Oh! Seigneur! Éreinté comme un chien! Et dans tout le corps, jusque dans la tête, une drôle de sensation, comme si l'on m'avait coupé en petits morceaux. Je n'en peux plus. Sois un copain, ne me pose plus de question, n'entre pas dans les détails... mais prête-moi ton revolver. Je t'en supplie!

MOURACHKINE

Voyons, voyons! Qu'est-ce que ça veut dire, Ivan Ivanytch? Toi, un père de famille, un fonctionnaire! Tu devrais avoir honte.

TOLKATCHEV

Je ne suis pas un père de famille. Je suis un martyr! Une bête de somme, un nègre, un esclave, un lâche qui attend je ne sais quoi, au lieu de s'expédier dans l'autre monde. Je suis une chiffe molle, un imbécile, un crétin! Pourquoi suis-je encore en vie? Pour quoi faire? *(Il saute vivement.)* Dis-moi, pourquoi? A quoi

rime cette cascade de souffrances physiques et morales ?
Être le martyr d'une idée, bon, ça va. Mais être le martyr
de Dieu sait quoi, de jupons et d'abat-jour, alors, non,
non, non! Merci. Non! J'en ai assez! J'en ai assez!

MOURACHKINE

Ne crie pas, les voisins pourraient t'entendre.

TOLKATCHEV

Je me fiche de tes voisins. Et si tu refuses de me
prêter ton revolver, j'en trouverai un ailleurs; de toute
façon je veux en finir avec la vie. C'est décidé!

MOURACHKINE

Attends, tu m'arraches mes boutons. Là, parle avec
calme. Je ne comprends toujours pas ce que ta vie a de
terrible.

TOLKATCHEV

Ce qu'elle a de terrible? Tu le demandes? Très
bien, je vais te le dire, te déballer tout, peut-être que
ça me soulagera. Asseyons-nous. Voilà, écoute-moi...
Oh! mon Dieu, que je suis essoufflé! La journée d'aujour-
d'hui par exemple. Tiens! De dix à quatre, comme tu
le sais, je dois trimer au bureau. Une chaleur folle, pas
d'air, des mouches, et une pagaille indescriptible, mon
pauvre vieux. Notre secrétaire est en congé, Khrapov
est allé se marier, quant au menu fretin, ces gars-là n'ont
que balades, amourettes ou spectacles d'amateurs dans
le crâne. Tous abrutis de sommeil, crevés, vidés, bons
à rien... Celui qui remplace le secrétaire, il est sourd
de l'oreille gauche, et amoureux, par-dessus le marché...
Les solliciteurs ont perdu la boule; on ne voit que des

types pressés, qui se fâchent, qui vous menacent, bref
un tohu-bohu à vous faire hurler. On nage dans le
brouillard. Et le boulot, c'est la rengaine : renseignements, rapports, renseignements, rapports, monotone
comme la pluie. Les yeux vous en sortent de la tête, tu
comprends... Donne-moi un verre d'eau... Bon, tu
quittes le bureau, tu es crevé, fourbu, ce serait le moment
de dîner et de piquer un bon roupillon, — penses-tu!
N'oublie pas que tu es un estivant, c'est-à-dire un
esclave, un zéro, et allez, en vitesse aux commissions.
Chez nous, au village, on a trouvé un truc délicieux :
un estivant va en ville, alors n'importe qui, sans parler
de sa propre épouse, a le droit et le pouvoir de le charger
d'un tas de commissions. Pour ma femme, c'est la couturière, qu'il faut gronder parce qu'elle a fait la
blouse trop large à la poitrine et trop étroite aux épaules. Il faudra aussi changer les chaussures de la petite
Sonia, rapporter à ma belle-sœur pour vingt kopecks
de soie rose, trois mètres de galon, d'après l'échantil-
lon... Tiens, je vais te lire la liste... *(Il sort un papier de
sa poche et lit.)* Un abat-jour pour la lampe; une livre de
saucisson; cinq kopecks de clous de girofle et de la
cannelle; de l'huile de ricin pour Michel; dix livres de
sucre en poudre; aller chercher à la maison la bassine
en cuivre et le mortier; acheter pour dix kopecks de
phénol, de l'insecticide, de la poudre de riz; vingt
bouteilles de bière; de l'essence de vinaigre et un cor-
set numéro 82 pour Mlle Chansot... ouf! sans oublier
le pardessus et les caoutchoucs de Michel qui sont
restés à la maison. Voilà pour mon épouse et ma famille.
Suivent les commissions de mes chers voisins et amis,
qu'ils aillent au diable! Volodia Vlassine fête son anniversaire demain, il faut lui acheter une bicyclette; la
colonelle Vikhrine est enceinte, il faut alerter la sage-
femme tous les jours. Etc., etc. J'ai cinq listes dans ma

poche, et mon mouchoir est plein de nœuds. Alors, mon
vieux, entre le bureau et le train, tu vois, je ne fais que
courir comme un caniche, je tire la langue, ça me fait
maudire l'existence. D'un magasin à la pharmacie, de
la pharmacie chez la couturière, de la couturière à la
charcuterie, et retour à la pharmacie... Ici, tu te casses
la figure, là, tu perds ton argent, ailleurs tu oublies de
payer et le commerçant te court après en hurlant... tu
déchires la traîne d'une dame... Zut! A force de courir,
tu te soûles de fatigue, de rage, la nuit, tous les os te
font mal, tu ne vois plus que des crocodiles dans tes
rêves... Bon, les commissions sont faites, tu as acheté
tout ce qu'il fallait... Autre problème : va m'emballer
tout ce fourbi... Comment faire tenir dans un colis un
lourd mortier en cuivre et un abat-jour en verre? Du
phénol avec du thé? Les bouteilles de bière avec cette
bicyclette? Un vrai travail de Romain, une énigme,
un rébus. Tu as beau te creuser la tête, tenter l'impossible, tu finiras toujours par mettre un truc en miettes,
ou renverser quelque chose par terre; et puis c'est la
gare, le train, te voilà les bras écartés, tout tordu, je
ne sais quel paquet sous le menton, à moitié enterré
sous des sacs, des cartons, Dieu sait quelles saloperies!
Dès que le train se met en branle, les voyageurs envoient
valser tes affaires, ils n'ont plus de place pour s'asseoir.
Ils crient, ils appellent le contrôleur, ils menacent de te
faire débarquer, tu as l'air fin! Tu restes là, à les regarder comme un âne fouetté. Maintenant, écoute la suite.
J'arrive enfin chez moi. Après toutes ces misères,
j'aurais le droit de boire un coup et de me payer une
bonne ronflette, non? Compte là-dessus! Ta chère
moitié est là, qui te guette depuis longtemps. Tu n'as
pas avalé trois cuillerées de soupe qu'elle met le grap-
pin sur le pauvre esclave : il faut qu'elle te traîne à un
spectacle d'amateurs, ou à une soirée dansante. Inutile

de protester. Tu es un mari, ce qui veut dire, en langage
d'estivants, une bête docile, et je te la monte, et je te
la charge quand il me plaît, rien à craindre de la société
protectrice des animaux. Tu t'exécutes, tu écarquilles
des yeux grands comme ça pendant le spectacle : *Un
scandale dans une famille noble* ou autre ânerie du même
tonneau, tu applaudis en mesure, sur l'ordre de ton
épouse. Pendant ce temps-là, tu crèves, tu t'étioles
doucement, tu attends l'attaque d'apoplexie. Puis c'est
le bal, tu dois observer les danseurs, en dénicher un
pour ta femme, et si tu n'en trouves pas, allez, à toi
de te lancer dans un quadrille. Il est minuit passé quand
tu rentres, tu n'as plus figure humaine, tu es une misérable loque, bonne à jeter aux orties... Enfin, repos, ça
y est, tu es déshabillé, couché... Aux anges. Ouf! Autour
de toi, c'est le calme, la poésie, la douceur, les gosses
ne piaillent pas derrière la cloison, ton épouse n'est
pas là, ta conscience est pure : le rêve, quoi. Tu t'assou-
pis, et, brusquement : Dzz! Les moustiques! *(Il se
lève d'un bond.)* Les moustiques, qu'ils soient trois fois
maudits, les monstres! *(Il menace du poing.)* Les moustiques! Le supplice chinois! L'Inquisition! Dzz! Et
je te bourdonne sur un ton plaintif, si triste, on croirait
qu'ils te demandent pardon, mais ils te piquent, les
salauds, tu en as pour une heure à te gratter. Alors
fume, écrase-les, enfouis-toi sous les draps, c'est comme
si tu flûtais. Il n'y a plus qu'à dire amen, en crachant
de dépit, qu'à les laisser faire : « Bouffez-moi et soyez
maudits. » Tu t'es fait aux moustiques, ce n'est pas fini;
dans la salle voisine, ton épouse étudie des romances
avec des amis ténors. Le jour, ils dorment, mais la nuit,
ils répètent pour un concert d'amateurs. Oh! mon Dieu!
Les voix de ténor, quel supplice! Les moustiques c'est
du gâteau à côté! *(Il chante :)* « Ne dis pas que tu as
perdu ta jeunesse... Je suis à nouveau devant toi... »

Oh! les gredins! Ils m'ont crevé. J'ai tout de même
trouvé un truc pour limiter les dégâts : là, près de
l'oreille, je me tapote la tempe. Jusqu'à quatre heures
du matin, c'est à cette heure-là qu'ils fichent le camp.
Oh!... donne-moi encore un verre d'eau, mon vieux...
Je n'en peux plus... Il est six heures, je n'ai pas fermé
l'œil de la nuit, alors je file à la gare, prendre mon train...
Et je cours, j'ai peur d'arriver en retard... je patauge
dans la boue, il y a du brouillard... Il fait froid... brr!
J'arrive en ville, et la ritournelle remet ça. J'ai une vie
infernale, je ne la souhaite pas à mon pire ennemi.
Ça me rend malade, tu comprends? J'ai de l'asthme, des
brûlures, des angoisses chroniques, mon estomac ne
veut plus rien digérer, j'y vois trouble... Et tu ne le
croiras pas, mais je deviens cinglé... *(Il jette un regard
autour de lui.)* Ceci entre nous, hein? J'ai l'intention de
consulter un psychiatre... Par moments, je pique de ces
crises, mon vieux... Quand je suis agacé ou abruti
de fatigue, que les moustiques me dévorent, que les
ténors chantent, je me lève d'un bond, et je me mets à
courir comme un dératé, à travers toutes les pièces, et
je hurle : « Je veux du sang! Je veux du sang! » Sans
blague, dans ces cas-là, je ficherais des coups de couteau, j'assommerais n'importe qui avec une chaise. Voilà
à quoi ça vous mène, la vie d'estivant. Et personne n'a
pitié de vous, personne ne compatit à votre sort, comme
si tout cela était normal. Par-dessus le marché, on se
moque de vous. Mais, comprends-moi donc, je suis un
être vivant, moi, je veux vivre. Ce n'est pas un vaudeville, c'est une tragédie. Écoute, si tu ne veux pas me
donner le revolver, d'accord, mais plains-moi un peu,
au moins...

MOURACHKINE

Mais je te plains...

TOLKATCHEV

Oui, je vois ça... Adieu. Je cours chercher des anchois, du saucisson... de la pâte dentifrice, et je file à la gare.

MOURACHKINE

Où es-tu en villégiature?

TOLKATCHEV

A la Riviere-Pourrie

MOURACHKINE, *joyeusement*.

Pas possible! Écoute, est-ce que tu connais là-bas une estivante · Olga Pavlovna Finberg?

TOLKATCHEV

Oui, j'ai fait sa connaissance.

MOURACHKINE

Vraiment? Quelle coïncidence! Comme ça tombe bien, comme c'est gentil de ta part...

TOLKATCHEV

Quoi?

MOURACHKINE

Mon cher vieux, tu voudras bien me rendre un petit service? En copain! Hein? Tu me promets?

TOLKATCHEV

De quoi s'agit-il?

MOURACHKINE

C'est un service d'ami que je te demande. Je t'en
supplie, mon cher. D'abord, tu salueras Olga Pavlovna
de ma part, tu lui diras que je me porte comme un charme
et que je lui baise la main. Puis tu lui remettras un petit
objet. Elle m'avait demandé de lui acheter une machine
à coudre, et je n'ai personne pour la lui porter. Veux-tu
t'en charger, mon vieux? Et par la même occasion,
prends donc aussi cette cage avec un canari... mais
fais bien attention, la petite porte est fragile... Pourquoi
me regardes-tu avec des yeux pareils?

TOLKATCHEV

Une machine à coudre... un canari et sa cage... des
serins, des pinsons...

MOURACHKINE

Mais qu'est-ce que tu as, Ivan Ivanovitch? Pourquoi es-tu devenu si rouge?

TOLKATCHEV

Amène-la, ta machine à coudre! Et la cage? Monte
donc dessus! Dévore-moi! Torture-moi! Achève-moi!
(Il serre les poings.) Je veux du sang! Du sang!

MOURACHKINE

Tu es fou?

TOLKATCHEV, *avançant vers lui.*

Je veux du sang! Du sang!

MOURACHKINE, *épouvanté.*

Il est devenu fou! *(Il appelle :)* Petrouchka! Maria!
Où êtes-vous? Au secours!

TOLKATCHEV, *le poursuivant à travers la scène.*

Je veux du sang! Je veux du sang!

Une noce

COMÉDIE EN UN ACTE

PERSONNAGES

EVDOKIME ZAKHAROVITCH ZIGALOV, *petit fonctionnaire en retraite.*

NASTASSIA TIMOFÉÏEVNA, *sa femme.*

DACHENKA, *leur fille.*

EPAMINONDE MAXIMOVITCH APLOMBOV, *fiancé de Dachenka.*

FEDOR YAKOVLEVITCH REVOUNOV-KARAOULOV, *capitaine de 2e classe en retraite.*

ANDRÉ ANDRÉEVITCH NIOUNINE, *agent d'une société d'assurances.*

ANNA MARTINOVNA ZMEIOUKINA, *sage-femme, trente ans, vêtue d'une robe rouge vif.*

IVAN MIKHAÏLOVITCH YAT, *télégraphiste.*

KHARLAMPI SPIRIDONOVITCH DYMBA, *confiseur grec.*

DIMITRI STEPANOVITCH MOZGOVOÏ, *matelot.*

GARÇONS D'HONNEUR, DANSEURS, LAQUAIS, etc.

L'action se passe dans un salon du traiteur Andronov.
La salle est brillamment éclairée. Une grande table dressée
pour le souper, autour de laquelle s'affairent des garçons en
habit. En coulisse, la musique joue les dernières mesures
d'un quadrille.

Zmeioukina, Yat et un garçon d'honneur traversent la scène.

ZMEIOUKINA

Non, non, non!

YAT, *la suivant.*

Pitié! Pitié!

ZMEIOUKINA

Non, non, et non!

LE GARÇON D'HONNEUR, *courant derrière eux.*

Voyons, monsieur, madame, c'est impossible. Où
allez-vous? Et la farandole, la farandole, s'il vous plaît!

Ils sortent.
Entrent Nastassia Timoféïevna et Aplombov.

NASTASSIA

Au lieu de me soûler de discours, vous feriez mieux
d'aller danser.

APLOMBOV

Je ne suis pas un quelconque Spinoza pour faire
des entrechats. Je suis un homme posé, de caractère
ferme, et ces plaisirs stupides ne m'amusent pas. Il s'agit
bien de danses, d'ailleurs... Excusez-moi, maman,
mais il y a beaucoup de choses que je ne comprends
pas très bien dans votre façon d'agir. Ainsi vous m'aviez
promis de donner en dot à votre fille, outre les objets
d'usage courant, deux bons d'État. Où sont-ils ?

NASTASSIA

Mais pourquoi ai-je si mal à la tête ?... Le changement
de temps, sans doute... bientôt le dégel...

APLOMBOV

Ne me racontez pas d'histoires ! Aujourd'hui même,
j'ai appris que vous avez mis vos bons d'État en gage.
Excusez-moi, maman, mais il n'y a que les filous pour
agir ainsi. Remarquez, ce n'est pas par intérêt que j'en
parle, vos bons d'État, je m'en fiche, mais c'est pour le
principe, et je ne permettrai à personne de me rouler.
J'ai fait le bonheur de votre fille, mais si vous ne me
donnez pas ces bons, et pas plus tard qu'aujourd'hui,
j'en ferai du hachis, de votre fille. Je suis un honnête
homme, moi.

NASTASSIA, *examinant la table et comptant les couverts.*

Un, deux, trois, quatre, cinq...

UN GARÇON

Le chef demande à monsieur avec quoi il faut servir les glaces : avec du rhum, du madère, ou rien du tout?

APLOMBOV

Avec du rhum. Et dis à ton patron qu'il n'y a pas assez de vin. Qu'il nous serve encore du haut sauternes. *(A Nastassia :)* Vous nous aviez aussi promis, et c'était convenu, qu'un général souperait avec nous ce soir. Où est-il? Je vous le demande.

NASTASSIA

Ça, mon petit père, ce n'est pas ma faute.

APLOMBOV

La mienne, peut-être?

NASTASSIA

Non, c'est André Andréevitch... Hier, en venant ici, il nous a promis d'amener un général, un vrai de vrai. *(Un soupir.)* Il n'en a sans doute pas trouvé, sinon, il l'aurait amené. Nous, on ne demande pas mieux... Pour notre enfant, on ne recule devant rien... Vous voulez un général, va pour un général...

APLOMBOV

Autre chose... Tout le monde sait, et vous-même, maman, aussi bien que les autres, que ce télégraphiste, ce M. Yat, courtisait Dachenka avant que je ne la demande en mariage. Alors, pourquoi l'avez-vous invité? Ne pensez-vous pas que cela me serait désagréable?...

NASTASSIA

Dis donc, comment t'appelle-t-on déjà? Ah! oui,
Epaminonde Maximytch, tu n'es marié que depuis ce
matin, et avec tes discours, tu nous as déjà épuisées,
Dachenka et moi. Qu'est-ce que ce sera dans un an?
Tu nous canules, tu nous canules...

APLOMBOV

On n'aime pas entendre la vérité? Hein? Pardi!
Vous n'avez qu'à agir honnêtement. C'est tout ce que
je vous demande : des sentiments nobles.

> *Des couples traversent la salle, d'une porte à l'autre,
> en dansant la farandole. Le premier couple est formé
> par Dachenka et le garçon d'honneur, le dernier par
> Yat et Zmeioukina, lesquels se détachent des autres
> et restent dans le salon. Entrent Zigalov et Dymba, qui
> s'approchent de la table.*

LE GARÇON D'HONNEUR

La promenade, messieurs-dames! La promenade!
(Criant en coulisses :) La promenade!

> *Les couples de danseurs sortent.*

YAT

Pitié, pitié, charmante Anna Martinovna!

ZMEIOUKINA

Vous êtes drôle! Je vous l'ai déjà dit : je ne peux pas
chanter aujourd'hui.

YAT

Chantez, je vous en supplie! Rien qu'une note! Une
seule! Pitié!

ZMEIOUKINA

Vous m'ennuyez.

Elle s'assoit et s'évente.

YAT

Ah! vraiment, vous êtes impitoyable! Dire qu'une créature aussi cruelle, passez-moi l'expression, possède une voix aussi merveilleuse! Avec une voix pareille, au lieu d'être sage-femme, passez-moi l'expression, vous devriez chanter dans des concerts, des réunions publiques. Ainsi cette fioriture que vous réussissez si divinement... Attendez... Celle-là... *(Il chantonne :)* « Je vous ai aimée, et mon amour était vain... » Merveilleux!

ZMEIOUKINA, *fredonnant.*

« Je vous ai aimée et cet amour encore... » C'est ça?

YAT

Exactement! C'est merveilleux!

ZMEIOUKINA

Non, je ne suis pas en voix aujourd'hui. Tenez, éventez-moi! Quelle chaleur! *(A Aplombov :)* Pourquoi êtes-vous si mélancolique, Epaminonde Maximytch? Est-ce permis pour un jeune marié? N'avez-vous pas honte, vilain garçon? A quoi pensez-vous?

APLOMBOV

Le mariage est un acte sérieux. Il faut l'examiner sous toutes les faces, dans tous les détails.

ZMEIOUKINA

Quels vilains sceptiques vous faites tous! J'étouffe avec vous! Donnez-moi de l'atmosphère! Vous m'entendez? De l'atmosphère!

Elle fredonne.

YAT

C'est merveilleux! C'est merveilleux!

ZMEIOUKINA

Éventez-moi, éventez-moi, ou bien, je le sens, mon cœur va éclater. Dites-moi, pourquoi ai-je tellement chaud?

YAT

Parce que vous transpirez...

ZMEIOUKINA

Fi, que vous êtes vulgaire! Comment osez-vous employer des expressions pareilles?

YAT

Pardonnez-moi! Bien sûr, vous êtes habituée, passez-moi l'expression, à fréquenter des milieux aristocratiques, et...

ZMEIOUKINA

Ah! laissez-moi tranquille, vous. Je veux de la poésie, de l'extase! Éventez-moi, éventez-moi...

ZIGALOV, *à Dymba.*

Alors, on remet ça, hein? *(Il remplit deux verres.)* Boire, c'est toujours possible, Kharlampi Spiridonytch,

à condition de ne pas oublier les affaires sérieuses. Bois,
mais ne perds pas la boule... Si on a soif, pourquoi se
priverait-on? C'est permis... A la vôtre. (*Ils boivent.*)
Et des tigres, vous en avez en Grèce?

DYMBA

Mais oui.

ZIGALOV

Et des lions?

DYMBA

Des lions aussi. C'est en Russie qu'il n'y a rien, en
Grèce il y a de tout. Là-bas, z'ai un père, un oncle, des
frères, et ici ze n'ai rien.

ZIGALOV

Hum... Et des cachalots, il y en a en Grece?

DYMBA

Il y a de tout.

NASTASSIA, *à son mari.*

Qu'est-ce qui te prend de boire maintenant, toi?
Je crois qu'il serait temps de se mettre à table. Et cesse
de piquer les homards avec ta fourchette. Les homards,
c'est pour le général. Il viendra peut-être encore...

ZIGALOV

Et des homards, vous en avez en Grèce?

DYMBA

Bien sûr. De tout.

ZIGALOV

Hum!... Et des directeurs généraux, vous en avez?

ZMEIOUKINA

J'imagine l'atmosphère qu'il doit y avoir, en Grèce.

ZIGALOV

Et aussi, sans doute, pas mal de filous. Les Grecs, c'est comme les Arméniens ou les Tziganes. Qu'un Grec te vende une éponge ou un poisson rouge, c'est toujours pour te carotter. Eh bien, on remet ça?

NASTASSIA

Mais non, voÿons. Il serait temps pour tout le monde de se mettre à table. Bientôt minuit...

ZIGALOV

Allons-y, mettons-nous à table! Messieurs-dames, je vous prie! Venez! *(Criant :)* Les jeunes gens, à table!

NASTASSIA

Mes chers hôtes, soyez les bienvenus! Asseyez-vous·

ZMEIOUKINA, *se mettant à table.*

Donnez-moi de la poésie! « Et lui, le révolté, il cherche la tempête, comme si dans la tempête se trouvait le repos [1]. » Donnez-moi une tempête!

---

1. Vers de Lermontov.

YAT, *à part.*

Quelle femme remarquable. J'en suis amoureux!
Follement amoureux!

> *Entrent Dachenka, Mozgovoï, les garçons d'hon-*
> *neur, des jeunes gens et jeunes filles. Tous se mettent*
> *bruyamment à table. Un silence. La musique joue*
> *une marche militaire.*

MOZGOVOÏ, *se levant.*

Mesdames et messieurs! Je dois vous dire ceci...
Nous avons préparé beaucoup de toasts et de discours.
Aussi, ne perdons pas de temps, commençons tout de
suite... Mesdames et messieurs, buvons à la santé
des jeunes mariés! *(La musique joue. On crie : « Hourra »;*
on trinque.) C'est amer!

TOUS

C'est amer. C'est amer [1].

> *Aplombov et Dachenka s'embrassent.*

YAT

C'est merveilleux! Merveilleux! Permettez-moi
d'exprimer mon sentiment, les amis, et de rendre
justice à ce salon en particulier et à l'établissement
en général. Ils sont tout simplement ravissants. C'est
délicieux, c'est parfait! Mais savez-vous ce qui nous
manque, pour que la fête soit complète? L'éclairage
électrique, passez-moi l'expression. Il est déjà adopté
dans tous les pays, seule la Russie est en retard.

---

1. Coutume russe : quand, à un repas de noces, les invités
crient : « C'est amer », les jeunes mariés doivent échanger un
baiser. *(N. d. T.)*

ZIGALOV, *philosophe.*

L'électricité... hum... Pour moi, l'éclairage électrique,
c'est de l'escroquerie, et rien de plus. On vous fiche
un petit bout de charbon dans une lampe, pour vous
berner. Non, mon vieux, si tu veux me donner de l'éclairage, ce n'est pas un bout de charbon qu'il me faut,
mais quelque chose de solide, de réel, que je puisse
toucher. Donne-moi du feu! — comprends-tu? — du
feu naturel et non pas imaginaire.

YAT

Si vous voyiez comment est faite une batterie électrique, vous ne parleriez pas ainsi.

ZIGALOV

Mais je ne veux pas la voir! C'est de l'escroquerie.
Pour tromper le pauvre monde... le pressurer jusqu'à
la dernière goutte... On les connaît, ces gars-là... Quant à
vous, jeune homme, au lieu de défendre des filous, vous
feriez mieux de boire et de verser à boire à la compagnie.
Pas vrai?

APLOMBOV

Je partage entièrement votre avis, papa. A quoi
bon ces conversations savantes? Ce n'est pas que je
sois contre les découvertes scientifiques, on peut
même très bien en causer, mais chaque chose en son
temps. *(A Dachenka :)* Qu'en penses-tu, ma chère?

DACHENKA

Monsieur veut se vanter de son instruction, alors
il parle toujours de choses incompréhensibles.

NASTASSIA

Dieu merci, nous avons toujours vécu sans instruction, et pourtant, c'est notre troisième fille que nous
donnons aujourd'hui à un brave homme. Et si, à votre
avis, nous sommes des gens incultes, pourquoi venir
chez nous? Allez donc trouver vos amis savants!

YAT

Moi, Nastassia Timoféïevna, j'ai toujours tenu
votre famille en haute estime, et si je parle de l'électricité, ce n'est pas par orgueil, croyez-moi. Et je veux
bien boire un coup. J'ai toujours souhaité à Daria
Evdokimovna, de tout mon cœur, de trouver un bon
mari. De nos jours, Nastassia Timoféïevna, il est difficile
d'épouser un brave homme. Chacun ne songe qu'à
se marier par intérêt, pour de l'argent...

APLOMBOV

C'est une insinuation?

YAT, *effrayé.*

Mais pas du tout... Je ne parle pas des personnes
présentes... Je disais ça comme ça... en général... Voyons!
Tout le monde sait que vous vous êtes marié par amour...
La dot est insignifiante.

NASTASSIA

Comment ça, insignifiante? Cause, mon ami, mais
fais attention à ce que tu dis. En plus de mille roubles
en argent liquide, nous donnons à notre fille trois manteaux fourrés, de la literie et le mobilier complet.
Va-t'en chercher ailleurs une pareille dot!

YAT

Mais je n'ai rien dit... Le mobilier est très bon,
c'est certain et... et les manteaux fourrés aussi, bien sûr.
C'est simplement parce que monsieur était vexé, croyant
que j'avais fait une allusion...

NASTASSIA

Eh bien, n'en faites pas! Nous vous estimons à cause
de vos parents, et nous ne vous avons pas invité à la
noce pour que vous divaguiez... Au fait, si vous saviez
qu'Epaminonde Maximytch se mariait par intérêt,
pourquoi ne pas l'avoir dit plus tôt? *(Larmoyante :)*
Moi qui l'ai élevée, et nourrie, et choyée, ma petite
chérie... Je l'ai gardée, mieux qu'une émeraude précieuse...

APLOMBOV

Ainsi vous l'avez cru! Je vous remercie beaucoup!
Merci infiniment! *(A Yat :)* Quant à vous, monsieur
Yat, bien que vous soyez de mes amis, je ne vous permettrai pas d'intriguer dans cette maison. Prenez la
peine de sortir.

YAT

Comment?

APLOMBOV

Je vous souhaite d'être aussi honnête que moi. En
un mot, prenez la peine de sortir!

La musique sonne des fanfares

LES JEUNES GENS, à *Aplombov*.

Laisse tomber! Suffit! Est-ce que ça vaut la peine?
Assieds-toi! Assez.

YAT

Mais je n'ai rien dit... Je... Je ne comprends même pas... Soit, je m'en vais. Mais d'abord rendez-moi donc les cinq roubles que vous m'avez empruntés l'année dernière, pour un gilet de piqué, passez-moi l'expression. Voilà, je boirai encore un coup, et je m'en irai, mais d'abord rendez-moi mon argent.

LES JEUNES GENS

Allons! Allons! Suffit! Est-ce que ça vaut la peine? Pour des bêtises pareilles!

LE GARÇON D'HONNEUR, *élevant la voix.*

A la santé d'Evdokime Zakharytch et de Nastassia Timoféïevna, parents de la mariée.

Fanfares. Hourras.

ZIGALOV, *ému, saluant de tous côtés.*

Je vous remercie, mes chers hôtes. Je vous suis bien reconnaissant d'être venus, de ne pas nous avoir oubliés, de ne pas nous dédaigner. Et ne croyez pas que je vous raconte des histoires, non, je vous parle du fond du cœur. De toute mon âme! Pour les braves gens, nous, on ne regarde à rien. Merci beaucoup!

Il embrasse ses hôtes.

DACHENKA, *à sa mère.*

Maman, pourquoi pleurez-vous? Je suis si heureuse!

APLOMBOV

Maman est émue à l'idée de la séparation prochaine. Mais je lui conseille de penser plutôt à notre récente conversation.

YAT

Ne pleurez pas, Nastassia Timoféïevna. Réfléchissez un peu : qu'est-ce que les larmes humaines ? De l'égarement psychologique, et rien de plus.

ZIGALOV, *à Dymba*.

Et des bolets jaunes, il y en a en Grèce ?

DYMBA

Bien sûr ! Il y a de tout.

ZIGALOV

Mais pas de morilles, je parie.

DYMBA

Des morilles aussi. De tout !

MOZGOVOÏ

A vous de faire un discours, Kharlampi Spiridonytch. Mesdames, messieurs, qu'il parle !

TOUS, *à Dymba*.

Un discours ! Un discours ! A vous de parler !

DYMBA

Pourquoi ça... Ze ne comprends pas... Qu'est-ce qu'on veut ?

ZMEIOUKINA

Non, non ! Pas question de refuser ! C'est votre tour. Levez-vous !

DYMBA, *se levant, confus.*

Ze peux dire ceci... Il y a la Russie, et puis il y a la Grèce... Il y a des *caravia*, en russe, ça veut dire des bateaux qui vont en mer, et sur la terre, il y a des chemins de fer... Ze comprends bien... Nous Grecs, vous Russes, ze ne demande rien à personne... Ze peux dire ceci : il y a la Russie, et il y a la Grèce...

Entre Niounine.

NIOUNINE

Attendez, mes amis, ne mangez pas, attendez! Minute! Venez par ici, Nastassia Timoféïevna, un petit instant. (*Il emmène Nastassia à l'écart; il est hors d'haleine.*) Voilà... Un général viendra ici tout à l'heure. J'ai fini par en dénicher un... Je suis mort de fatigue... Un général, tout ce qu'il y a de vrai, un homme sérieux, d'un certain âge, quatre-vingts, quatre-vingt-dix ans...

NASTASSIA

Mais quand viendra-t-il?

NIOUNINE

Tout de suite. Vous m'en serez reconnaissante jusqu'à la fin de vos jours. Ah! quel général! Un bijou, un général Boulanger. Et ce n'est pas un quelconque fantassin, non, mais un général de la flotte. Il est capitaine de vaisseau, cela équivaut à un major-général dans l'armée, ou à un conseiller d'État dans le civil. Exactement pareil : le mien est même un peu au-dessus.

NASTASSIA

Tu ne me trompes pas, au moins, mon petit André?

NIOUNINE

Enfin, me prenez-vous pour un filou? Soyez sans crainte.

NASTASSIA, *soupirant.*

C'est que je ne voudrais pas dépenser de l'argent pour rien, mon petit André.

NIOUNINE

Soyez sans inquiétude. Quel général! Un tableau! (*Élevant la voix :*) « Vous nous avez oubliés, Excellence, que je lui dis, ce n'est pas bien, Excellence, d'oublier ses vieux amis. Nastassia Timoféïevna vous en veut beaucoup. » (*Il va se mettre à table.*) Et lui : « Voyons, mon ami, comment veux-tu que j'y aille? Je ne connais pas le marié. — Laissez donc, Excellence, pourquoi tant de cérémonie? Le marié, je lui dis, c'est la crème des hommes, il a le cœur sur la main. Il est commissaire-priseur, que je lui dis, dans une caisse de prêts, mais ne le prenez pas pour un pauvre type, Excellence, que je lui dis. De nos jours, même de nobles dames travaillent dans des caisses de prêts. » Là-dessus, il m'a tapoté l'épaule, nous avons fumé un havane, et maintenant, voilà, il arrive. Attendez, mes amis, ne mangez pas.

APLOMBOV

Mais quand viendra-t-il?

NIOUNINE

Dans une minute. Quand je l'ai quitté, il enfilait ses caoutchoucs. Attendez, mes amis, ne mangez pas.

APLOMBOV

Alors il faut qu'on joue une marche.

NIOUNINE

Eh, la musique! Jouez une marche.

> *La musique joue une marche militaire.*

UN GARÇON, *annonçant.*

Monsieur Revounov-Karaoulov.

> *Zigalov, Nastassia et Niounine se précipitent
> à la rencontre de Revounov-Karaoulov, qui entre.*

NASTASSIA, *saluant.*

Soyez le bienvenu, Excellence! Nous sommes en-
chantés.

REVOUNOV

Très heureux.

ZIGALOV

Nous sommes de petites gens, Excellence, des gens
simples, mais on est sans malice. Chez nous, on honore
les gens de qualité, on ne regarde à rien pour eux.
Soyez le bienvenu!

REVOUNOV

Très heureux.

NIOUNINE

Permettez-moi de faire les présentations, Excellence. Voici Epaminonde Maximytch Aplombov, le
jeune marié, avec la nouvelle-née... je veux dire, la
jeune mariée. Ivan Mikhaïlovitch Yat, employé au
télégraphe. Kharlampi Spiridonytch Dymba, étranger
d'origine grecque, spécialisé dans l'art de la pâtisserie.

Ossip Loukitch Babelmandebski. Et ainsi de suite...
Les autres, c'est du menu fretin.

REVOUNOV

Très heureux. Excusez-moi, mesdames et messieurs,
j'aurai deux mots à dire à André. (*Il entraîne Niounine
à l'écart.*) Écoute, mon petit, je suis un peu gêné. Pourquoi m'appelles-tu Excellence? Je ne suis pas général,
pardi. Capitaine de vaisseau, cela ne vaut même pas
un colonel.

NIOUNINE. *lui parlant à l'oreille comme à un sourd.*

Je le sais bien, mais soyez gentil, Fedor Yakovlevitch,
permettez qu'on vous appelle Excellence. C'est une
famille patriarcale, comprenez-vous, ils estiment les
autorités et vénèrent les grades...

REVOUNOV

Ah! bon, alors... Pourquoi pas?... (*Il se dirige vers
la table.*) Très heureux!

NASTASSIA

Veuillez vous asseoir, Excellence! Ayez cette bonté.
Servez-vous, Excellence! Excusez-nous, vous êtes
sans doute habitué à des mets délicats, et chez nous,
c'est tout simple...

REVOUNOV, *qui entend mal.*

Comment dites-vous? Hum... Mais oui. (*Un temps.*)
Mais oui! Jadis les gens vivaient toujours simplement
et ne s'en plaignaient pas. Moi-même, malgré mon
grade, j'aime la simplicité. Ce matin, André vient m'inviter ici, à la noce. «Comment veux-tu que j'y aille, lui

dis-je, je ne les connais pas. C'est gênant. » Et lui :
« Mais c'est une famille simple, patriarcale, ils reçoivent
toujours avec plaisir... — Bien sûr, s'il en est ainsi,
pourquoi pas? Je m'ennuie tout seul à la maison,
et si ma présence à une noce peut faire plaisir à quelqu'un,
alors, lui dis-je, je ne demande pas mieux... »

ZIGALOV

Donc, ça vient du cœur, Excellence. Voilà ce qui
me touche. Je suis moi-même un homme simple, sans
malice, et j'estime ceux qui sont comme moi. Servez-
vous, Excellence.

APLOMBOV

Y a-t-il longtemps que vous avez pris votre retraite,
Excellence?

REVOUNOV

Hein? Comment? Oui, vous avez raison, c'est
juste... mais permettez, qu'est-ce que ça veut dire?
Le hareng est amer... et le pain aussi. Pas mangeable.

TOUS

C'est amer! C'est amer!

Dachenka et Aplombov s'embrassent.

REVOUNOV

Hé! hé! A la vôtre! (*Un temps.*) Oui, jadis on vivait
simplement, et personne ne s'en plaignait. Pour ma
part, j'aime la simplicité... Je suis déjà âgé, à la retraite
depuis 1865... J'ai soixante-douze ans... Eh oui, bien
sûr, autrefois aussi, on ne détestait pas, à l'occasion,

d'éblouir par le faste... (*Apercevant Mozgovoï :*) Tiens...
vous êtes matelot, vous?

MOZGOVOÏ

Oui, monsieur.

REVOUNOV

Tiens, tiens!... Difficile, le métier de marin. Il y
a là matière à réflexion... un vrai casse-tête. Chaque
ot, même le plus ordinaire, possède, pour ainsi dire,
un sens particulier. Par exemple : « Ceux de la hune aux
écoutes de misaine et de grand voile. » Qu'est-ce que
ça veut dire? Le matelot, lui, le comprend. Hé! hé!
c'est subtil, comme les mathématiques.

NIOUNINE

A la santé de Son Excellence, Fédor Yakovlevitch
Revounov-Karaoulov!

Fanfares. Hourras.

YAT

Votre Excellence vient de parler des difficultés du
service dans la marine. Mais le travail au télégraphe
est-il plus facile? De nos jours, Excellence, personne
ne peut entrer au télégraphe sans savoir lire et écrire
en français et en allemand. Mais le plus dur c'est la
transmission des télégrammes. D'une difficulté inouïe!
Prenez la peine d'écouter.

> *Il frappe sur la table avec sa fourchette, imitant
> le morse.*

REVOUNOV

Qu'est-ce que ça veut dire?

YAT

Ça veut dire : « Excellence, je vous estime pour vos vertus. » Vous croyez que c'est facile ? Et ça ?

Il frappe.

REVOUNOV

Plus fort. Je n'entends pas...

YAT

Ça veut dire : « Madame, que je suis heureux de vous serrer dans mes bras. »

REVOUNOV

De quelle dame parlez-vous ? Eh oui... (*A Moz-govoï :*) Ou encore, tenez, en naviguant par vent arrière, il faut hisser la voile de perroquet et de cacatois... Alors, voici le commandement : « Les gabiers aux haubans de perroquet et de cacatois » ... et pendant qu'on baisse les vergues, en bas, on hisse le bras de perroquet et on borde les drisses.

LE GARÇON D'HONNEUR

Mesdames et messieurs...

REVOUNOV, *lui coupant la parole.*

Oui... Des commandements, il y en a de toutes sortes... Oui... « Rembarquez la drisse de la bonnette du grand perroquet ! » C'est beau, hein ? Mais qu'est-ce que cela signifie, quel en est le sens ? C'est très simple : on rembarque la drisse de la bonnette du grand perroquet. Ou encore, il faut border les écoutes et les drisses de perroquet, et pendant ce temps, selon les besoins, on choque les voiles; quand les écoutes sont bien bordées et les drisses tendues, les bras de perroquet et de cacatois se tendent à leur tour, et les vergues sont brassées sous le vent...

NIOUNINE

Fédor Yakovlevitch, la maîtresse de maison vous prie de parler d'autre chose. Les invités n'y comprennent rien, ils s'ennuient...

REVOUNOV

Comment? Qui s'ennuie? *(A Mozgovoï :)* Dites-moi donc, jeune homme! Si le voilier navigue au plus près, tribord amures, et qu'il faille virer de bord vent arrière, le commandement, je vous le demande? Le voici : « Tout le monde sur le pont; changez d'amures par vent arrière. » Hé! hé!

NIOUNINE

Assez, Fédor Yakovlevitch! Mangez plutôt!

REVOUNOV

Dès que tout le monde est sur le pont, on commande aussitôt : « A vos postes, changez d'amures par vent arrière. » Ah! c'est ça la vie! Tout en commandant, on surveille les hommes qui courent plus vite que l'éclair, chacun à son poste, pour brasser le perroquet et les bras. Parfois on ne peut s'empêcher de crier : « Bravo, les gars. »

Il s'étrangle et tousse.

LE GARÇON D'HONNEUR, *profitant d'un
instant de silence.*

Au jour d'aujourd'hui, pour ainsi dire, réunis ici
pour fêter notre cher...

REVOUNOV, *lui coupant la parole.*

Oui. Et tout cela, il faut le retenir. Par exemple :
larguez l'écoute de misaine. Larguez l'écoute de grand-
voile...

LE GARÇON D'HONNEUR, *vexé.*

Mais pourquoi m'interrompt-il ? Si ça continue,
nous ne pourrons jamais sortir un seul discours.

NASTASSIA

Nous, on est des gens sans instruction, Excellence,
on ne comprend rien à tout cela, parlez-nous plutôt
d'autre chose...

REVOUNOV, *qui entend mal.*

Merci, j'en ai déjà pris. De l'oie, dites-vous ? Merci...
Oui, je revis le passé... C'est bien agréable, jeune homme.
On navigue en pleine mer, on ne connaît pas de soucis...
et *(d'une voix qui tremble d'émotion)*... rappelez-vous cet
enthousiasme qui nous saisit quand il faut virer de
bord par vent debout. Quel est le marin qui ne s'en-
flamme pas au souvenir de cette manœuvre ? A peine le
commandement a-t-il retenti : « Tout le monde sur le
pont, virer vent debout », qu'une étincelle électrique
traverse tous les hommes, du capitaine au simple matelot. Chacun a tressailli...

ZMEIOUKINA

C'est ennuyeux! C'est ennuyeux!

Murmure général.

REVOUNOV, *qui n'entend pas.*

Merci, je suis servi. *(Avec animation :)* Tous sont prêts, tous les regards sont braqués sur le capitaine. Il commande : « Bras de misaine et de grand-voile à bâbord, bras de perroquet de foudre à tribord, contre-brassez à tribord. » Exécution. « Écoutes de misaine, écoutes de grand mât à bâbord... » *(Il se lève.)* Le vaisseau suit la direction du vent, enfin les voiles commencent à faseyer... Le commandant crie : « Attention aux bras, attention aux bras », sans quitter des yeux le grand hunier. Et lorsque cette voile se met en branle à son tour, c'est-à-dire lorsque le moment de virer est arrivé, le commandant, tel un coup de tonnerre : « Larguez le grand hunier, lâchez les bras. » Alors tout se met en mouvement, tout vole, tout craque! La manœuvre est exécutée sans la moindre erreur. Le virement de bord a réussi!

NASTASSIA, *éclatant*

Un général qui fait de l'esclandre! Vous devriez avoir honte, à votre âge.

REVOUNOV

Du fromage? Pas encore... Je vous remercie.

NASTASSIA, *élevant la voix.*

Vous devriez avoir honte à votre âge. Un général qui fait de l'esclandre!

NIOUNINE, *gêné.*

Voyons, mes amis... c'est sans importance... Je vous assure...

REVOUNOV

D'abord, je ne suis pas général, mais capitaine de frégate, ce qui correspond, d'après le tableau des grades militaires, à lieutenant-colonel.

NASTASSIA

Si vous n'êtes pas général, pourquoi avez-vous accepté de l'argent? On ne vous a pas payé pour que vous fassiez du scandale.

REVOUNOV *perplexe.*

Quel argent?

NASTASSIA

Comme si vous ne le saviez pas! Vous avez bien reçu, je pense, un billet de vingt-cinq roubles de la part d'André Andréevitch. *(A Niounine :)* Quant à toi, mon petit André, ce n'est pas gentil de ta part. On ne t'a pas demandé de louer un pareil individu!

NIOUNINE

Voyons... Laissez tomber... Quelle importance?

REVOUNOV

Louer un individu... Payer... Qu'est-ce que ça veut dire?

APLOMBOV

Permettez, monsieur. Vous avez bien reçu vingt-cinq roubles de la part d'André Andréevitch?

REVOUNOV

Mais quels vingt-cinq roubles? *(Après réflexion :)* C'est donc cela! Maintenant je comprends tout. Quelle ignominie! Quelle ignominie!

APLOMBOV

Vous avez pourtant reçu de l'argent?

REVOUNOV

Rien du tout. Laissez-moi. *(Il se lève de table.)* Quelle ignominie! Quelle bassesse! Insulter ainsi un homme de mon âge, un marin, un officier chevronné! Encore, s'il s'agissait de gens convenables, je pourrais en provoquer un en duel, mais pas question! *(Éperdu :)* Où est la porte? de quel côté la sortie? Garçon, conduis-moi! Garçon! *(Il fait quelques pas.)* Quelle bassesse! Quelle ignominie!

Il sort.

NASTASSIA

Mon petit André, mais les vingt-cinq roubles, où sont-ils passés?

NIOUNINE

Voyons, pourquoi parler de ces bagatelles? Quelle importance? Autour de nous, tout le monde se réjouit, il n'y a que vous pour parler de je ne sais quelles bêtises... *(Criant :)* A la santé des jeunes mariés! Eh, la musique,

une marche! *(La musique joue une marche militaire.)*
A la santé des jeunes mariés!

ZMEIOUKINA

J'étouffe. Donnez-moi de l'atmosphère! Auprès
de vous, j'étouffe!

YAT, *enthousiasmé.*

Elle est merveilleuse! Elle est merveilleuse!

Grand bruit.

LE GARÇON D'HONNEUR, *essayant de couvrir le bruit.*

Mesdames et messieurs, en ce jour, pour ainsi dire,
d'aujourd'hui...

Un jubilé

PLAISANTERIE EN UN ACTE

PERSONNAGES

CHIPOUTCHINE, ANDRÉ ANDRÉEVITCH, *président du conseil d'administration de la Société du Crédit mutuel de N. Encore assez jeune. Porte un monocle.*

TATIANA ALEXÉEVNA, *sa femme, 25 ans.*

KHIRINE, KOUZMA NIKOLAÉVITCH, *comptable à la banque. Un homme âgé.*

MERTCHOUTKINA, NASTASSIA FÉDOROVNA, *vieille femme en manteau fourré.*

MEMBRES DU CONSEIL D'ADMINISTRATION.

EMPLOYÉS DE LA BANQUE.

La scène se passe au siège de la banque. Le cabinet du président. A gauche, une porte menant au bureau. Deux tables de travail. Installation prétentieuse : fauteuils garnis de velours, fleurs, statuettes, tapis, téléphone. Il est midi.

Khirine, seul (bottes de feutre).

KHIRINE, *criant en direction de la porte.*

Qu'on envoie chercher pour quinze kopecks de valérianate à la pharmacie, et faites apporter de l'eau fraîche. Cent fois que je vous le répète! *(Il va vers sa table.)* Je suis à bout. Je travaille depuis quatre jours sans fermer l'œil, ici du matin au soir, du soir au matin à la maison. *(Il tousse.)* Et par-dessus le marché, j'ai tout le corps en feu. Des frissons, de la fièvre, des courbatures dans les jambes... et des espèces de virgules devant les yeux. *(Il s'assoit.)* Notre poseur de misère, le président du conseil d'administration, doit lire aujourd'hui son rapport à la réunion générale : « Notre banque dans le présent et dans l'avenir ». Vous parlez d'un Gambetta! *(Il écrit.)* Deux... un... un... six... zéro... sept... Puis, six... zéro... un... six... Jeter de la poudre aux yeux, c'est tout ce qu'il sait faire, et moi, il faut que je trime pour monsieur comme un forçat. Il joue au poète dans son rapport, rien de plus, et moi, je dois aligner des chiffres du matin au soir. Que le diable l'emporte! *(Il manie son boulier.)* Je ne peux pas le sentir! *(Il écrit.)* Donc, trois... sept... deux... un... zéro... Il m'a promis une récompense. Si tout se passe bien aujourd'hui et s'il réussit à berner son monde, j'aurai une médaille en or et trois cents roubles de gratification... Qui vivra verra... Mais gare à lui, si je travaille pour des prunes. Je m'emporte facilement... Moi, mon vieux, quand la moutarde me monte au nez, je suis capable de commettre un crime... Voilà!

> *Bruits et applaudissements en coulisse. La voix de Chipoutchine : « Merci! Merci! Je suis très touché! » Entre Chipoutchine. Il est en habit, cravaté de blanc, et tient un album qu'on vient de lui offrir.*

CHIPOUTCHINE, *sur le seuil, tourné vers les coulisses.*

Ce cadeau, mes chers collaborateurs, je le garderai éternellement, en souvenir du jour le plus heureux de ma vie. Oui, messieurs. Merci encore! *(Il envoie un baiser aux employés et s'approche de Khirine.)* Mon cher, mon inestimable Kouzma Nikolaévitch!

> *Pendant le temps qu'il reste en scène, des employés lui apportent des papiers à signer, puis ressortent.*

KHIRINE, *se levant.*

En ce quinzième anniversaire de notre banque, j'ai l'honneur de vous présenter mes vœux et de souhaiter...

CHIPOUTCHINE, *lui serrant vigoureusement la main.*

Merci, mon ami. Merci! A l'occasion de cette journée mémorable et en l'honneur du jubilé, nous pouvons nous embrasser, je pense. *(Ils s'embrassent.)* Je suis très, très heureux. Merci de vos bons services... merci de tout, de tout! Si, depuis que j'ai l'honneur d'être à la tête de cette banque, j'ai pu faire quelque chose d'utile, c'est, en premier lieu, à mes collaborateurs que je le dois. *(Un soupir.)* Hé oui, mon vieux, déjà quinze ans! Quinze ans, aussi vrai que je m'appelle Chipoutchine. *(Vivement :)* Et mon rapport? Il avance?

KHIRINE

Oui. Encore cinq pages à écrire.

CHIPOUTCHINE

Très bien. Ce sera donc fini vers trois heures?

KHIRINE

Oui, si personne ne vient me déranger. C'est presque terminé.

CHIPOUTCHINE

Parfait! Parfait, aussi vrai que je m'appelle Chi-poutchine! La réunion générale est fixée à quatre heures. Je vous en prie, mon cher, passez-moi donc la première partie, que je l'étudie... Donnez vite. *(Il prend le rapport.)* Je fonde d'immenses espérances sur ce rapport. C'est ma profession de foi, mieux encore, c'est mon feu d'artifice. Un feu d'artifice, aussi vrai que je m'appelle Chipoutchine! *(Il s'assoit et parcourt le rapport.)* Je suis tout de même rudement fatigué... Cette nuit, j'ai eu une petite crise de goutte, ce matin je n'ai pas cessé de courir, de m'affairer, enfin toutes ces émotions, ces ovations, ce remue-ménage... Je suis fatigué.

KHIRINE, *écrivant*.

Deux... zéro... trois... neuf... deux... zéro... A force
d'aligner des chiffres, je vois tout en vert... Trois...
un... six... quatre... un... cinq...

Il manie son boulier.

CHIPOUTCHINE

Un petit ennui... Ce matin, votre femme est venue
me voir, pour se plaindre de vous, une fois de plus...
Hier soir, il paraît qu'elle et votre belle-sœur, vous les
avez poursuivies, un couteau à la main. A quoi ça
ressemble, Kouzma Nikolaïtch? Voyons! Voyons!

KHIRINE, *sévèrement*.

A l'occasion du jubilé, André Andréevitch, je me
permettrai de vous adresser une demande : ne serait-ce
qu'en considération de mes travaux de forçat, je vous
prie de ne pas vous mêler de ma vie privée. Je vous en
prie!

CHIPOUTCHINE, *soupirant*.

Quel caractère impossible, Kouzma Nikolaïtch! Un
brave homme comme vous, un homme estimable,
se conduire avec les femmes comme Jack l'Éventreur!
Ma parole! Pourquoi les détestez-vous tellement?
Je ne comprends pas.

KHIRINE

Et moi, je ne comprends pas pourquoi vous les
aimez tant. *(Un temps.)*

CHIPOUTCHINE

Les employés viennent de m'offrir un album, et il
paraît que les membres du conseil d'administration

veulent m'adresser un compliment et me donner une coupe en argent... *(Il joue avec son monocle.)* C'est très bien, ça, aussi vrai que je m'appelle Chipoutchine! C'est utile... Une certaine pompe est nécessaire à la renommée de la banque, que diable! Comme vous êtes presque de la famille, vous n'ignorez évidemment pas... C'est moi qui ai rédigé le compliment et qui ai acheté la coupe... La reliure du compliment m'a coûté quarante-cinq roubles..., pas moyen de faire autrement, ils n'y auraient jamais pensé tout seuls. *(Il jette un regard autour de lui.)* Quelle installation, hein! Ça, c'est une installation! On dit que je suis un maniaque, qu'il faut que les serrures des portes reluisent, que mes employés soient cravatés à la dernière mode, qu'un gros concierge se tienne en permanence à la porte d'entrée. Parlez toujours, messieurs! Les serrures et un gros concierge, ce ne sont diable pas des détails sans importance. Chez moi, je peux faire le petit-bourgeois, manger et dormir comme un cochon, boire comme un trou...

KHIRINE

Pas d'allusions, je vous en prie!

CHIPOUTCHINE

Mais qui fait des allusions? Vous avez un caractère impossible. Donc, je disais : chez moi, je peux vivre en petit-bourgeois, en parvenu, flatter mes habitudes, mais ici, tout doit être grandiose. Ici, c'est une banque. Le moindre détail doit en imposer au public, pour ainsi dire, avoir un aspect solennel. *(Il ramasse un papier qui traîne par terre et le jette dans la cheminée.)* C'est justement là que réside tout mon mérite : avoir établi la réputation de cette banque. *(Après avoir examiné Khirine :)* Mon cher, une délégation peut arriver d'un moment à l'autre... et vous, avec vos bottes de feutre, votre écharpe... et ce veston d'une couleur innommable... Vous auriez pu mettre un habit, ou au moins une redingote noire...

KHIRINE

Ma santé m'est plus précieuse que votre conseil d'administration. Une inflammation dans tout le corps, ça ne vous dit rien?

CHIPOUTCHINE, *énervé.*

Enfin, avouez que cela fait désordonné? Vous gâtez l'impression d'ensemble!

KHIRINE

Si la délégation arrive, je me retirerai... Il n'y aura pas grand mal. *(Il écrit.)* Sept... un... sept... deux... un... cinq... zéro... Moi-même, je déteste le désordre... Sept... deux... neuf... *(Il manie son boulier.)* Je l'ai en horreur, le désordre! Et aujourd'hui, vous auriez mieux fait de ne pas inviter de dames au dîner de gala.

CHIPOUTCHINE

Quelles bêtises!

KHIRINE

Je sais bien, rien que pour épater le monde, vous allez en remplir la salle, mais prenez garde, elles vous gâcheront vos effets. Elles ne savent que créer des ennuis et du désordre.

CHIPOUTCHINE

Bien au contraire, la société des dames nous élève.

KHIRINE

Tiens! Prenez votre épouse, c'est une dame instruite
paraît-il, eh bien, l'autre lundi, elle nous a sorti une
de ces gaffes, j'en suis resté baba pendant deux jours.
Ne la voilà-t-il pas qui demande, comme ça, devant des
étrangers : « Est-il vrai que mon mari a acheté pour la
banque des actions de la Drigo-Prigo qui se sont effon-
drées à la Bourse? Mais c'est qu'il n'en dort plus. »
Hein! Devant des étrangers! Je me demande aussi
pourquoi vous lui racontez tout. Je ne vous comprends
pas! Vous voulez donc qu'elle vous traîne en correc-
tionnelle?

CHIPOUTCHINE

Voyons, suffit, suffit! C'est un sujet trop lugubre
pour un jour de fête. A propos, vous venez de me rappeler *(il regarde sa montre)* que ma chère moitié ne va pas
tarder. Au fait, je devrais aller la chercher à la gare,
la pauvrette... Mais je n'ai pas le temps... puis je suis
fatigué. A vrai dire, son retour ne me réjouit pas.
Ou plutôt, j'aurais préféré qu'elle reste encore un jour
ou deux chez sa mère. Elle voudra que je passe la soirée
avec elle, et nous avions projeté une petite sortie après
le dîner... *(Il tressaille.)* Voilà que j'ai des tremblements.
Ce sont les nerfs. Tendus à un point! Il suffirait d'un
rien pour que j'éclate en sanglots... Non, non, il faut
rester solide, aussi vrai que je m'appelle Chipoutchine.

> *Entre Tatiana Alexéevna, en imperméable, un
> petit sac de voyage en bandoulière.*

CHIPOUTCHINE

Voilà! Quand on parle du loup...

TATIANA

Chéri!

> *Elle se précipite vers son mari. Long baiser.*

CHIPOUTCHINE

Nous parlions justement de toi.

TATIANA, *tout essoufflée.*

Je t'ai manqué? Tu vas bien? J'arrive directement de
la gare, sans passer par la maison. J'ai tant de choses
à te raconter, si tu savais... j'étais impatiente! Je garde
mon manteau, je reste une minute... *(A Khirine :)*
Bonjour, Kouzma Nikolaévitch. *(A son mari :)* Et à la
maison, ça va bien?

CHIPOUTCHINE

Très bien. Tu as bonne mine, tu as embelli pendant
ces huit jours. Le voyage s'est bien passé?

TATIANA

Merveilleux. Maman et Katia t'envoient leurs affec-
tions. Vassili Andréitch m'a chargée de t'embrasser.
(Elle l'embrasse.) Ma tante t'envoie un pot de confi-
tures. Mais ils te reprochent tous de ne jamais leur
écrire. Zina m'a chargée de t'embrasser. *(Elle l'embrasse.)*
Ah! si tu savais ce qui s'est passé! J'ose à peine te le
raconter. Quelle histoire! Mais je lis dans tes yeux
que tu n'es pas du tout content de me revoir.

CHIPOUTCHINE

Au contraire, chérie...

> *Baiser. Khirine tousse d'un air mécontent.*

TATIANA, *soupirant.*

Ah! cette pauvre Katia, cette pauvre Katia! Comme je la plains, comme je la plains!

CHIPOUTCHINE

Ma chérie, nous fêtons aujourd'hui notre jubilé; une délégation du conseil d'administration peut arriver d'un moment à l'autre, et toi, tu n'es pas habillée.

TATIANA

Mais oui, c'est vrai, c'est le jubilé aujourd'hui! Mes félicitations. Je vous souhaite... Alors, vous vous réunirez, puis après, un dîner... J'adore ça. Tu te souviens, ce qu'il a pu te donner de mal, le magnifique compliment que tu as écrit pour le conseil d'administration? On va te le lire aujourd'hui?

Khirine tousse d'un air mécontent.

CHIPOUTCHINE, *gêné.*

Ma chérie, il ne faut pas parler de ces choses... Allons, tu ferais mieux de rentrer à la maison.

TATIANA

Tout de suite, tout de suite... Une minute, juste pour te raconter et je me sauve. Commençons par le commencement. Bon, tu te rappelles, quand tu m'as accompagnée à la gare, je me suis installée à côté d'une grosse dame, et je me suis mise à lire. Dans le train, je n'aime pas bavarder. J'ai lu pendant trois stations, pas un mot à personne... Puis le soir est tombé, et alors, tu sais, les pensées mélancoliques!... En face de moi, il y avait un jeune homme, pas trop mal de sa

personne, même assez gentil, un brun... bref, on a fait
la causette... Puis un marin est arrivé, un étudiant...
(Elle rit.) Je leur ai dit que je n'étais pas mariée...
Ils m'ont fait une de ces cours, si tu savais!... Jusqu'à
minuit; le brun racontait des histoires, d'un drôle!
Et le marin n'arrêtait pas de chanter... J'en avais mal
à la poitrine de rire. Et quand le marin — oh! ces
marins! — quand il a appris par hasard que je m'appe-
lais Tatiana, devine ce qu'il s'est mis à chanter : *(Elle
chante d'une voix de basse :)* « Onéguine, je ne le cache
pas, j'aime Tatiana à la folie... »

> *Elle rit aux éclats. Khirine tousse d'un air mécontent.*

CHIPOUTCHINE

Voyons, ma petite Tania, nous empêchons Kouzma
Nikolaévitch de travailler. Rentre à la maison, ma chérie...
Plus tard...

TATIANA

Ça ne fait rien, qu'il entende, lui aussi, c'est très
intéressant. J'en ai pour une seconde. C'est Sérioja
qui est venu me chercher à la gare. Il y avait là un
jeune homme... un inspecteur des contributions, je
crois... pas mal... assez gentil... les yeux, surtout...
Sérioja me l'a présenté, et nous voilà partis tous les
trois. Le temps était magnifique...

> *Des voix en coulisse :* « C'est interdit! C'est
> interdit! Que demandez-vous? » *Entre Mme
> Mertchoutkina.*

MADAME MERTCHOUTKINA, *à la porte,*
faisant des gestes comme pour chasser une mouche.

Ne me retenez pas! En voilà des histoires! Je veux
parler au patron. *(Entrant, à Chipoutchine :)* J'ai l'hon-

neur, Excellence... Nastassia Fedorovna Mertchoutkina, femme d'un secrétaire de bureau.

CHIPOUTCHINE

Que désirez-vous, madame?

MADAME MERTCHOUTKINA

Voyez-vous, Excellence, mon mari, le secrétaire
de bureau Mertchoutkine, a été malade cinq mois,
et pendant qu'il était au lit à se soigner, on l'a congé-
dié, Excellence, sans aucune raison; et quand j'arrive
pour toucher son traitement, voilà qu'ils me retiennent
vingt-quatre roubles trente-six kopecks. « Et pourquoi
donc? », que je leur demande. « Parce qu'il a pris de
l'argent à la caisse amicale, et que les autres se sont portés
garants pour lui », qu'ils me disent. Voyons! Comme s'il
pouvait emprunter de l'argent sans ma permission!
Je suis une pauvre femme, je ne vis que grâce à mes
locataires... Je suis faible, sans défense... Pour me créer
des ennuis, ça oui, tout le monde s'y entend, mais
jamais une bonne parole...

CHIPOUTCHINE

Permettez, madame.

> *Il prend la demande et la lit, debout.*

TATIANA, *à Khirine.*

Mais que je vous raconte le début de l'histoire...
La semaine dernière, je reçois brusquement une lettre
de maman. Elle m'écrit qu'un certain Grendilevski a
demandé ma sœur Katia en mariage. Un jeune homme
charmant, bien élevé, mais sans fortune et sans situation assise. Seulement voilà, par malheur, ma Katia

s'est entichée de ce garçon. Que faire? Maman me demande de venir tout de suite, et de raisonner Katia...

KHIRINE, *sévèrement.*

Pardon, vous me faites faire des erreurs... Vous, et maman, et Katia, je ne sais plus où j'en suis. moi, je n'y comprends plus rien.

TATIANA

Et puis après? Vous pourriez écouter quand une dame vous parle, non?... Pourquoi êtes-vous si méchant aujourd'hui? Seriez-vous amoureux?

Elle rit.

CHIPOUTCHINE, *à Mme Mertchoutkina.*

Permettez, madame, qu'est-ce que cela signifie? Je n'y comprends rien.

TATIANA

Vous êtes amoureux? Ah! Il a rougi!

CHIPOUTCHINE, *à sa femme.*

Ma petite Tania, va donc dans le bureau, une minute. Je te rejoins.

TATIANA

Bien.

Elle sort.

CHIPOUTCHINE

Je n'y comprends rien. Vous vous êtes manifestement trompée d'adresse, madame. Votre demande ne nous concerne pas, veuillez vous adresser à l'Administration dont dépendait votre mari.

MADAME MERTCHOUTKINA

Voilà cinq administrations que je fais, mon petit père, sans le moindre résultat. Je commençais à perdre la tête; c'est mon gendre, Boris Matvéevitch, le brave garçon, qui m'a conseillé de m'adresser à vous : « Allez donc voir M. Chipoutchine, maman, qu'il m'a dit, c'est un homme influent, il peut tout. » Aidez-nous, Excellence!

CHIPOUTCHINE

Mais, madame, nous ne pouvons rien pour vous; comprenez-moi bien. Votre mari appartenait, autant que je puisse en juger, au service sanitaire de l'armée; or, ici, c'est une banque, une entreprise commerciale et privée. C'est pourtant facile à comprendre!

MADAME MERTCHOUTKINA

Pour ce qui est de la maladie de mon mari, Excellence, j'ai là un certificat médical, veuillez voir...

CHIPOUTCHINE, *irrité.*

C'est parfait, je vous crois sur parole, mais je vous répète que cela ne nous concerne pas. *(On entend en coulisse des rires de Tatiana, puis des rires masculins. Il regarde la porte.)* Elle empêche les employés de faire leur travail. *(A Mme Mertchoutkina :)* C'est un peu étrange, et même ridicule. Votre mari ne sait donc pas à qui vous devez vous adresser?

MADAME MERTCHOUTKINA

Lui, il ne sait rien de rien, Excellence. Il ne fait que rabâcher : « Ce n'est pas tes oignons! Fiche-moi le camp », et voilà tout.

CHIPOUTCHINE

Je vous le répète une fois de plus, madame, votre mari appartenait au service sanitaire de l'armée, et ici c'est une banque, une entreprise commerciale et privée...

MADAME MERTCHOUTKINA

Mais oui, mais oui... Je comprends bien, mon petit père... En ce cas, Excellence, veuillez me faire remettre au moins quinze roubles. Je veux bien ne pas toucher toute la somme en une fois.

CHIPOUTCHINE, *soupirant*.

Ouf!

KHIRINE

André Andréevitch, je ne pourrai jamais finir mon rapport dans ces conditions!

CHIPOUTCHINE

Un instant. *(A Mme Mertchoutkina :)* Comment vous faire entrer ça dans le crâne? Comprenez enfin qu'il est aussi absurde de vous adresser ici avec cette demande, que d'introduire une instance de divorce chez... un pharmacien. *(On frappe à la porte. La voix de Tatiana :* « André, je peux entrer? » *Il crie :)* Attends, ma chérie, tout à l'heure! *(A Mme Mertchoutkina :)* Si on ne vous a pas payé votre dû, nous n'y sommes pour rien. En outre, madame, nous fêtons aujourd'hui notre jubilé, nous sommes très occupés... Ils peuvent arriver d'un moment à l'autre... Vous nous excuserez...

MADAME MERTCHOUTKINA

Excellence, ayez pitié d'une pauvre orpheline! Je suis une femme faible, sans défense... Je n'en peux plus... Il faut que je plaide contre mes locataires, que je m'occupe des affaires de mon mari, que je fasse le ménage, et par là-dessus, mon gendre qui n'a pas de situation!

CHIPOUTCHINE

Madame Mertchoutkina, je... Non, excusez-moi, je ne peux plus discuter avec vous. J'en ai le vertige. Vous nous dérangez et vous perdez votre temps... *(Il soupire et, à part :)* Quelle bûche, aussi vrai que je m'appelle Chipoutchine! *(A Khirine :)* Kouzma Nikolaévitch, veuillez expliquer à madame, je vous en prie...

Il fait un geste résigné et va au bureau.

KHIRINE, *s'approchant de Mme Mertchoutkina,*
sévèrement.

Que désirez-vous?

MADAME MERTCHOUTKINA

Je suis une femme faible, sans défense... J'ai peut-être l'air costaud, comme ça, mais à y regarder de plus près, pas une seule petite veine en bon état. C'est à peine si je tiens debout... J'ai perdu l'appétit... Même mon café, je l'ai bu ce matin sans plaisir...

KHIRINE

Je vous demande : que désirez-vous?

MADAME MERTCHOUTKINA

Veuillez me faire verser quinze roubles, mon petit père, vous me donnerez le reste dans un mois, si vous voulez.

KHIRINE

Mais on vient de vous le dire en langage clair : ici, c'est une banque.

MADAME MERTCHOUTKINA

Mais oui, mais oui... Si c'est nécessaire, je peux vous présenter un certificat médical.

KHIRINE

Qu'est-ce que vous avez là, sur les épaules : une tête, ou un oiseau ?

MADAME MERTCHOUTKINA

Mon brave homme, je ne demande que ce qui m'est dû selon la loi. Je ne veux pas le bien d'autrui.

KHIRINE

Et moi, je vous demande, madame, si c'est bien une tête que vous avez là ? Et puis, que le diable m'emporte, je n'ai pas le temps de discuter avec vous ! Je suis occupé. *(Il lui montre la porte.)* Veuillez vous en aller.

MADAME MERTCHOUTKINA, *étonnée.*

Et mon argent, alors ?

KHIRINE

Oui, ce n'est pas une tête que vous avez là, mais ça, tenez...

> *Il frappe la table de son index, puis se frappe le front.*

MADAME MERTCHOUTKINA, *vexée.*

Comment? Qu'est-ce que c'est que ces manières? Traitez votre femme comme vous voudrez, mais moi, je suis une épouse de fonctionnaire. Attention!

KHIRINE, *s'emportant à mi-voix.*

Fous le camp d'ici!

MADAME MERTCHOUTKINA

Doucement, doucement... Prenez garde!

KHIRINE, *à mi-voix.*

Si tu ne fous pas le camp tout de suite, j'envoie chercher le concierge. Allez, dehors!

> *Il trépigne.*

MADAME MERTCHOUTKINA

Doucement, doucement... Si vous croyez me faire peur... J'en ai vu d'autres... Rond-de-cuir!

KHIRINE

Non, de toute ma vie, je n'ai rien vu de plus infect... Ouf! Le sang me monte à la tête. *(Il respire péniblement.)* Pour la dernière fois, tu m'entends, si tu ne sors pas d'ici, vieille sorcière, je te réduis en poussière. Avec le caractère que j'ai, je suis capable de t'estropier pour la vie. Je peux commettre un crime!

MADAME MERTCHOUTKINA

Chien qui aboie ne mord point. Tu ne me fais pas peur. J'en ai vu d'autres.

KHIRINE, *désespéré.*

Je ne peux plus la voir! Je vais me trouver mal! Je n'en peux plus. *(Il va vers sa table de travail.)* La banque est remplie de femelles... Allez finir mon rapport, après ça. Pas moyen!

MADAME MERTCHOUTKINA

Ce n'est pas l'argent d'autrui que je demande, c'est le mien, qui me revient selon la loi. Vous parlez d'un malhonnête! Des bottes de feutre dans un bureau! Espèce de moujik...

Entrent Chipoutchine et Tatiana.

TATIANA *suit son mari.*

Nous sommes donc allés à la soirée des Bérejnetzki... Katia portait sa petite robe de soie bleu clair, décolletée, ornée de dentelles très légères... Ses cheveux relevés, ça lui va à merveille, je l'avais coiffée moi-même... Une fois habillée et bien arrangée, elle était tout simplement adorable...

CHIPOUTCHINE, *qui a déjà la migraine.*

Oui, oui... Adorable... La délégation peut arriver d'un moment à l'autre...

MADAME MERTCHOUTKINA

Excellence!

CHIPOUTCHINE, *morne.*

Encore? Que voulez-vous?

MADAME MERTCHOUTKINA

Excellence, celui-là *(elle désigne Khirine),* cet homme, oui, il a tapé son front avec son doigt, comme ça, puis la table... Vous lui aviez donné l'ordre d'examiner mon affaire, et il s'est moqué de moi, il m'a dit des choses horribles... Je ne suis qu'une faible femme sans défense...

CHIPOUTCHINE

C'est bon, madame, je verrai... je prendrai des mesures... Allez-vous-en... on verra plus tard. *(A part :)* Et cette goutte qui me reprend!

KHIRINE, *s'approchant de Chipoutchine,*
lui parle bas.

André Andréevitch, envoyez donc chercher le concierge, et qu'il la vide sans façons. C'est impossible, à la fin!

CHIPOUTCHINE, *effrayé.*

Non, non! elle poussera des hurlements, et il y a beaucoup de locataires dans cette maison.

MADAME MERTCHOUTKINA

Excellence!

KHIRINE, *d'une voix larmoyante.*

Mais il faut que je termine mon rapport! Je n'aurai jamais le temps! *(Il retourne à sa table.)* Je n'en peux plus!

MADAME MERTCHOUTKINA

Excellence, quand pourrai-je toucher mon argent? Il me le faut aujourd'hui même.

CHIPOUTCHINE, *à part, avec indignation.*

Voilà une femelle ex-trê-me-ment assommante. *(A Mme Mertchoutkina, avec douceur :)* Mais, madame, je vous l'ai déjà expliqué : ici, c'est une banque, un eentre-prise commerciale et privée..

MADAME MERTCHOUTKINA

Faites-moi cette grâce, Excellence, soyez mon bien-faiteur! Et si le certificat médical ne suffit pas, je peux vous en apporter un autre, du commissariat de police. Donnez l'ordre de me payer!

CHIPOUTCHINE, *avec un gros soupir.*

Ouf!

TATIANA, *à Mertchoutkina.*

Mais puisqu'on vous dit que vous dérangez tout le monde ici, grand-mère! Vous êtes vraiment drôle...

MADAME MERTCHOUTKINA

Ma petite dame, ma belle, je n'ai personne pour m'ai-der. Je n'en mange presque plus, même mon café je l'ai bu ce matin sans plaisir!

CHIPOUTCHINE, *épuisé, à* Mme *Mertchoutkina.*

De quelle somme s'agit-il?

MADAME MERTCHOUTKINA

Vingt-quatre roubles et trente-six kopecks.

CHIPOUTCHINE

Bon. *(Il sort un billet de vingt-cinq roubles de son porte-feuille.)* Voilà vingt-cinq roubles. Prenez-les... et allez-vous-en!

Khirine tousse avec colère

MADAME MERTCHOUTKINA

Je vous remercie bien, Excellence.

Elle empoche l'argent.

TATIANA, *s'asseyant à côté de son mari.*

Je devrais rentrer à la maison *(elle regarde sa montre)* mais que je te finisse... J'en ai pour une minute, je me sauve après... Quelle histoire, non, quelle histoire! Nous sommes donc allés à la soirée des Bérejnetzki... C'était comme ci, comme ça, assez animé, mais pas trop... Grendilevski, le soupirant de Katia, y était aussi, bien entendu... Alors, j'ai parlé à Katia, j'ai versé des larmes, j'ai agi sur elle, enfin elle s'est expliquée avec Grendilevski, et l'a refusé net. Bon, je me dis, parfait, tout est arrangé pour le mieux, maman est tranquille, Katia est sauvée, moi je n'ai plus à m'en faire... Oui! Le croiras-tu? Juste avant le souper, nous nous promenions dans une allée, Katia et moi, quand brusquement... *(très émue :)* un coup de feu! Non, je ne peux pas en parler avec sang-froid! *(Elle s'évente avec son mouchoir.)* Non, je ne peux pas!

CHIPOUTCHINE, *soupirant.*

Ouf!

TATIANA, *en larmes.*

Nous nous précipitons vers la tonnelle du jardin...
et là... là... ce pauvre Grendilevski, par terre... un
revolver à la main...

CHIPOUTCHINE

Non, je ne peux pas le supporter. Non! *(A Mme Mertchoutkina :)* Qu'est-ce que vous voulez encore, vous?

MADAME MERTCHOUTKINA

Excellence, est-ce que mon mari ne pourrait pas
reprendre son travail?

TATIANA, *en larmes.*

Il s'était tiré un coup de revolver en plein cœur...
là. Katia est tombée sans connaissance, la pauvrette...
Et lui, terriblement effrayé... toujours par terre... il
réclamait un médecin... Le docteur est vite arrivé et...
il a pu sauver le malheureux...

MADAME MERTCHOUTKINA

Excellence, est-ce que mon mari ne pourrait pas
reprendre son travail?

CHIPOUTCHINE

Non, je ne peux plus le supporter! *(Il pleure.)* C'est
impossible! *(Désespéré, il tend les bras vers Khirine.)*
Chassez-la! Chassez-la d'ici, je vous en supplie!

KHIRINE, *s'approchant de Tatiana.*

Hors d'ici!

CHIPOUTCHINE

Non, pas celle-là... L'autre... cette femme affreuse... *(il désigne* Mme *Mertchoutkina :)* celle-ci!

KHIRINE, *qui n'a pas compris, à Tatiana.*

Hors d'ici! *(Il trépigne.)* Fiche le camp!

TATIANA

Quoi? Comment? Vous êtes fou?

CHIPOUTCHINE

C'est épouvantable! Que je suis malheureux. Chassez-la! Chassez-la!

KHIRINE, *à Tatiana.*

Dehors! Ou je t'estropie! Je te réduis en poussière! Je vais commettre un crime!

TATIANA *se sauve; il la poursuit.*

Comment osez-vous? Quelle insolence! *(Elle crie :)* André! Au secours! André!

CHIPOUTCHINE, *courant derrière eux.*

Assez! Je vous en supplie! Pas tant de bruit! Pitié!

KHIRINE, *poursuivant* Mme *Mertchoutkina.*

Hors d'ici! Arrêtez-la! Tapez dessus! Égorgez-la!

CHIPOUTCHINE *crie.*

Assez! Je vous en prie! Je vous en supplie!

MADAME MERTCHOUTKINA

Mon Dieu... Mon Dieu... *(Elle pousse un hurlement.)* Mon Dieu!

TATIANA, *criant.*

Au secours! Au secours! Oh! Oh!... je me sens mal..

Elle saute sur une chaise, puis tombe sur le divan et gémit comme si elle s'était évanouie.

KHIRINE, *poursuivant Mme Mertchoutkina.*

Cognez dessus! Tapez! Égorgez-la!

MADAME MERTCHOUTKINA

Oh! Oh!... mon Dieu, je ne vois plus clair... Oh!

Elle tombe sans connaissance dans les bras de Chipoutchine. On frappe à la porte. Une voix en coulisse : « C'est la délégation. »

CHIPOUTCHINE

Délégation... réputation... occupation...

KHIRINE, *trépignant.*

Hors d'ici, que le diable m'emporte! *(Il retrousse ses manches.)* Qu'on me la laisse! Je veux commettre un crime!

Entre la délégation, composée de cinq messieurs, tous en habit. L'un d'entre eux tient le « compliment », relié en velours, un autre une coupe. Des employés regardent par la porte ouverte. Tatiana s'est effondrée sur le divan, Mme Mertchoutkina est dans les bras de Chipoutchine; toutes les deux poussent des gémissements.

UN DÉLÉGUÉ, *lisant.*

Cher André Andréevitch! En jetant un coup d'œil
rétrospectif sur le passé de notre entreprise financière,
et en parcourant par la pensée l'histoire de son dévelop-
pement, nous obtenons une impression d'ensemble
extrêmement favorable. Il est vrai qu'à nos débuts,
la modicité du capital initial, l'absence de toute opération
importante ainsi que de tout but défini, faisaient surgir
à nos yeux la question de Hamlet : « Être, ou ne pas
être? » C'est alors que vous apparûtes à la tête de l'établissement. Vos lumières, l'énergie, le tact qui vous
sont propres, expliquent le succès rapide et l'épanouisse-
ment exceptionnel de notre banque. Sa réputation...
(il tousse) sa réputation...

MADAME MERTCHOUTKINA, *gémissant.*

Oh! Oh!...

TATIANA, *gémissant.*

De l'eau! De l'eau!

LE DÉLÉGUE

... sa réputation... *(il tousse)* a atteint, grâce à vos
efforts, un niveau qui lui permet de rivaliser avec les
entreprises étrangères les plus distinguées...

CHIPOUTCHINE

Délégation... Réputation... Occupation... « Deux
amis, assis sous leur tente, parlaient des affaires importantes » ... « Ne dis pas que tu as perdu ta jeunesse,
torturée par ma jalousie »...

LE DÉLÉGUÉ, *poursuivant, troublé.*

Dès lors, cher André Andréevitch, jetant un regard objectif sur le présent, nous pouvons... *(Il baisse la voix.)* En ce cas, nous reviendrons plus tard... plus tard... cela vaut mieux.

La délégation se retire, visiblement troublée.

Les Méfaits du tabac

MONOLOGUE EN UN ACTE

IVAN IVANOVITCH NIOUKHINE, *mari de sa femme, directrice d'une école de musique et d'une pension de jeunes filles.*

La scène représente l'estrade d'un cercle de province.

NIOUKHINE, *longs favoris, pas de moustache, vêtu d'un froc usé, entre d'un air majestueux, salue le public et tire sur son gilet.*

Mesdames et, pour ainsi dire, messieurs. *(Il caresse ses favoris.)* On a demandé à ma femme de me faire prononcer ici, dans un but de bienfaisance, une conférence sur un sujet accessible à tous. On veut une conférence, eh bien, va pour une conférence, pour ma part, cela m'est parfaitement égal. Certes, je ne suis pas professeur, je ne possède aucun titre universitaire, néanmoins, voilà trente ans que je travaille sans relâche, et, pour ainsi dire, au détriment de ma santé, sur des questions strictement scientifiques; je ne cesse d'y réfléchir, et figurez-vous qu'il m'arrive même d'écrire des articles savants, pas précisément savants, si vous voulez, mais tout comme, passez-moi l'expression. Ainsi, l'autre jour, j'ai écrit un très long article, intitulé : « De la nocivité de certains insectes ». Il a beaucoup plu à mes filles, en particulier la partie qui concernait les punaises, mais après l'avoir relu, je l'ai déchiré.

Car on peut bien écrire tout ce qu'on veut, mais impossible de se passer de poudre insecticide. Chez nous, à la maison, c'est rempli de punaises, jusque dans le piano... J'ai choisi comme sujet de ma conférence de ce soir le danger que représente pour l'humanité l'usage du tabac. Je suis fumeur moi-même, mais comme ma femme m'a ordonné de parler des méfaits du tabac, inutile de discuter. Le tabac? Va pour le tabac, cela m'est parfaitement égal; quant à vous, messieurs, je vous invite à écouter mes propos avec le sérieux qui s'impose faute de quoi il pourrait nous en cuire. Ceux qu'effraie une conférence sérieuse et strictement scientifique peuvent se boucher les oreilles ou quitter la salle. *(Il tire sur son gilet.)* Je fais tout particulièrement appel à messieurs les médecins ici présents, susceptibles de puiser dans ma conférence des renseignements fort utiles, puisque le tabac, outre ses méfaits, est également employé en médecine. Si, par exemple, on enferme une mouche dans une tabatière, elle crève, sans doute de dépression nerveuse. Le tabac est, essentiellement, une plante... Quand je fais une conférence, j'ai l'habitude de cligner de l'œil droit, mais n'y faites pas attention, c'est parce que je suis ému. J'ai toujours été excessivement nerveux, mais je ne cligne de l'œil que depuis le 13 septembre 1889, jour où ma femme a accouché, si j'ose dire, de notre quatrième fille, Varvara. Toutes mes filles sont nées un treize. Mais *(il consulte sa montre)* ne nous écartons pas du sujet; notre temps est limité. Je dois tout de même vous dire que ma femme dirige une école de musique et une pension de jeunes filles, c'est-à-dire, pas une véritable pension, mais tout comme. Entre nous, bien que ma femme ne fasse que pleurer misère, elle a mis de l'argent de côté, quelque chose comme quarante ou cinquante mille roubles. Quant à moi, je n'ai pas un kopeck, pas le rond,

màis à quoi bon en parler! Je suis préposé à l'économat
de la pension : c'est moi qui fais les provisions, qui
vérifie les comptes des domestiques, qui note les dépenses,
qui fabrique les cahiers, qui extermine les punaises, qui
promène le petit chien de ma femme, qui attrape les
souris... Hier soir, entre autres, je devais remettre de
la farine et du beurre à la cuisinière, car on avait l'intention de faire des crêpes. Eh bien, voyez-vous, ce matin,
les crêpes déjà cuites, ma femme rapplique à la cuisine,
et nous annonce que trois de nos pensionnaires n'en
mangeraient pas, elles avaient les glandes enflées.
Nous avions trop de crêpes, que fallait-il en faire?
Ma femme a d'abord ordonné de les porter à la cave,
puis après avoir mûrement réfléchi, elle m'a dit : « Tu
peux les manger toi-même, épouvantail. » Quand elle
est de mauvaise humeur, c'est comme ça qu'elle m'appelle : « épouvantail », ou encore « vipère », ou « Satan ».
Comme si je ressemblais à Satan! Elle est toujours de
mauvaise humeur... Ces crêpes, je ne les ai pas mangées,
je les ai avalées sans mâcher; c'est que je suis continuellement affamé. Hier soir, par exemple, elle m'a privé
de dîner. « Toi, espèce de benêt, a-t-elle dit, pas besoin
de te nourrir... » Mais *(il consulte sa montre)* à force de
bavarder, nous nous sommes légèrement écartés de
notre sujet. Poursuivons. Je suis bien persuadé que vous
aimeriez mieux écouter une romance, ou une quelconque symphonie, ou un air d'opéra... *(Il entonne :)*
« Nous ne broncherons pas au plus fort de la bataille »...
Je ne sais d'où c'est tiré... A propos, j'ai oublié de vous
dire... A l'école de ma femme, en plus de l'économat,
je suis chargé de l'enseignement des mathématiques,
de la physique, de la chimie, de l'histoire, de la géo-
graphie, du solfège, de la littérature, et ainsi de suite.
Pour les leçons de danse, de chant et de dessin, ma femme
exige un supplément, bien que ce soit encore moi qui

enseigne ces matières. Notre école de musique se trouve
dans la ruelle des Cinq Chiens, au numéro treize. Si
j'ai raté ma vie, c'est sans doute parce que nous habitons
au numéro treize. Et puis toutes mes filles sont nées
un treize, il y a treize fenêtres à notre façade... Mais à
quoi bon en parler? Pour tout renseignement, vous
pouvez vous adresser à ma femme à toute heure du
jour, et si vous voulez un prospectus de l'école, vous
en trouverez chez notre concierge, à trente kopecks
l'exemplaire. *(Il tire quelques petites brochures de sa poche.)*
Moi-même je peux vous en céder quelques-uns, si vous
le désirez. Trente kopecks l'exemplaire! Qui en veut?
(Un temps.) Bon, alors vingt kopecks. *(Un temps.)*
C'est bien regrettable. Oui, notre maison porte le
numéro treize! Rien ne m'a réussi, j'ai vieilli, je suis
devenu stupide... Tenez, je suis en train de faire une
conférence, j'ai l'air gai, et pourtant j'ai envie de hurler
de toutes mes forces, et de m'envoler, n'importe où,
au bout du monde. Et personne à qui me plaindre, non,
c'est à pleurer... Vous me direz : et vos filles? Eh bien,
quoi, mes filles? Il suffit que je leur parle de tout ça
pour qu'elles éclatent de rire... Ma femme a sept filles...
Non, excusez-moi, six, je crois... *(Vivement :)* Sept!
Anne, l'aînée, a vingt-sept ans, et la plus jeune, dix-sept.
Messieurs! *(Il jette un regard autour de lui.)* Je suis malheureux, je ne suis plus qu'un imbécile, une nullité, mais au
fond, vous avez devant vous le plus ravi des pères.
C'est bien comme cela que ce devrait être, n'est-ce pas,
et comment dire le contraire? Ah, si vous saviez! Je
vis avec ma femme depuis trente-trois ans, et, je puis
l'affirmer, voilà bien les meilleures années de ma vie,
c'est-à-dire, pas les plus heureuses, non, mais tout
comme. Elles se sont écoulées comme un seul instant
de bonheur, à proprement parler, et que le diable les
emporte. *(Il jette un regard autour de lui.)* Mais elle n'est

pas encore arrivée, je peux parler librement. J'ai terriblement peur... j'ai peur quand elle me regarde. Oui,
qu'est-ce que j'étais en train de dire? Si mes filles tardent
à se marier, c'est sans doute parce qu'elles sont timides,
et que les hommes n'ont jamais l'occasion de les voir.
Ma femme ne veut pas donner de soirées, elle n'invite
personne à dîner, c'est une dame très avare, méchante,
acariâtre, comment voulez-vous que quelqu'un mette
les pieds chez nous? Mais... je veux vous confier un
secret... (*Il s'approche de la rampe.*) On peut voir les
filles de ma femme, les jours de grande fête, chez leur
tante, Natalia Séménovna, oui, celle qui souffre de
rhumatismes, et qui porte une robe jaune à pois noirs,
on jurerait qu'elle est saupoudrée de cafards... Chez elle,
on vous servira des hors-d'œuvre... Et quand ma femme
n'y est pas, on peut même s'envoyer un petit coup de
vodka... (*Il fait le geste de vider un verre.*) Je peux bien
vous l'avouer, un seul petit verre suffit à me griser,
et alors j'ai le cœur si léger, et si triste en même temps...
vous n'imaginez pas! Mes jeunes années me reviennent
en mémoire, je ne sais pourquoi, et il me prend une de
ces envies de m'enfuir... une envie, oh, si vous saviez!
(*Avec passion :*) Oui, fuir, tout planter là, fuir sans un
regard en arrière, fuir, n'importe où... fuir cette vie
étroite, inutile, vulgaire, qui a fait de moi un vieillard
stupide, pitoyable, un pauvre idiot, fuir cette femme
bornée, mesquine, avare et méchante, oh si méchante!
qui m'a torturé pendant trente-trois ans, fuir la musique,
la cuisine, l'argent de ma femme, toute cette bêtise,
toute cette mesquinerie... et m'arrêter quelque part,
loin, très loin d'ici, dans un champ, me tenir immobile
comme un arbre, comme une borne, comme un épouvantail à moineaux, sous un vaste ciel... toute la nuit,
regarder la lune silencieuse et claire, et oublier, oublier...
Oh! comme je voudrais ne plus me souvenir de rien!

Arracher de mes épaules cet habit tout usé, dans lequel
je me suis marié, voilà trente-trois ans!... *(il retire son
habit d'un geste rageur)* et c'est là-dedans que je fais
toujours des conférences dans un but de bienfaisance...
Tiens, attrape! *(Il piétine son habit.)* Tiens, attrape!
Je suis vieux, misérable, piteux comme ce gilet au dos
râpé et usé... *(Il montre son dos.)* Mais je ne demande
rien. Je suis au-dessus de tout, plus pur que tout cela;
j'ai été jeune, intelligent, j'allais à l'Université, je faisais
des rêves, je me croyais un homme... Maintenant, je
n'ai plus besoin de rien. De rien... D'un peu de repos,
oui, c'est tout... de repos... *(Il jette un regard dans les
coulisses, remet vivement son habit.)* Mais voilà ma femme,
dans les coulisses... Elle est arrivée, elle m'attend là-
bas... *(Il regarde sa montre.)* L'heure est déjà passée.
Si elle vous pose des questions, dites-lui, s'il vous plaît...
je vous en prie, dites-lui que la conférence a eu lieu, et
que l'épouvantail... c'est-à-dire... moi, s'est comporté
avec dignité... *(Il regarde dans les coulisses, toussote.)*
Elle regarde par ici... *(Élevant la voix :)* Étant donné
que le tabac contient le terrible poison dont je viens
de vous entretenir, je vous recommande de ne fumer
sous aucun prétexte, et j'ose espérer que cette conférence sur les « Méfaits du tabac » n'aura pas été inutile.
J'ai fini. *Dixi et animam levavi.*

> *Il salue le public et se retire majestueusement.*

Tatiana Repina

DRAME EN UN ACTE

MADAME OLENINA.

MADAME KOKOCHKINA.

MATVÉEV.

SONNENSTEIN

SABININE.

KOTELNIKOV.

KOKOCHKINE.

PATRONNIKOV.

VOLGUINE, *jeune officier*

UN ÉTUDIANT.

UNE JEUNE FILLE.

LE PÈRE IVAN, *archiprête de la cathédrale, 70 ans.*

LE PÈRE NICOLAS } *jeunes*
LE PÈRE ALEXIS } *prêtres.*

LE DIACRE.

LE LECTEUR.

KOUZMA, *gardien de la cathédrale.*

UNE DAME EN NOIR.

LE SUBSTITUT DU PROCUREUR.

ACTEURS ET ACTRICES.

*Il est six heures du soir. L'intérieur d'une cathédrale.
Tous les lustres sont allumés, les portes royales sont ouvertes.
Deux chœurs chantent alternativement : celui de l'archevêché
et celui de la cathédrale. L'église est pleine. Tous sont serrés
les uns contre les autres, dans une chaleur étouffante. On
célèbre un mariage : Sabinine épouse Mme Olenina. Les
garçons d'honneur du marié sont Kotelnikov et l'officier
Volguine, ceux de la mariée, son frère (un étudiant) et le
substitut. Toute l'intelligentsia de l'endroit. De belles toi-
lettes. Le mariage est célébré par l'archiprêtre Ivan, calotte
délavée, le père Nicolas, calotte, longs cheveux hirsutes,
et le père Alexis, un très jeune prêtre, qui porte des lunettes
noires. Derrière eux, un peu à la droite du père Ivan, se tient
le diacre, grand et décharné, un livre à la main. Dans la foule,
la troupe du théâtre local, Matvéev à sa tête.*

LE PÈRE IVAN, *lisant.*

« Souviens-Toi aussi, Seigneur, des parents qui les
ont élevés, car les prières des parents affermissent les
fondements des foyers. Souviens-Toi, Seigneur notre
Dieu, de Ton serviteur Pierre et de Ta servante Véra,
et bénis-les. Donne-leur de beaux enfants comme fruits

de leurs entrailles et l'accord d'âme et de corps; exalte-
les comme les cèdres du Liban, comme une vigne aux
vigoureux sarments. Donne-leur d'abondantes moissons,
afin qu'ayant tout en suffisance, ils soient prodigues en
toute bonne action, Te soient agréables, et voient les
fils de leurs fils, comme de jeunes plants d'olivier, autour
de leur table; et pour que T'ayant obéi en toute chose,
ils resplendissent comme des flambeaux dans le ciel,
en Toi notre Seigneur, Toi qui, avec Ton Père éternel
et Ton Esprit, source de vie, possèdes gloire, puissance
et adoration, maintenant et toujours, et dans les siècles
des siècles. »

LE CHŒUR DE L'ARCHEVÊCHÉ, *chantant.*

Amen.

PATRONNIKOV

On étouffe ici! Quelle est cette décoration que vous
portez au cou, David Salomonovitch?

SONNENSTEIN

C'est une técoration pelge. Pourquoi y a-t-il tant
te monde ici? Qui les a laissés entrer? Ouf! C'est le
féritable pain russe [1].

PATRONNIKOV

La police ne fiche rien.

LE DIACRE

Prions le Seigneur.

1. Sonnenstein a l'accent juif. Il prononce : *féritable pain* pour
« véritable bain ».

LE CHŒUR DE LA CATHÉDRALE

Seigneur, aie pitié.

LE PÈRE NICOLAS, *lisant.*

« Dieu saint qui as façonné l'homme avec de la boue, et qui de sa côte as formé la femme et la lui as donnée, afin qu'elle l'aide; montrant ainsi qu'il plaisait à Ta magnanimité que l'homme ne soit pas seul sur la terre; de même aujourd'hui, Maître, de Ta sainte demeure, tends la main, et unis Ton serviteur Pierre et Ta servante Véra, car c'est Toi qui unis la femme à l'homme. Unis-les dans l'accord des esprits, couronne-les d'amour, joins-les en une seule et même chair; accorde un fruit à leurs entrailles, car en Toi résident la puissance et la gloire, Père, Fils et Saint-Esprit, maintenant et toujours et dans les siècles des siècles. »

LE CHŒUR DE LA CATHÉDRALE, *chantant.*

Amen.

UNE JEUNE FILLE, *à Sonnenstein.*

On va leur poser des couronnes sur la tête. Regardez! Regardez!

LE PÈRE IVAN, *prenant une couronne sur le lutrin, et se tournant vers Sabinine.*

Serviteur de Dieu, Pierre, reçois pour couronne la servante de Dieu Vera, au nom du Père, du Fils et du Saint-Esprit. Amen.

Il tend la couronne à Kotelnikov.

DANS LA FOULE

Le garçon d'honneur a exactement la même taille que le marié. Il ne casse vraiment rien. Qui est-ce? —

Un certain Kotelnikov. — L'officier ne vaut guère mieux. — Laissez donc passer la dame! — Madame, vous ne pourrez pas passer par ici.

LE PÈRE IVAN, *à Mme Olenina.*

Servante de Dieu Véra, reçois pour couronne le serviteur de Dieu Pierre, au nom du Père, du Fils et du Saint-Esprit.

Il tend la couronne à l'étudiant.

KOTELNIKOV

Les couronnes sont d'un lourd! Je ne sens plus mon bras.

VOLGUINE

Ne vous en faites pas, je vais bientôt vous relayer. Mais qui est-ce qui pue le patchouli comme ça, j'aimerais bien le savoir.

LE SUBSTITUT DU PROCUREUR

C'est Kotelnikov.

KOTELNIKOV

Espèce de menteur.

VOLGUINE

Chut!

LE PÈRE IVAN, *à trois reprises.*

Seigneur notre Dieu, couronne-les de gloire et d'honneur.

MADAME KOKOCHKINA, *à son mari.*

Comme Véra est mignonne aujourd'hui! Je ne me lasse pas de l'admirer. Et pas intimidée du tout!

KOKOCHKINE

Question d'habitude. C'est la deuxième fois qu'elle y passe.

MADAME KOKOCHKINA

Oui, c'est vrai. *(Un soupir.)* Je lui souhaite de tout mon cœur... Elle est si bonne.

LE LECTEUR *s'avance au milieu de la cathédrale.*

Prokimenon, chapitre huit... Tu as posé sur leur tête des couronnes de pierres précieuses. Ils T'ont demandé la vie, et Tu la leur as donnée...

LE CHŒUR DE L'ARCHEVÊCHÉ, *chantant.*

Tu as posé sur leur tête...

PATRONNIKOV

J'ai une de ces envies de fumer...

LE LECTEUR

Lecture de l'Épître de saint Paul.

LE DIACRE

Soyons attentifs!

LE LECTEUR, *d'une voix basse et lente.*

« Mes frères, rendons continuellement grâces pour toutes choses à Dieu le Père au nom de Notre Seigneur Jésus-Christ. Soyez soumis les uns aux autres dans la crainte de Dieu. Que les femmes soient soumises à leur mari comme au Seigneur, car le mari est le chef de la famille comme le Christ est le chef de l'Église, Son corps, dont il est le Sauveur. Or, de même que l'Église

est soumise au Christ, de même les femmes doivent
être soumises à leur mari en toutes choses... »

SABININE, *à Kotelnikov.*

Tu m'écrases la tête avec la couronne.

KOTELNIKOV

C'est des idées! Je la tiens au moins dix centimètres
au-dessus de ta tête.

SABININE

Je te dis que tu m'écrases!

LE LECTEUR

« Époux, aimez vos femmes comme le Christ a
aimé l'Église, et s'est livré pour elle... »

VOLGUINE

Une belle voix de basse! *(A Kotelnikov :)* Voulez-
vous que je vous remplace?

KOTELNIKOV

Je ne suis pas encore fatigué.

LE LECTEUR

« C'est ainsi que les époux doivent aimer leurs femmes
comme leur propre corps. Celui qui aime sa femme,
s'aime lui-même. Car jamais personne n'a haï sa propre
chair, mais chacun la nourrit et en prend soin comme
fait le Christ pour l'Église, parce que nous sommes
membres de Son corps, formés de Sa chair et de Ses
os. C'est pourquoi l'homme quittera son père et sa
mère... »

SABININE

Tiens la couronne plus haut. Tu m'écrases.

KOTELNIKOV

Quelle bêtise!

LE LECTEUR

« ... pour s'attacher à sa femme, et tous deux seront une seule et même chair. »

KOKOCHKINE

Le gouverneur général est ici.

MADAME KOKOCHKINA

Où cela?

KOKOCHKINE

Là, près du chœur, à droite, à côté d'Altoukhine. Il est venu incognito.

MADAME KOKOCHKINA

Je le vois, je le vois. Il bavarde avec Machenka Hansen. C'est sa passion.

LE LECTEUR

« Ce mystère est grand. Je veux dire par rapport au Christ et à l'Église, que chacun de vous, de la même manière, aime sa femme comme soi-même, et que la femme révère son mari-i! »

LE CHŒUR DE LA CATHÉDRALE, *chantant*.

Alléluia.

DANS LA FOULE

Vous entendez, Natalia Serguéevna? Que la femme révère son mari! — Fichez-moi la paix, vous! *(Rires.)* — Chut! Silence! C'est incorrect à la fin!

LE DIACRE

Sagesse! Debout! Écoutons le Saint Évangile.

LE PÈRE IVAN

Paix à tous!

LE CHŒUR DE L'ARCHEVÊCHÉ

Et à ton Esprit.

DANS LA FOULE

Les Apôtres... L'Évangile... Comme c'est long, tout de même. Il serait temps qu'ils nous rendent la liberté... On étouffe... Je veux partir! — Vous ne pourrez pas passer! — Attendez, il n'y en a plus pour longtemps.

LE PÈRE IVAN

Lecture du Saint Évangile selon saint Jean.

LE DIACRE

Ecoutons!

LE PÈRE IVAN, *il enlève sa calotte.*

« En ce temps-là, il y eut des noces à Cana, en Galilée; et la mère de Jésus y était, et Jésus et ses disciples étaient invités aux noces. Le vin ayant manqué, la mère de Jésus lui dit : « Ils n'ont point de vin. » Jésus lui répondit : « Femme, qu'y a-t-il entre toi et moi? Mon heure n'est pas encore venue »...

SABININE, *à Kotelnikov*.

C'est bientôt fini?

KOTELNIKOV

Je n'en sais rien, je ne suis pas spécialiste en la matière. Ça ne devrait pas tarder.

VOLGUINE

On doit encore les promener autour du lutrin.

LE PÈRE IVAN

« Sa mère dit aux serviteurs : « Faites tout ce qu'il dira. » Or il y avait là six urnes de pierre destinées aux ablutions des Juifs, et contenant chacune deux ou trois mesures. Jésus leur dit : « Remplissez d'eau ces urnes. » Et ils les remplirent jusqu'au bord. Et Jésus leur dit : « Puisez maintenant, et portez-en au maître du festin. »

On entend un gémissement.

VOLGUINE

Qu'est-ce que c'est? On a écrasé quelqu'un?

DANS LA FOULE

Chut! Silence!

LE PÈRE IVAN

« ... Et ils en portèrent. Dès que le maître du festin eut goûté l'eau changée en vin (lui ne savait pas d'où venait ce vin, mais les serviteurs qui avaient puisé l'eau le savaient) il interpella l'époux et lui dit. »

SABININE

Qui est-ce qui vient de gémir?

KOTELNIKOV, *examinant la foule.*

On voit bouger quelqu'un... Une dame en noir...
Elle a dû se trouver mal... Voilà qu'on l'emmène...

LE PÈRE IVAN

« Tout homme sert d'abord le bon vin, et après
qu'on a bu abondamment, le moins bon; mais toi,
tu as gardé le bon vin jusqu'à présent. » Tel fut, à Cana
de Galilée, le premier des miracles que fit Jésus, et il y
manifesta sa gloire, et ses disciples crurent en lui. »

DANS LA FOULE

Je ne comprends pas pourquoi on laisse entrer ici
des femmes hystériques.

LE CHŒUR DE L'ARCHEVÊCHÉ

Gloire à Toi, Seigneur, gloire à Toi!

PATRONNIKOV

Cessez de bourdonner à mon oreille, David Salomonovitch. Et ne tournez pas le dos à l'autel : cela ne
se fait pas.

SONNENSTEIN

C'est la temoiselle qui pourdonne, ce n'est pas moi...
Hé hé hé!

LE DIACRE

Disons tous de toute notre âme et de tout notre
esprit...

LE CHŒUR DE LA CATHÉDRALE

Seigneur, aie pitié

LE DIACRE

Seigneur tout-puissant, Dieu de nos pères, nous T'en prions, écoute-nous et aie pitié de nous...

DANS LA FOULE

Chut!... Silence! Mais ce sont les autres qui me poussent!

LE CHŒUR DE LA CATHÉDRALE, *chantant*.

Seigneur, aie pitié.

DANS LA FOULE

Silence! Chut! Quelqu'un s'est trouvé mal?

LE DIACRE

Aie pitié de nous, Seigneur, par la grandeur de Ta miséricorde, nous T'en prions, écoute-nous et aie pitié de nous.

LE CHŒUR, *chantant trois fois*.

Seigneur, aie pitié [1].

LE DIACRE

Prions encore pour notre très pieux et très puissant souverain, l'empereur Alexandre Alexandrovitch de toutes les Russies, pour son règne, sa victoire, sa santé, son salut...

LE CHŒUR, *chantant trois fois*.

Seigneur, aie pitié.

Des gémissements. Mouvement dans la foule.

1. A partir de cette réplique, Tchekhov ne distinguera plus qu'incidemment le chœur de l'Archevêché du chœur de la cathédrale.

MADAME KOKOCHKINA

Qu'est-ce qui se passe? *(A sa voisine :)* C'est vraiment intolérable, ma chère! Si au moins ils ouvraient les portes. C'est à mourir de chaleur.

DANS LA FOULE

On veut l'emmener, mais elle résiste. — Qu'est-ce? — Chut!

LE DIACRE

Prions encore pour son épouse, la très pieuse souveraine, notre impératrice Maria Féodorovna.

LE CHŒUR, *chantant.*

Seigneur, aie pitié.

LE DIACRE

Prions encore pour son héritier, le très pieux souverain, Tsarévitch et grand-duc Nicolas Alexandrovitch, et pour toute la maison régnante...

LE CHŒUR, *chantant.*

Seigneur, aie pitié.

SABININE

Oh! mon Dieu!

MADAME OLENINA

Qu'est-ce que tu as?

LE DIACRE

Prions encore pour le Saint Synode, pour le très saint Théophile, évêque de N. et de Z. notre maître et pour tous nos frères dans le Christ .

LE CHŒUR, *chantant.*

Seigneur, aie pitié.

DANS LA FOULE

Une femme s'est encore empoisonnée, hier, à l'hôtel de l'Europe. — Oui, il paraît que c'est la femme d'un docteur. Et vous savez pourquoi?

LE DIACRE

Prions encore pour toute l'armée chrétienne...

LE CHŒUR, *chantant.*

Seigneur, aie pitié.

VOLGUINE

Quelqu'un pleure, je crois. Le public se conduit vraiment d'une manière incroyable.

LE DIACRE

Pour nos frères les prêtres, les saints moines, et tous nos frères dans le Christ.

LE CHŒUR, *chantant.*

Seigneur, aie pitié.

MATVÉEV

Le chœur chante drôlement bien, aujourd'hui.

UN ACTEUR COMIQUE

Voilà ce qu'il nous faudrait, Zakhar Iliitch.

MATVÉEV

Tiens, et puis quoi encore? Espèce de clown! *(Rires.)*
Chut...

LE DIACRE

Nous Te prions encore pour obtenir pitié, vie,
paix, santé, salut, protection et pardon des serviteurs
de Dieu, Pierre et Véra.

LE CHŒUR, *chantant.*

Seigneur, aie pitié.

LE DIACRE

Prions encore pour les bienheureux...

DANS LA FOULE

Oui, la femme d'un docteur... à l'hôtel...

LE DIACRE

... inoubliables et très saints patriarches orthodoxes.

DANS LA FOULE

C'est la quatrième femme qui s'empoisonne depuis
que Tatiana Repina leur a montré le chemin. Mon vieux,
expliquez-moi donc la raison de ces empoisonnements.
— Un genre de psychose, tout simplement. — Par
esprit d'imitation, vous croyez?

LE DIACRE

... pour les pieux tsar et tsarine, pour les créateurs
de ce saint temple, et pour tous nos pères et frères
orthodoxes défunts...

DANS LA FOULE

Le suicide est contagieux... Il y a trop de femmes déséquilibrées de nos jours. C'est effrayant! — Silence! — Mais tenez-vous donc tranquille!

LE DIACRE

... Ensevelis ici et partout ailleurs.

DANS LA FOULE

Ne gueulez pas, je vous en prie!

On entend un gémissement.

LE CHŒUR, *chantant.*

Seigneur, aie pitié.

DANS LA FOULE

En se suicidant, la Repina a empoisonné l'atmosphère. Toutes ces dames ont attrapé le virus, elles se croient outragées, c'est leur idée fixe. — Même à l'église, l'air est empoisonné. Vous ne sentez pas?

LE PÈRE IVAN

Parce que Tu es un Dieu charitable et ami des hommes et que nous Te glorifions, Père et Fils et Saint-Esprit, maintenant et toujours et dans les siècles des siècles...

LE CHŒUR, *chantant.*

Amen.

SABININE

Kotelnikov!

KOTELNIKOV

Qu'est-ce qu'il y a?

SABININE

Rien... Oh! mon Dieu! Tatiana Petrovna est ici...
Elle est ici...

KOTELNIKOV

Tu es fou!

SABININE

La dame en noir... C'est elle... Je l'ai reconnue...
Je l'ai vue!

KOTELNIKOV

Pas la moindre ressemblance. Elle est brune, comme
l'autre, rien de plus.

LE DIACRE

Prions le Seigneur.

KOTELNIKOV

Ne fais pas de messe basse, ce n'est pas convenable.
Tout le monde t'observe...

SABININE

Au nom du Ciel... Je ne tiens plus sur mes jambes...
C'est bien elle...

On entend un gémissement.

LE CHŒUR, *chantant.*

Seigneur, aie pitié.

DANS LA FOULE

Silence! Chut! Qui est-ce qui pousse comme ça, derrière? — Chut! — On l'a emmenée derrière la colonne... — Quelle barbe, ces femmes! Elles feraient mieux de rester à la maison...

QUELQU'UN, *dans la foule, criant.*

Silence!

LE PÈRE IVAN, *lisant.*

« Seigneur notre Dieu, qui, dans Ton économie du salut, as daigné à Cana de Galilée... » *(Il regarde attentivement le public :* « Mais qu'est-ce que c'est que ces gens? » *et continue sa lecture)* « montrer par Ta présence que le mariage est une chose honorable... » *(Il élève la voix.)* Je vous prie de garder le silence! Vous nous empêchez de célébrer le Sacrement. Ne marchez pas dans l'église, ne parlez pas et ne faites pas de bruit, mais restez tranquilles et priez. Voilà! Il faut avoir la crainte de Dieu. *(Lisant :)* « ... montrer par Ta présence que le mariage est une chose honorable, Toi-même aussi, maintenant, Maître, garde dans la paix et l'accord Tes serviteurs Pierre et Véra, qu'il T'a plu d'unir l'un à l'autre. Garde pure leur couche, conserve leur vie sans tache, et rends-les dignes de parvenir à une opulente vieillesse tout en accomplissant Tes commandements en toute pureté de cœur. Parce que Tu es notre Dieu, Dieu de miséricorde et de salut, et que nous Te glorifions, ainsi que Ton Père éternel et Ton Esprit Saint, source de tout bien et de toute vie, maintenant et toujours et dans les siècles des siècles. »

LE CHŒUR DE L'ARCHEVÊCHÉ, *chantant.*

Amen.

SABININE, *à Kotelnikov*.

Envoie quelqu'un dire à la police qu'on ne laisse plus entrer personne.

KOTELNIKOV

Qui veux-tu qu'on laisse encore entrer? L'église est pleine à craquer! Tais-toi... cesse de chuchoter...

SABININE

C'est elle... Tatiana est ici...

KOTELNIKOV

Tu délires... Elle est au cimetière.

LE DIACRE

Protège-nous, sauve-nous, aie pitié de nous, garde-nous, ô Dieu, par Ta Grâce.

LE CHŒUR DE LA CATHÉDRALE, *chantant.*

Seigneur, aie pitié.

LE DIACRE

Demandons au Seigneur que cette journée soit parfaite, sainte, paisible et sans péché.

LE CHŒUR DE LA CATHÉDRALE, *chantant.*

Donne, Seigneur.

LE DIACRE

Demandons au Seigneur un ange de paix, fidèle conducteur, gardien de nos âmes et de nos corps.

LE CHŒUR, *chantant*.

Donne, Seigneur.

DANS LA FOULE

Ce diacre n'en finira donc jamais! Tantôt c'est :
« Seigneur, aie pitié », tantôt : « Donne, Seigneur. »
J'en ai assez d'être debout.

LE DIACRE

Demandons au Seigneur pardon et rémission de nos
péchés.

LE CHŒUR, *chantant*.

Donne, Seigneur!

LE DIACRE

Demandons au Seigneur ce qui est bon et utile à nos
âmes, et la paix du monde.

DANS LA FOULE

Les voilà qui recommencent à chahuter! — Quels
gens!

LE CHŒUR

Donne, Seigneur!

MADAME OLENINA, *à Sabinine*.

Pierre, tu trembles, tu respires difficilement... Ça
ne va pas?

SABININE

La dame en noir... c'est elle... Nous sommes coupables...

MADAME OLENINA

Quelle dame?

SABININE

Ces gémissements... *(On entend un gémissement.)* C'est Tatiana Repina... Je tiens bon, je tiens bon... Kotel-nikov m'écrase la tête avec la couronne... Ça ne fait rien... Ça ne fait rien...

LE DIACRE

Demandons au Seigneur d'achever ce qui nous reste de vie dans la paix et la pénitence.

LE CHŒUR, *chantant.*

Donne, Seigneur.

KOKOCHKINE

Véra est pâle comme une morte. On dirait qu'elle pleure. Et lui... lui... regarde-le donc!

MADAME KOKOCHKINA

Je lui avais bien dit, à Véra, que le public se condui-rait mal avec eux. Quand je pense qu'elle a eu le courage de se marier ici! Elle aurait mieux fait de partir à la campagne.

LE DIACRE

Demandons une fin de vie chrétienne, sans douleur sans honte, paisible, et une bonne défense devant le redoutable tribunal du Christ.

LE CHŒUR, *chantant.*

Donne, Seigneur.

MADAME KOKOCHKINA

Il faudrait demander au Père Ivan d'expédier l'office.
Regarde la mine qu'elle a.

VOLGUINE

Permettez, je vais vous relayer.

Il prend la couronne des mains de Kotelnikov.

LE DIACRE

Après avoir demandé l'unité de foi et la communion
du Saint-Esprit, recommandons-nous les uns les autres
et toute notre vie au Christ notre Dieu.

LE CHŒUR, *chantant.*

A Toi, Seigneur.

SABININE

Tiens bon, Véra, fais comme moi... Oui... C'est
bientôt fini... Nous allons partir... C'est bien elle...

VOLGUINE

Chut !

LE PÈRE IVAN

Et juge-nous dignes, Maître, de T'invoquer avec
confiance, sans crainte d'être condamnés, Toi, Dieu
le Père céleste, et de dire :

LE CHŒUR DE L'ARCHEVÊCHÉ, *chantant.*

Notre Père qui es aux cieux, que Ton nom soit
sanctifié, que Ton règne arrive...

MATVÉEV, *aux acteurs*.

Poussez-vous un peu, mes petits gars, que je puisse
me mettre à genoux. *(Il s'agenouille et s'incline jusqu'à
terre)*... Que Ta volonté soit faite sur la terre comme au
ciel, donne-nous aujourd'hui notre pain quotidien et
pardonne-nous nos offenses...

LE CHŒUR DE L'ARCHEVÊCHÉ

... que Ta volonté soit faite sur la terre comme au
ciel... donne-nous aujourd'hui... aujourd'hui...

MATVÉEV

Souviens-toi, Seigneur, de ta défunte servante Tatiana
et pardonne-lui ses péchés volontaires et involontaires...
pardonne-nous, aie pitié de nous... *(Il se relève.)* Quelle
chaleur!

LE CHŒUR, *chantant*.

... donne-nous aujourd'hui notre pain quotidien...
et pardonne-nous... pardonne-nous nos offenses comme
nous pardonnons à ceux qui nous ont offensés...

DANS LA FOULE

On se croirait au concert.

LE CHŒUR DE L'ARCHEVÊCHÉ

... et ne nous laisse pas succomber à la tentation...
mais délivre-nous du ma-a-al...

KOTELNIKOV. *au substitut*.

Une mouche a piqué notre jeune marié. Regardez
comme il tremble.

LE SUBSTITUT

Qu'est-ce qui lui arrive?

KOTELNIKOV

La dame en noir, qui vient d'avoir une crise d'hystérie, il l'a prise pour Tatiana. Une hallucination.

LE SUBSTITUT

Pourvu qu'il ne fasse pas de bêtises.

KOTELNIKOV

Il tiendra le coup. C'est un costaud!

LE SUBSTITUT

C'est tout de même un sale moment à passer, pour
lui.

LE PÈRE IVAN

Paix à tous.

LE CHŒUR

Et à ton esprit.

LE DIACRE

Inclinez vos têtes devant le Seigneur.

LE CHŒUR

Devant Toi, Seigneur.

DANS LA FOULE

Je crois que c'est le moment de leur faire faire le tout
du lutrin... — Chut. — A-t-on fait l'autopsie de la
femme du docteur? — Pas encore. On raconte que son

mari l'avait abandonnée. — A propos, Sabinine aussi,
il a abandonné la Repina. C'est vrai, ou pas? — Oui...
Je me souviens de l'autopsie de la Repina...

LE DIACRE

Prions le Seigneur.

LE CHŒUR

Seigneur, aie pitié.

LE PÈRE IVAN, *lisant.*

« Dieu qui as tout fait par Ta force, qui as affermi
l'univers, et qui as orné la couronne de tout ce qui a été
fait par Toi, donne aujourd'hui Ta bénédiction spirituelle à cette coupe commune, présentée à ceux qui sont
unis par le mariage. Parce que Ton nom est béni et
Ton règne glorifié, Père et Fils et Saint Esprit, maintenant et toujours dans les siècles des siècles. »

*Il tend une coupe de vin à Sabinine, puis à Mme Ole-
nina.*

LE CHŒUR

Amen.

LE SUBSTITUT

Pourvu qu'il ne tombe pas dans les pommes.

KOTELNIKOV

Il est costaud, l'animal. Il tiendra bon.

DANS LA FOULE

Ne partez pas chacun de votre côté, sortons tous
ensemble. — Zipounov est-il ici? — Oui. Il faut entou-
rer leur voiture et siffler pendant cinq bonnes minutes.

LE PÈRE IVAN

Vos mains, je vous prie. *(Il lie avec un mouchoir les mains de Sabinine et de M*ᵐᵉ *Olenina.)* Ce n'est pas trop serré?

LE SUBSTITUT, *à l'étudiant.*

Passez-moi la couronne, jeune homme, et chargez-vous de la traîne.

LE CHŒUR DE L'ARCHEVÊCHÉ

Isaïe, tressaillez de joie, la Vierge a eu dans son sein...

Le Père Ivan fait le tour du lutrin, les jeunes mariés et les garçons d'honneur le suivent.

DANS LA FOULE

L'étudiant s'est empêtré dans la traîne.

LE CHŒUR

... et a mis au monde un fils : Emmanuel, le Dieu et l'homme. Orient est son nom...

SABININE, *à Volguine.*

C'est la fin?

VOLGUINE

Pas encore.

LE CHŒUR DE L'ARCHEVÊCHÉ

... en la magnifiant, béatifions la Vierge.

Le Père Ivan fait pour la deuxième fois le tour du lutrin.

LE CHŒUR DE LA CATHÉDRALE, *chantan.*

Saints martyrs qui avez combattu vaillamment et avez reçu la couronne, priez le Seigneur de prendre nos âmes en pitié..

LE PÈRE IVAN *fait pour la troisième fois
le tour du lutrin et chante*

Nos â-âmes..

SABININE

Mon Dieu, c'est interminable.

LE CHŒUR DE L'ARCHEVÈCHÉ, *chantant.*

Gloire à Toi, Christ, Dieu, fierté des Apôtres, joie des martyrs, qui prêchent la Trinité consubstantielle.

UN OFFICIER, *dans la foule, à Kotelnikov.*

Prévenez Sabinine. Des étudiants et des lycéens s'apprêtent à le siffler dans la rue!

KOTELNIKOV

Je vous remercie. *(Au substitut :)* Tout de même, ça traîne un peu trop, ce truc-là. Ils n'en finiront donc jamais!

Il s'essuie le visage avec un mouchoir

LE SUBSTITUT

Mais vos mains tremblent, à vous aussi. Vous êtes bien délicats, tous!

KOTELNIKOV

Tatiana Repina ne me sort pas de la tête. Il me semble tout le temps que c'est Sabinine qui chante et que c'est elle qui pleure.

LE PÈRE IVAN, *prenant la couronne des mains de Volguine, à Sabinine.*

Sois magnifié, ô époux, comme Abraham, sois béni comme Isaac, et multiplie-toi comme Jacob en marchant dans la paix et en accomplissant dans la justice les commandements divins.

UN JEUNE ACTEUR

Quelles belles paroles pour des gredins!

MATVÉEV

Dieu est le même pour tous.

LE PÈRE IVAN, *prenant la couronne de la mariée des mains du substitut.*

Toi aussi, épouse, sois magnifiée, comme Sara, réjouis-toi, comme Rebecca, et multiplie-toi comme Rachel, heureuse en ton époux, et gardant les prescriptions de la loi, car c'est ce qui a plu à Dieu.

La foule se rue vers la sortie.

DANS LA FOULE

Silence! Ce n'est pas fini! — Chut! Ne poussez pas!

LE DIACRE

Prions le Seigneur!

LE CHŒUR

Seigneur, aie pitié.

LE PÈRE ALEXIS, *après avoir enlevé ses lunettes noires.*

« O Dieu, ô notre Dieu, qui es venu à Cana de Galilée et qui as béni le mariage qu'on y célébrait, bénis aussi Tes serviteurs que voici, qui par Ta providence se sont liés pour la vie commune dans le mariage. Bénis leurs allées et venues, multiplie leur vie dans le bien, prends leurs couronnes pures et immaculées dans Ton royaume, et garde-les dans les siècles des siècles. »

LE CHŒUR

Amen.

MADAME OLENINA, *à son frère.*

Dis qu'on me donne une chaise! Je me sens mal.

L'ÉTUDIANT

Ce sera tout de suite fini. *(Au substitut :)* Véra se trouve mal.

LE SUBSTITUT

Véra Alexandrovna, ça va être fini. A l'instant! Un peu de patience, chère amie!

MADAME OLENINA, *à son frère.*

Pierre ne m'entend pas, il est comme pétrifié... Mon Dieu! Mon Dieu! *(A Sabinine :)* Pierre!

LE PÈRE IVAN

Paix à tous.

LE CHŒUR

Et à ton esprit.

LE DIACRE

Inclinez vos têtes devant le Seigneur.

LE PÈRE IVAN, *aux jeunes mariés.*

Que le Père, le Fils et le Saint-Esprit, la Trinité toute sainte, consubstantielle et source de vie, l'unique Divinité et Royaume, vous bénisse et vous accorde une longue vie, beaucoup d'enfants et le progrès dans la vie et dans la foi. Qu'elle vous remplisse de tous les biens terrestres et vous rende dignes aussi de jouir des biens de la promesse, par les prières de la Sainte Mère de Dieu et de tous les Saints. *(A Mme Olenina, en souriant :)* Embrassez votre mari.

VOLGUINE, *à Sabinine.*

Qu'est-ce que vous attendez? Embrassez-vous donc.

Les mariés s'embrassent.

LE PÈRE IVAN

Je vous félicite! Et que Dieu vous accorde...

MADAME KOKOCHKINA, *s'approchant
de Mme Olenina.*

Ma chérie! Mon cœur!... Que je suis heureuse! Je vous félicite.

KOTELNIKOV, *à Sabinine.*

Félicitations, te voilà marié... Mais arrête de trembler, la litanie est terminée...

LE DIACRE

Sagesse!

Des amis félicitent les mariés.

LE CHŒUR, *chantant.*

Gloire à Toi, mère de Dieu, la plus pure des chérubins, la plus glorieuse des séraphins. Père, bénissez par la parole de Dieu.

> *Les gens sortent de l'église en se bousculant. Kouzma éteint les lumières.*

LE PÈRE IVAN

Que celui qui par sa présence à Cana de Galilée a montré que le mariage est une chose honorable, le Christ, notre Dieu véritable, par les prières de sa Mère tout immaculée, des Saints, glorieux et très vénérables apôtres, des saints Rois établis par Dieu et égaux aux Apôtres, Constantin et Hélène, du mégalomartyr Procope et de tous les Saints, qu'Il ait pitié de nous et nous sauve, car Il est bon et Il est l'ami des hommes.

LE CHŒUR

Amen.

DES DAMES, *à la mariée.*

Félicitations, chère amie... Cent ans de bonne vie!

> *Baisers.*

SONNENSTEIN

Matame Sabibina, comme on le tirait en très pon russe...

LE CHŒUR DE L'ARCHEVÊCHÉ

Longue vie, lon-ongue vi-e, lon-ongue vi-e.

SABININE

Pardon, Véra! *(Il prend Kotelnikov par le bras, et l'emmène rapidement à l'écart; il est hors d'haleine et tremble.)* Allons tout de suite au cimetière.

KOTELNIKOV

Tu es fou ! Il fait nuit. Que veux-tu faire au cimetière ?

SABININE

Au nom du Ciel, allons-y. Je t'en supplie...

KOTELNIKOV

Tu vas rentrer chez toi, avec ta femme. Espèce de
fou !

SABININE

Je me moque de tout... et que tout soit mille fois
maudit. Je... J'y vais... il faut célébrer un office des
morts... Mais non, je perds la tête... J'ai failli en mourir...
Ah ! Kotelnikov, Kotelnikov !

KOTELNIKOV

Viens, viens...

> *Il le conduit vers la mariée. Une minute plus tard
> des coups de sifflets stridents retentissent dans la rue.
> Peu à peu, tout le monde quitte l'église. Ne restent en
> scène que le diacre et le gardien Kouzma.*

KOUZMA, *éteignant les lustres.*

Qu'est-ce qu'il y a eu comme peuple, aujourd'hui.

LE DIACRE

Eh oui... Un mariage riche... *(Il endosse sa pelisse.)*
Il y en a qui ne s'en font pas...

KOUZMA

Seulement, à quoi ça sert ? A rien.

LE DIACRE

Quoi?

KOUZMA

Ben, ce mariage... Tous les jours nous marions, nous baptisons, nous enterrons, et qu'est-ce que ça donne?

LE DIACRE

Mais qu'est-ce que tu veux que ça donne?

KOUZMA

Je ne sais pas... Tout ça ne sert à rien... On chante, on encense, on récite, mais Dieu, il n'entend jamais rien. Depuis quarante ans que je travaille ici, si Dieu nous avait entendus, je m'en serais bien aperçu, non?... Où est-il, ce Dieu, je ne sais pas... Tout ça et rien...

LE DIACRE

Voui... *(Il met ses caoutchoucs.)* Fais pas le philosophe, tu perdrais la boule. *(Il se dirige vers la sortie en faisant claquer ses caoutchoucs.)* A la revoyure!

Il sort.

KOUZMA, *seul.*

A midi, aujourd'hui, nous avons enterré un barine, tout à l'heure nous avons marié ceux-là, demain matin, nous baptiserons. On n'en voit pas la fin. Et qui a besoin de tout ça? Personne... Ça ne sert à rien...

On entend des gémissements.
Le Père Ivan et le Père Alexis, hirsute, avec ses lunettes noires, sortent de derrière l'autel.

LE PÈRE IVAN

Et puis elle lui a apporté une belle dot, je suppose.

LE PÈRE ALEXIS

Cela va de soi.

LE PÈRE IVAN

Qu'est-ce que c'est que notre vie, quand on y pense ?
Moi aussi, dans le temps, j'ai fait ma demande, je me
suis marié, j'ai touché une dot, et tout cela s'est envolé
dans le tourbillon des années. *(Il élève la voix.)* Kouzma,
pourquoi as-tu tout éteint ? Je risque de tomber, dans
ce noir.

KOUZMA

Je vous croyais déjà partis.

LE PÈRE IVAN

Eh bien, père Alexis ? Vous venez chez moi, prendre
du thé ?

LE PÈRE ALEXIS

Je vous remercie, mon père, mais je n'ai pas le temps.
Je dois encore écrire un rapport.

LE PÈRE IVAN

Bon, comme vous voudrez.

LA DAME EN NOIR, *sortant de derrière une colonne
en vacillant.*

Qui est là ? Emmenez-moi... Emmenez-moi...

LE PÈRE IVAN

Qu'est-ce que c'est ? Qui êtes-vous ? *(Effrayé :)* Que
voulez-vous, madame ?

LE PÈRE ALEXIS

Seigneur, pardonne-nous nos péchés!

LA DAME EN NOIR

Emmenez-moi... Emmenez-moi... *(Elle gémit.)* Je suis la sœur de l'officier Ivanov... sa sœur...

LE PÈRE IVAN

Pourquoi êtes-vous ici?

LA DAME EN NOIR

Je me suis empoisonnée... par haine... Il a offensé une femme... De quel droit est-il heureux? Mon Dieu! *(Elle crie :)* Sauvez-moi! Sauvez-moi! *(Elle se laisse tomber par terre.)* Tous devraient s'empoisonner, tous! Il n'y a pas de justice.

LE PÈRE ALEXIS, *épouvanté.*

Quel blasphème! Seigneur, quel blasphème!

LA DAME EN NOIR

... Par haine... Tous doivent s'empoisonner. *(Elle gémit et se roule par terre.)* Elle est dans la tombe, et lui... lui... On offense Dieu en offensant la femme... La femme est perdue...

LE PÈRE IVAN

Quel blasphème envers la religion! *(Joignant les mains:)* Quel blasphème envers la vie!

LA DAME EN NOIR, *déchirant ses vêtements et criant.*

Sauvez-moi! Sauvez-moi! Sauvez-moi!

Dossier

VIE DE TCHEKHOV

60 — Le 17 janvier (calendrier julien) : naissance d'Anton Pavlovitch Tchekhov à Taganrog, petit port de la mer d'Azov.

1861 — Émancipation des serfs.

1876 — Le père de Tchekhov, épicier failli, se réfugie à Moscou afin d'échapper à la prison pour dettes; sa famille va l'y rejoindre. Anton Tchekhov reste seul à Taganrog pour terminer ses études au lycée.

1876 — Tchekhov vit de leçons. Il rédige à lui seul un journal d'élèves, *Le Bègue*, compose son premier drame, *Sans père* (manuscrit égaré), fréquente le théâtre de Taganrog.

1879 — Tchekhov rejoint sa famille à Moscou, où elle vit dans la misère. Il s'inscrit à la faculté de médecine.

1880 — Pour faire vivre les siens, il collabore à diverses revues humoristiques : *La Libellule, Le Réveil-Matin, Le Spectateur, Le Journal de Pétersbourg, Les Éclats.* Il signe : *L'Homme sans rate, Le Frère de mon frère, Rouver,* et surtout *Antocha Tchékhonté.* Son premier récit : *Lettre de Stépan Vladimirovitch, propriétaire de la région du Don, à son savant voisin, le docteur Fredrich,* est publié par *La Libellule.*

1881 — Assassinat d'Alexandre II.

1882 — Tchekhov écrit un drame (auquel on a donné le titre de *Platonov*). Celui-ci est refusé par le théâtre Maly. Une

autre pièce, *Sur la grand-route*, tirée du récit *En automne*, est
interdite par la censure

1884-1885 — Tchekhov termine ses études de médecine; il
commence à exercer sa profession à Moscou et, pendant les
mois d'été, dans les petites villes de Voskressensk et de
Zvenigorod. Depuis 1882, il collabore aux *Éclats*, revue
humoristique plus importante, qui paraît à Pétersbourg.
Publication de son premier recueil, *Les Contes de Melpomène*.
Premiers symptômes du mal qui l'emportera, la tuberculose.

1886 — · Tchekhov débute dans un grand quotidien de Pétersbourg, *Temps nouveau*, de tendance réactionnaire, dont le
directeur — Souvorine — deviendra son ami, son éditeur
et son correspondant régulier. Une lettre de l'écrivain Grigo-
rovitch qui l'adjure de se prendre au sérieux et de ne pas
gaspiller des dons exceptionnels lui donne confiance en
lui-même. Son nom commence à être connu. Il fréquente les
milieux du théâtre et compose une pièce en un acte : *Le
Chant du cygne* (tirée de son récit *Calchas*).

1887 — Son drame *Ivanov*, représenté le 19 novembre au théâtre
Korch, suscite de vives controverses dans le public comme
dans la critique.

1888 — Tchekhov publie des récits plus longs et plus graves
(parmi lesquels *La Steppe, Lueurs,* etc.). Cela ne l'empêche
pas de composer de petites pièces légères et très gaies : *Une
demande en mariage, L'Ours*. Il reçoit le prix Pouchkine à
l'unanimité pour son recueil, *Dans le crépuscule*.

1889 — Fait la connaissance de la romancière Lydia Avilova.
Succès de la nouvelle version d'*Ivanov* au théâtre Alexandra
de Pétersbourg. Mort de son frère Nicolas. Tchekhov achève
Une banale histoire et *Le Sauvage*, pièce refusée pour « manque
de qualités dramatiques ». La pièce est finalement jouée
au théâtre Abramova, et mal accueillie par la presse.

1890 — En remaniant entièrement *Le Sauvage*, Tchekhov en fait
Oncle Vania qui sera publié en 1897. Il écrit en outre deux
petites comédies : *Tragédien malgré lui* et *Une Noce*. — En avril,
il entreprend, à travers la Sibérie, un long et pénible voyage
qui le mène à l'île de Sakhaline, où sont détenus des forçats.

But du voyage : voir de ses propres yeux comment vivent
ceux que la société a condamnés ou relégués. La publication
de *L'Ile de Sakhaline* (en 1893), qui révélait les atroces conditions de vie des bagnards, sera à l'origine de certaines réformes
administratives.

1891 — Premier voyage à l'étranger : Vienne, Venise, Florence,
Rome, Nice, Paris. Publication de *Le Duel*.

1892 — Tchekhov participe à la lutte contre la famine. Achat
d'une propriété (Mélikhovo), non loin de Moscou. Tchekhov,
ses parents, sa sœur s'y installent. L'écrivain y soigne gratuitement les paysans, prend une part active à la lutte contre
l'épidémie de choléra, y fait construire des écoles et tracer des
routes. L'œuvre la plus importante de cette année : *Salle 6*.

1893 — Amitié amoureuse avec Lika Mizinova.

1894 — Deuxième voyage à l'étranger : Vienne, Milan, Gênes,
Nice, Paris. Mort d'Alexandre III. Nicolas II, qui lui succède,
maintient un régime autocratique.

1895 — Lénine organise à Pétersbourg « L'Union de la lutte
pour la libération de la classe ouvrière ». En août, Tchekhov,
chez Tolstoï, à Iasnaïa Poliana, assiste à une lecture de *Résur-
rection*. Tchekhov est mis sous surveillance officieuse de la
police.

1896 — Le 6 octobre, échec retentissant de *La Mouette* au théâtre
Alexandrinski de Pétersbourg. Mais succès à la deuxième
représentation. Publication de *Ma Vie* mutilée par la censure.

1897 — Grave hémoptysie. L'hiver à Moscou lui est interdit
Tchekhov part pour Paris, Biarritz, Nice Se passionne pour
l'affaire Dreyfus.

1898 — Révolution théâtrale avec la fondation du Théâtre d'A.
de Moscou par Stanislavski et Nemirovitch-Dantchenko.
A la fin de l'année, le Théâtre d'Art fait triompher *La Mouette*.
Tchekhov s'installe à Yalta, en Crimée.

1899 — Visite de Gorki à Yalta. Tchekhov vend Mélikhovo.
Le 26 octobre, première d'*Oncle Vania* au Théâtre d'Art.
Olga Knipper, qui deviendra la femme de l'écrivain, inter-
prète le rôle d'Éléna Andréevna. Parution de *La Dame au
petit chien*.

1900 — Tchekhov académicien d'honneur de la section Belles-Lettres de l'Académie des Sciences. Il publie *Dans le ravin,* peinture très sombre du village russe. Le Théâtre d'Art se rend en avril à Yalta et à Sébastopol, ce qui permet à Tchekhov d'assister à la représentation de ses pièces (ainsi que de *Hedda Gabler* d'Ibsen et des *Solitaires* de Hauptmann).

1901 — De nouveau à Nice durant l'hiver 1900-1901. Le 31 janvier, première des *Trois Sœurs* au Théâtre d'Art, avec Olga Knipper dans le rôle de Macha. Le 25 mai, mariage de Tchekhov et d'Olga. Les époux vivront presque continuellement séparés, car Olga poursuit sa carrière artistique, tandis que Tchekhov est condamné à vivre à Yalta qu'il appelle sa « tiède Sibérie ». En Crimée, il fréquente Tolstoï — qu'il admire mais dont il a rejeté l'influence — et de jeunes écrivains : Gorki, Bounine, Kouprine.

1902 — A Yalta, Tchekhov vient en aide aux tuberculeux nécessiteux. Il écrit *L'Évêque.* Il démissionne de l'Académie russe parce que Gorki, sur l'ordre du tsar, n'y a pas été admis.

1903 — Dernières œuvres : *La Fiancée, La Cerisaie.*

1904 — Le 17 janvier, *La Cerisaie* est représentée au Théâtre d'Art (avec Olga Knipper dans le rôle de Mme Ranévskaïa). La guerre russo-japonaise éclate le 8 février. Tchekhov rêve encore de partir pour le front en qualité de médecin. Cependant ses forces déclinent rapidement. En mai, il part avec sa femme pour Berlin et Badenweiler, où il meurt le 2 juillet. Il est enterré à Moscou le 9 juillet, au cimetière du monastère des Nouvelles-Vierges

NOTICES

LE SAUVAGE

Le Sauvage (exactement, en langue russe : *Le Sylvain*) est représenté pour la première fois à Moscou en décembre 1889. C'est un échec total, comme l'a été *Ivanov* deux ans plus tôt. Public et critiques se liguent pour reprocher à Tchekhov de ne s'intéresser qu'aux petits détails de la vie quotidienne — c'est-à-dire de ne pas faire pleurer le bourgeois avec de grands sentiments et de ne pas « tenir compte des exigences de la scène ». Devant cet accueil, Tchekhov retire sa pièce du répertoire et attend des circonstances plus favorables pour remonter cette première et optimiste mouture de ce qui deviendra, au cours des ans, *Oncle Vania*. Complètement oubliée depuis, cette œuvre sera redécouverte en France par La Communauté Théâtrale et portée à la scène en 1962 sous un nouveau titre : *Le Génie des Forêts*.

C'est en 1888, l'année de *La Steppe*, que Tchekhov conçoit le projet du *Sauvage*. Dès le printemps 1889, peu après la reprise d'*Ivanov* à Pétersbourg, il jette une première ébauche sur le papier et écrit à Souvorine, directeur du *Temps nouveau* : « Figurez-vous que j'ai terminé le premier acte du *Sylvain*. Ce n'est pas mal venu, bien qu'un peu long. Je me sens beaucoup plus fort qu'au temps où je composais *Ivanov*... Ma pièce est extrêmement étrange et je m'étonne moi-même que des choses aussi singulières sortent de ma plume. » Mais en automne de la même année, Tchekhov reprend le tout et annonce sa seconde version au poète Plechtcheev : « J'écris une grande comédie, genre roman, et j'en ai déjà pondu deux actes et demi... J'y montre des braves gens bien portants et à moitié sympathiques. Cela finit bien. Le ton général est lyrique d'un bout de la pièce à l'autre. Cela s'appelle *Le Sylvain*. »

Cela finit bien... comme finit bien *Oncle Vania!* Mais entre *Le Sylvain* et *Oncle Vania*, dix ans se sont écoulés. Dix ans de maladie pour le médecin Tchekhov qui s'obstine à soigner les autres. Dix ans d'observations au bout desquels il comprend qu'il faudra un raz-de-marée pour secouer l'inertie de la Russie. A l'époque du *Sylvain*, le médecin Khrouchtchev est encore plein d'espérance. Il replante les forêts pour demain, il s'indigne au nom de la justice, de la vertu, il tente, dans sa sphère restreinte, de réveiller un monde assoupi. Il est capable d'aimer aussi et de se réjouir. Mais en changeant de nom dans *Oncle Vania*, Khrouchtchev-Astrov a perdu sa vigueur et son enthousiasme. Krouchtchev, vainqueur en dépit de tout, s'écrie : « Tant pis si les forêts brûlent, j'en planterai de nouvelles! Tant pis si l'on ne m'aime pas, j'en aimerai une autre. » Astrov, lui, n'a plus la force, ni l'envie de réagir : « Je n'espère plus rien pour moi-même. Je n'aime pas les hommes... Les paysans sont tous sur le même modèle, incultes, sales, et je ne peux trouver de point de contact avec les gens instruits des environs. Tous nos bons amis n'ont aucune profondeur de pensée ou de sentiments... Quant à ceux qui sont plus intelligents, ce sont des hystériques occupés de psychopathie ou d'introspection. » Il accomplit encore son métier, mais péniblement, sans goût; il plante encore des arbres, mais seulement parce qu'il est désormais convaincu que les espaces libres ne seront pas de sitôt occupés par des voies ferrées, des écoles et des hôpitaux. Comme Tchekhov l'a lui-même alors compris, il sait que ses efforts sont une goutte d'eau jetée dans la mer. Pourquoi instruire quelques enfants, pourquoi essayer de sauver quelques êtres humains plus heureux morts que vivants. Il est seul, en dépit d'une poignée d'individus qui, comme lui dispersés et solitaires, ne peuvent rien. Il reste, quoiqu'on fasse, des milliers de gens qu'il faudrait instruire et soigner, contre leur gré, en leur faisant rentrer dans la tête, selon la réplique de Lénine à Gorki, la révolution à coups de marteau. L'amour même n'intéresse plus Astrov, tout au plus est-il encore capable de désirs; il le déclare sans ambages à Eléna.

D'une pièce à l'autre, ce ne sont pas les personnages qui ont changé, c'est leur foi qui a chancelé. Rien ne le montre mieux que le déplacement du héros principal. Dans *Le Sylvain*, c'est Khrouchtchev, le sauvage, qui domine; sa force indomptable, ses rêves finissent par s'imposer à tous. Le suicide de Voïnitzki, son désenchantement ne sont qu'un intermède; après lui, la vie repart, les êtres s'aiment, construisent un foyer. Mais dans *Oncle Vania* Voïnitzki occupe le centre du drame. Cette fois, il ne se suicide pas; il ne parvient pas même à tuer les autres. Il sait qu'il est raté, que rien ne vaut la peine et s'il continue à travailler, c'est uniquement pour oublier. Sonia non plus n'échappe pas à la dure prise de conscience : si vibrante dans *Le Sylvain*, elle n'est plus que résignée.

Seuls, Eléna et le professeur sont demeurés semblables. Mais seulement parce qu'ils sont des êtres négatifs. Eléna, « personnage épisodique », comme elle se nomme elle-même, n'est rien de mieux que dans *Le Sylvain* : c'est l'artiste oisive et languissante avec « de l'apathie, de la paresse, de la flemme ». Le professeur est lui aussi la réplique fidèle du portrait tracé par le Voïnitzki de la première pièce : un vieillard vide de pensée et inutile. Non, ces personnages-là n'ont pas changé. A quoi bon! Ils sont l'exacte représentation de cette Russie croupissante qui refuse de sortir du marasme général.

Tout finit bien dans *Le Sylvain*! On se marie. On s'aime. *Oncle Vania* n'a pas la violence du *Sylvain* : c'est une œuvre tout en demi-teinte, mais certes point optimiste. Et pourtant! Au-delà du déses-poir de Voïnitzki, de la misanthropie d'Astrov, l'élan d'espérance du Sauvage brille encore, malgré Tchekhov : *Demain* Vania retourne à ses comptes, Astrov à ses malades, l'un et l'autre passion-nément tendus vers quelque chose de neuf qu'ils pressentent sans pouvoir le nommer ni même le connaître. C'est le message du *Sauvage*.

Geneviève Bulli.

ONCLE VANIA

Ce drame a été écrit en 1890. Deux ans plus tôt, Tchekhov avait traité le même sujet en comédie légère, mais, de cette pre-

mière version intitulée *L'Esprit des Bois (Le Sauvage)*, il n'avait
conservé que les personnages et quelques scènes. Très longtemps,
l'écrivain hésita à publier *Oncle Vania*, qui ne parut en librairie
qu'en 1897.

Tout de suite, les grands théâtres de province s'emparèrent
de la pièce, et partout — à Odessa, à Kiev, à Nijni-Novgorod —
elle rencontra un succès triomphal. Le public provincial était
touché au vif par ce drame qui lui proposait une image si juste de sa
propre existence, et il retrouvait dans les désirs avortés et la
stérile résignation des personnages tchekhoviens le goût amer de
ses propres déceptions. Une lettre de Gorki à l'auteur, datée de
novembre 1898, exprime bien ce sentiment des premiers specta-
teurs de la pièce : « J'ai vu, écrit Gorki, *Oncle Vania* il y a quelques
jours et, bien que je ne sois pas précisément nerveux, j'ai pleuré
comme une femmelette. Pour moi, votre *Oncle Vania*, qui relève
d'un genre dramatique totalement nouveau, est une pièce
effrayante... Lorsqu'au dernier acte, après un long silence, le docteur parle de la chaleur qu'il fait en Afrique, j'ai frémi d'admiration pour votre talent et d'épouvante à l'idée de la vie incolore et
misérable qui est la nôtre. »

A Moscou, Tchekhov avait confié sa pièce au Théâtre d'Art
que dirigeaient Stanislavski et Nemirovitch-Dantchenko, mais
c'est de Yalta que l'écrivain, déjà très malade, expliquait leur rôle
aux comédiens. A Olga Knipper — sa future femme — qui devait
jouer le personnage d'Eléna, il écrivait le 30 septembre 1899 :
« Vous dites que, dans cette pièce, Astrov tient à Eléna le langage
d'un homme ardemment épris... Mais cela est faux, archi-faux !
Eléna lui plaît, il est ému par sa beauté, mais au dernier acte il sait
que tout cela n'aboutira à rien, qu'Eléna disparaîtra définitivement
de sa vie et il emploie, pour lui parler, le ton le plus ordinaire...
S'il l'embrasse, c'est tout bonnement parce qu'il n'a rien de mieux
à faire. »

Lors de la première représentation au Théâtre d'Art le 26 octobre 1899, la pièce recueillit les suffrages d'une petite élite cultivée,
mais le grand public, plus lent à rompre avec des habitudes routi-
nières, fut désarçonné par la nouveauté de cet art. Si tous les
critiques rendirent hommage à la maîtrise de l'écrivain, la plupart
ne virent dans *Oncle Vania* que le tableau, fidèle et sincère, de la
triste réalité russe en ces années de réaction politique et d'atonie

générale. Seuls, quelques-uns d'entre eux mesurèrent et admirèrent la force de ce théâtre où la tension dramatique ne cesse de grandir malgré le caractère statique du sujet et où l'unité d'action est remplacée par l'unité d'atmosphère.

C'est seulement au printemps de 1900 que Tchekhov put assister à la représentation de sa pièce, que la troupe du Théâtre d'Art était venue jouer en Crimée à son intention. Il apprécia hautement la mise en scène de Stanislavski; mais il continuait de recommander aux acteurs un jeu sobre et dépouillé : « Le drame humain, disait-il, est dans l'intime de l'être, non dans les manifestations extérieures. »

Génia Cannac.

LA CERISAIE

La première conception de cette pièce remonte, selon le témoignage de Stanislavski, à l'année 1901 : c'est pendant les répétitions des *Trois Sœurs* que Tchekhov aurait eu l'idée de cette nouvelle œuvre. De Yalta, il écrit à sa femme (l'actrice Olga Knipper) : « Si je ne t'ai pas encore parlé de ma pièce, c'est parce que je manque de foi, non pas en toi, mais en elle » (20 janvier 1902). Et il avoue que ses idées sur l'œuvre en gestation sont encore assez floues. Les contours de la pièce ne commencent à se préciser qu'au début de 1903; le titre en est déjà trouvé. En mars, l'écrivain se met résolument au travail; à la mi-septembre, *La Cerisaie* est terminée.

Aucune de ses pièces antérieures n'avait demandé à Tchekhov un effort aussi pénible : la maladie qui allait bientôt emporter l'écrivain faisait en effet de terribles progrès, et la composition de *La Cerisaie* a été une véritable course contre la mort.

Au moment d'envoyer sa pièce au Théâtre d'Art, Tchekhov se réserve encore la possibilité d'y apporter des retouches importantes : « Si elle déplaît, écrit-il à sa femme le 14 octobre 1903, ne te décourage pas pour autant [...] Je pourrai, dans un mois, la refondre entièrement, et tu ne la reconnaîtras pas. »

On retrouve dans cette pièce des thèmes qui reviennent dans toute l'œuvre tchekhovienne : ainsi celui de la maison abandonnée, symbole de la disparition de l'ancienne classe possédante, de ses traditions, de ses croyances; on y rencontre aussi des types de cette intelligentsia oisive, mal adaptée à la vie, qui doit céder le pas à une nouvelle classe sociale, représentée ici par Lopakhine, marchand d'origine paysanne. Cependant, on perçoit dans *La Cerisaie* une note optimiste nouvelle : par la voix des jeunes — Trofimov et Ania — l'auteur proclame cette foi en un avenir meilleur qui s'affirme également dans d'autres œuvres de la dernière période, dans *Les Trois Sœurs* et dans la nouvelle *La Fiancée*.

L'interprétation de la pièce suscita de graves divergences entre le dramaturge et les metteurs en scène, Stanislavski et Nemirovitch-Dantchenko. Tchekhov considérait *La Cerisaie* — ses lettres en font foi — comme une comédie gaie. Or, tel n'était pas du tout l'avis des metteurs en scène : « Ce n'est, contrairement à ce que vous affirmiez, ni une farce, ni une comédie, — écrit Stanislavski à l'auteur — mais bien une tragédie, et ce en dépit de la perspective sur une vie meilleure qui s'ouvre au dernier acte. Malgré mes efforts pour me maîtriser, j'ai pleuré comme une femme [en la lisant] ... »

Il est incontestable que les motifs qui scandent avec le plus d'insistance presque toute la pièce sont ceux de l'abandon et de la fin de toutes choses, auprès desquels le motif optimiste paraît manquer de vigueur et purement verbal.

La première eut lieu le 17 janvier 1904, en présence de Tchekhov dont c'était le jour anniversaire et qui devait mourir six mois plus tard. Il avait assisté aux répétitions et essayé de donner des indications aux acteurs; mais l'atmosphère de mélancolie résignée que Stanislavski et Némirovitch-Dantchenko avaient créée autour de la pièce lui apparaissait comme un contresens et il prétendait, non sans irritation, qu'ils ne l'avaient jamais lue attentivement.

Depuis lors, on a quelquefois essayé de jouer *La Cerisaie* dans un autre ton. L'année même de la mort de Tchekhov, Meyerhold qui avait monté la pièce à Kherson, en fit une sorte de comédie burlesque. Trente ans plus tard, Lobanov, un metteur en scène soviétique, la présenta à son tour comme une « comédie excentrique ». Mais aucune de ces tentatives ne devait avoir de lendemain, et c'est dans le style de Stanislavski que l'on continue de jouer *La Cerisaie* au Théâtre d'Art de Moscou.

Génia Cannac.

NEUF PIÈCES EN UN ACTE

Rendu méfiant par l'échec d'*Ivanov*, Tchekhov s'abstient, pendant sept ans, d'écrire pour le théâtre des œuvres de longue haleine. Il s'en tient aux comédies ou farces en un acte, chefs-d'œuvre d'humour et d'observation. De cette époque datent (1888-1895) *L'Ours*, *Une demande en mariage*, *Tatiana Repina*, *Tragédien malgré lui*, *Une noce*, *Un jubilé* et la première version des *Méfaits du tabac* dont le texte définitif ne sera publié qu'en 1902. *Sur la grand-route* et *Le Chant du cygne* appartiennent à une époque antérieure. L'une est de 1885, l'autre de 1886. Toutes deux sont désignées comme des « études dramatiques en un acte ». *Sur la grand-route* est un remaniement de sa nouvelle *En automne*. Elle a été interdite à la scène pendant toute la vie de Tchekhov et n'a paru imprimée qu'après la mort de l'auteur, la censure ayant jugé cette pièce « sombre et sordide ».

Le Chant du cygne est également tiré d'une nouvelle : *Calchas*, publiée en 1886. Dans une de ses lettres, Tchekhov définit ainsi cette pièce écrite pour l'acteur Lensky, du théâtre Maly : « C'est le plus petit drame qui soit au monde. Il se jouera en quinze, vingt minutes. Je l'ai écrit en une heure et cinq minutes. »

Et ailleurs :

« Cette pièce n'a aucun mérite, je n'y attache aucune signification. » Et pourtant, le succès de ce petit acte, mettant en scène un acteur vieilli qui s'est endormi dans sa loge et erre la nuit sur le plateau en évoquant sa gloire passée, incite Tchekhov à persévérer dans la carrière théâtrale. Tchekhov aborde le théâtre, comme il aborde la littérature, avec infiniment de concision et de méfiance à l'égard de lui-même. Courts, dépouillés, soit par hâte, soit par ce besoin de ce qui est l'un de ses moyens les plus efficaces, la brièveté, le plus souvent poussés à la caricature, ces petits actes n'en constituent pas moins une anthologie des thèmes que Tchekhov développe dans ses œuvres les plus importantes.

« Les pièces doivent être mal écrites, avec insolence », c'est-à-dire sans souci de bien écrire, avec aisance. Et c'est là précisément ce que révèlent les pièces en un acte de Tchekhov. Le théâtre ne se lit pas, il se parle, il se vit. Il n'y a pas de truchement entre le public et le personnage. C'est le metteur en scène et l'acteur qui, avec l'atmosphère, donnent le ton, sur les indications de l'auteur, si précises et si suggestives dans Tchekhov. Or, une pièce trop bien écrite risque d'enlever à l'acteur comme au public leur liberté d'imagination. Aussi les personnages des pièces de Tchekhov — et précisément celles qui sont présentées ici — sont-ils des instants, qu'on pourrait dire coupés en tranches, auxquels la liberté de l'écriture restitue une unité basée sur le lyrisme, la froideur, l'intelligence, la bêtise, le pathétique ou le grotesque, sans qu'on ait jamais envie de définir s'il s'agit d'un drame ou d'un vaudeville.

Il n'est donc point étonnant que ces petites pièces aient aussitôt connu un immense succès, même si Tchekhov, toujours trop peu confiant, écrit après le triomphe de *L'Ours* : « On ne sait jamais où l'on perd et où l'on gagne. »

Cette farce, ainsi que *Une demande en mariage,* ne met que trois personnages en scène. Un propriétaire terrien, ours mal léché, vient réclamer à une jeune veuve inconsolable une dette contractée par son défunt époux. Échauffé par la rigueur que lui oppose la jeune femme, il la demande en mariage après l'avoir provoquée en duel. Dans *Une demande en mariage,* le ressort comique est à peu près de la même veine. Venu demander une jeune fille en mariage, le héros s'engage dans une discussion d'affaires si violente que la demoiselle se prend au jeu et lui réplique sur le même ton. Après s'être injuriés de belle manière, ils finissent par s'accorder, tout en restant chacun sur sa position.

Tragédien malgré lui et *Les Méfaits du tabac* sont constitués par deux monologues. Dans le premier, Tchekhov représente le désespoir d'un époux que sa femme, en villégiature hors de la ville, expédie chaque jour faire des commissions jusqu'à la nuit, sans d'ailleurs plus se soucier de lui que d'un mulet. Le malheureux en devient fou et s'apprête à tuer celui qu'il a choisi pour confident.

Le second monologue, *Les Méfaits du tabac,* expose le cas d'un vieux mari terrorisé par son acariâtre épouse. Elle le charge de faire une conférence et il profite de cette liberté relative pour confier sa détresse au public. Des deux versions de cette pièce la première date de 1886 — seule celle de 1902 a été représentée.

Une noce et *Un jubilé* résultent de l'arrangement de plusieurs nouvelles publiées précédemment par Tchekhov. *Une noce* est une peinture de mœurs. Un banquet de mariage dans un milieu de

petits-bourgeois est le motif d'un amusant quiproquo. Les nota-
tions cocasses et pleines de verve font du général — qui n'est
qu'un capitaine retraité de la flotte —, du petit employé préten-
tieux et de la belle-mère une série de portraits d'une vérité saisis-
sante.

Un jubilé oppose un président de banque ambitieux à son vieux
comptable. Un bilan doit être prêt pour l'anniversaire de la fondation de l'établissement. Les intrus, les malentendus, les évanouis-
sements se succèdent jusqu'au moment où, dans ce complet
désordre, la délégation des employés vient faire son compliment
au président devenu fou.

Tatiana Repina, enfin, est inspiré d'un drame de Souvorine
portant le même titre. Cette pièce devait être, selon Tchekhov,
le cinquième acte de l'œuvre de son ami. Bien que datée de 1889,
Tatiana Repina est, selon l'avis du critique soviétique Dolinine,
le début du « théâtre tchekhovien »; elle n'a été publiée qu'après
la mort de l'auteur.

Si le succès de ces neuf pièces en un acte, jouées aujourd'hui
dans le monde entier, et si fort appréciées du public de l'époque, a
largement contribué à libérer Tchekhov des craintes que l'échec
d'*Ivanov* avait fait naître en lui, il lui a également permis de connaître
pendant quelques années la sécurité matérielle dont il avait tant
besoin.

Geneviève Bulli.

Neuf pièces en un acte

Impression Bussière Camedan Imprimeries
à Saint-Amand (Cher),
le 2 janvier 2001.
Dépôt légal : janvier 2001.
1ᵉʳ dépôt légal dans la collection : janvier 1974.
Numéro d'imprimeur : 005846/1.
ISBN 2-07-036521-2./Imprimé en France.

99698